Le comm[illegible]be dans bureau de[illegible]

— Gul N[illegible]eux vers ui.

— Et vous c'est Sisko, déclara Marak avec un imable rictus.

La voix de Sisko ne laissa percer nulle colère : « Je rois que vous avez demandé à me rencontrer. »

Marak lança un bloc-notes électronique sur le bureau u commandant.

— Le gouvernement cardassien m'a chargé de communiquer sa requête à la Fédération des planètes unies. À ous, vu que vous en êtes le représentant.

Sisko tendit le bras vers le carnet électronique, mais Marak l'arrêta :

— Pas besoin de lire. Je vais vous dire de quoi il etourne : Mon gouvernement exige la restitution de la tation cardassienne présentement désignée sous le nom e Deep Space Neuf. J'ai reçu pleins pouvoirs d'en ssumer le commandement dès à présent.

Le regard assuré de Sisko rencontra celui, furieux, u commander cardassien.

— Cette requête pourrait conduire à une guerre interellaire, fit-il observer d'un ton posé.

Star Trek : série Voyageur

1 Le protecteur
2 L'évasion
3 Ragnarok
4 Infractions
5 Incident à Arbuk
6 Le mangeur d'étoiles

Star Trek : série Deep Space Neuf

1 L'émissaire
2 Le siège
3 La saignée
4 Le grand jeu
5 Héros déchus
6 Trahison

STAR TREK
DEEP SPACE NEUF

Trahison

Lois Tilton

Traduit de l'américain
par Bruno Guévin

Titre de la version originale anglaise : Star Trek Deep Space Nine : Betrayal

Révision : Nancy Coulombe
Typographie et mise en page : François Doucet
Graphisme de la page couverture : Carl Lemyre
Traduction : Bruno Guévin
ISBN 2-921892-88-X
Dépôt légal : deuxième trimestre 2000
Bibliothèque nationale du Québec
Bibliothèque nationale du Canada
Première impression : 2000

Éditions AdA Inc.
172, Des Censitaires
Varennes, Québec, Canada, J3X 2C5
Téléphone: 450-929-0296
Télécopieur: 450-929-0220
www.ADA-INC.com
INFO@ADA-INC.COM

Diffusion

Canada: Éditions AdA Inc.
Téléphone: 450-929-0296
Télécopieur: 450-929-0220
www.ADA-INC.com
INFO@ADA-INC.COM
France: D.G Diffusion
Rue Max Planck, B.P. 734
31683 Labege Cedex
Tél: 05 61 000 999
Belgique: Rabelais- 22.42.77.40
Suisse: Transat- 23.42.77.40

Imprimé au Canada

Données de catalogage avant publication (Canada)

Tilton, Lois

Trahison

Traduction de : Betrayal.
Constitue le v. 6 de Star Trek, deep space neuf.

ISBN 2-921892-88-X

I. Guévin, Bruno. II. Titre. III. Titre: Star Trek, deep space neuf.

PS3570.I47B4714 2000 813'.54 C00-941048-1

Prologue

Il traversait la station spatiale sans se faire remarquer, mais rien ni personne n'échappait à son attention. Il avait fait ce genre de travail très souvent. Il était habile, et il le savait. Cela ne lui procurait aucune satisfaction ni fierté particulière. C'était ainsi, tout simplement.

Il prit le turbolift principal en direction de l'anneau d'amarrage. Les touches de commande étaient identifiées en caractères cardassiens. Partout, il retrouvait des signes de l'origine de la station, conçue et construite par des Cardassiens. Peu importait que ceux-ci l'aient abandonnée aux Bajorans. Cet endroit resterait toujours cardassien, même si les panneaux étaient un jour tous traduits en bajoran et en langages de la Fédération. L'esprit qui l'habitait était cardassien. Rien ne pourrait jamais y changer quoi que ce soit.

Personne n'avait de motif de se trouver au quai de déchargement central du pylône deux, aucun vaisseau n'y étant amarré. Son intention n'était pas de blesser ou de tuer quiconque. Pas cette fois.

Seul, à l'abri des regards, il sortit l'appareil, qui tenait aisément dans le creux de la main. Petit, discret, facile à dissimuler. Il activa la commande de déclenchement et fixa l'engin en place.

La première bombe était posée.

CHAPITRE 1

Le commandant Benjamin Sisko attacha le dernier bouton de son uniforme de gala et, d'un geste exaspéré, tira sur le col empesé. Un bref coup d'œil dans le miroir lui révéla l'arc sévère de ses sourcils qui lui donnait cette expression ayant si fréquemment impressionné aussi bien ses ennemis que ses subalternes de Starfleet.

Bon sang, pensa-t-il, je ne me suis pas engagé dans Starfleet pour jouer les ambassadeurs auprès de la moitié des races de la Galaxie !

En vérité, Sisko n'avait en ce moment rien d'un diplomate. L'image dans le miroir était plutôt celle d'un homme qui préférait aborder un problème de front, peu enclin à tourner autour du pot au moyen de demi-mensonges, de faux-fuyants et de phrases bien tournées qui plaisaient à l'oreille mais n'engageaient en rien leur auteur.

Et qui, de plus, détestait revêtir des tenues de cérémonie aussi ridicules qu'inconfortables.

Un fait n'en demeurait pas moins : à titre de commandant de l'ancienne station cardassienne rebaptisée Deep Space Neuf, il représentait la Fédération des planètes unies dans l'espace bajoran, et ce poste comportait certaines obligations et quelques responsabilités peu attrayantes —

la diplomatie, entre autres. Or, Benjamin Sisko n'était pas homme à se dérober à son devoir.

Les sourcils toujours froncés, il fouilla dans son tiroir pour trouver des gants blancs.

— P'pa ! C'foutu synthé cardass déconne encore ! Il...

— Jake ! Surveille ton langage ! lui intima Sisko d'un ton sec dès que son jeune fils entra dans la chambre.

C'est le petit férengi qui lui apprend ces expressions, pensa le père, qui se désespérait de cette désastreuse influence. Nog, lui, les tenait des Cardassiens, du temps qu'ils étaient maîtres de la station et que les membres du personnel fréquentaient le casino de son oncle Quark. L'adolescent était, hélas ! le seul garçon du même âge que Jake sur la station.

— Tu avais dit qu'on irait faire une promenade en runabout aujourd'hui. Tu m'avais promis que je pourrais prendre les commandes !

La surprise de Jake, qui gardait les yeux rivés sur le costume d'apparat, transforma instantanément la colère de Sisko en culpabilité. Il avait en effet promis à son fils de l'emmener en excursion. Manquer à sa parole lui faisait horreur, mais il n'avait pas vraiment le choix — pas cette fois.

— Je suis désolé. Il y a eu une urgence. Je dois accueillir une délégation de Kovassii à leur arrivée. Impossible de me défiler.

— C'est toujours la même histoire ! se plaignit Jake avec un froncement de sourcils qui ne fit qu'accentuer sa ressemblance avec son père. Il y a toujours une urgence quelque part ici !

— Mais c'est mon travail, Jake, dit Sisko en soupirant d'un air las. Tu le sais. Ces négociations commerciales sont très importantes. Crois-tu que je ne préférerais pas t'apprendre à piloter le runabout au lieu rester planté dans cet... *uniforme* à échanger des poignées de mains avec une bande de diplomates prétentieux ? On ne fait pas toujours ce qu'on veut dans cette Galaxie — ni dans aucune autre que je connais d'ailleurs.

— *Ça*, c'est sûr ! marmonna Jake.

Le front de Sisko se plissa de nouveau.

— Mais pourquoi es-tu obligé d'accueillir cette stupide délégation ? Est-ce que quelqu'un d'autre ne peut pas s'en occuper ? Le major Kira ?

— Parce que je suis le commandant de la station, tout simplement. Parce que je suis le représentant officiel de la Fédération dans ce secteur. Les Kovassii sont extrêmement pointilleux en matière de protocole et de sécurité. L'incident du pylône d'arrimage les a rendus particulièrement nerveux.

— Tu parles de la bombe ?

Les sourcils de Sisko se rapprochèrent un peu plus. Sécurité et discrétion aux affaires internes, comme d'habitude. Garder un secret sur cette station aurait tenu du tour de force. « Je préférerais que tu n'abordes pas le sujet en public, mais c'était une bombe, en effet », admit Sisko. Il fallait un vrai fanatique pour faire sauter un explosif sur une station pleine de civils. La déflagration avait endommagé le sas principal du pylône d'arrimage deux et forcé le commandant à en ordonner la fermeture, au moment même où la station attendait un nombre sans précédent de vaisseaux venus participer aux négociations commerciales. Personne n'avait été blessé, mais Sisko avait dû déployer tous ses talents de diplomate pour convaincre la délégation kovassiite de ne pas immédiatement rebrousser chemin et déposer une plainte officielle pour dénoncer la présence grouillante de fanatiques et de terroristes sur Deep Space Neuf. Il avait dû promettre, à titre de commandant de la station, de veiller personnellement à leur sécurité lorsqu'ils parviendraient à destination.

D'où la nécessité de ce costume destiné à satisfaire le respect scrupuleux du protocole et des conventions des Kovassi. Et la rupture de sa promesse à son fils.

— Mais pourquoi toutes ces délégations viennent-elles ici ? demanda Jake, toujours maussade. S'ils veulent négocier avec les Bajorans, ils n'ont qu'à descendre sur la planète pour les rencontrer, non ?

— Est-ce une vraie question ou encore une lamentation ? demanda Sisko en dévisageant Jake.

— Disons que c'est une vraie question, répondit le garçon après un moment de silence.

— D'accord, dit Sisko qui activa son commbadge du bout des doigts. Sisko à Ops. Quelle est l'heure d'arrivée prévue du vaisseau kovassiite ?

— Ils sont attendus au pylône trois dans quarante-cinq minutes, commandant. Le pilote exécute son approche avec, euh... toutes les précautions nécessaires.

— Avisez le détachement de sécurité que je serai au sas pour les accueillir. Sisko hors liaison.

Bon, il me reste quelques minutes, dit-il en se tournant vers son fils. Tu sais, Jake, l'occupation cardassienne a laissé aux Bajorans bien plus que des morts et des dommages matériels, comme ceux que tu peux constater sur la station. Les Cardassiens étaient impitoyables. Il leur aurait été indifférent de tuer jusqu'au dernier des Bajorans. Sur DS-Neuf, ils ont au moins été obligés de laisser les systèmes vitaux intacts.

« C'était une occupation brutale, Jake. Et retiens bien ceci : la violence ne fait qu'engendrer la violence. Les Bajorans formaient autrefois un peuple pacifique. Ils ne savaient même pas comment riposter quand les Cardassiens ont commencé leurs attaques. L'occupation leur a appris à combattre la répression par le terrorisme. Trois générations entières, en exil ou dans les camps de travail, ont grandi avec ces principes.

Cela ressemblait aux tests d'associations d'idées, songea Sisko :

Klingon / guerrier
Bajoran / terroriste

— Je ne comprends pas, objecta Jake. Les Cardassiens ne sont plus là. Ce sont les Bajorans qui ont gagné ! Ils ont repris possession de leur monde. Pourquoi continuent-ils de se battre et de tout faire sauter ?

— C'est ce que j'essaie de t'expliquer. Après avoir passé toute leur vie à défendre une cause, les gens peuvent avoir des réactions étranges. Penses-y un peu : maintenant qu'ils ont gagné, qui doit qui ramasser les morceaux ? Qui doit réparer les pots cassés ? À qui revient quelle part des miettes qu'il reste ?

Ils n'ont plus qu'un souvenir très vague de ce qu'est la paix, maintenant qu'elle est revenue. Certains d'entre eux ont oublié qu'il existe d'autres moyens que la violence pour résoudre un conflit. Ils en ont fait une philosophie. Ceux qui sont impliqués dans ces luttes intestines de factions ne forment qu'une minorité de la population bajoranne — mais le peuple entier souffre de leur réputation. Trop de gens pensent que tous les Bajorans sont des terroristes.

— Et c'est pour ça que les Kovassii n'aimeraient pas être reçus par le major Kira, c'est ça ?

Sisko tenta de réprimer un sourire, conscient que Jake disait simplement la vérité. Le major Kira Nerys, son officier en second, était une bajoranne. Elle ne faisait pas partie de la Fédération. Deep Space Neuf appartenait officiellement à Bajor, même si elle était sous administration fédérale — une situation complexe que le commandement conjoint de la station reflétait bien.

Difficile d'oublier également que Kira, avant de passer au service du gouvernement provisoire bajoran, avait été un membre actif du groupe de résistance du Shakaar — une cellule terroriste, en fait, qui ne reculait devant rien pour chasser les Cardassiens. Non, la susceptibilité des ambassadeurs kovassiites serait certainement heurtée de voir leur délégation escortée sur la station par le major Kira en personne.

— Vois-tu, Jake, la station est le seul endroit qui appartienne à l'ensemble des Bajorans et non à un groupe, une organisation ou une faction. C'est la zone la plus neutre de tout l'espace bajoran où les délégués peuvent se rencontrer. Et cela, grâce à la présence de la Fédération. Notre présence. Si Starfleet devait abandonner Deep Space Neuf, elle serait probablement mise en pièces quand les factions rivales s'entre-déchireraient pour en acquérir le contrôle.

— Ou bien les Cardassiens viendraient la reprendre, en même temps que le contrôle du trou de ver et du passage au quadrant Gamma, ajouta Jake qui avait tout compris.

— Exactement. Et qu'est-ce qui les en empêche ? Tu sais que la station n'est pas équipée pour se défendre contre un vaisseau de guerre cardassien, mais c'est toute la Fédération qui appuie notre présence ici. Et c'est pour ça, conclut Sisko, que je dois porter ce maudit habit et aller faire des salamalecs et serrer la main des membres de la délégation kovassiite. Parce que je suis le représentant officiel de la Fédération et que c'est mon boulot.

— Euh... p'pa ?

— Quoi ?

— Les gants, c'est pour quoi faire ?

— Oh, fit Sisko en fixant les gants qu'il commença à enfiler. J'allais oublier. C'est un détail du protocole avec les Kovassii ; je ne sais pas pourquoi, mais ils trouvent choquant qu'on exhibe des mains nues.

Il passa dans l'autre pièce en faisant jouer ses doigts pour ajuster les gants et s'apprêtait à sortir quand il remarqua les flammèches qui s'échappaient des synthétiseurs alimentaires cardassiens.

— Qu'est-ce qui se passe encore avec ce machin ? marmonna-t-il en s'approchant de l'appareil et il frappa la touche de réinitialisation.

— Non, attends ! J'allais justement t'expliquer que les synthétiseurs...

Trop tard. Une espèce de glu mousseuse rose qui se matérialisa sur le plateau éclaboussa les gants d'une blancheur immaculée de Sisko.

— ... déconnent encore, termina Jake inutilement.

Une grande respiration aida Sisko à contrôler son langage en présence de son fils. Son communicateur bipa.

— Commandant ? Le vaisseau kovassiite devrait accoster dans dix minutes.

— J'arrive, annonça-t-il en expirant l'air de ses poumons. Nettoie-moi ce dégât, tu veux bien ? Et n'oublie pas que je ne veux pas te voir traîner sur la Promenade avec Nog. Il te reste à terminer tes problèmes de topographie en espace n, si je me souviens bien.

— À vos ordres, commandant, répondit Jake sans gaieté, à son père qui quitta leurs quartiers.

Une fois seul, il rumina les injustices dont il était victime. Il n'avait rien à manger, à cause du synthé encore une fois hors d'usage. Cette station stupide était remplie de ferraille cardassienne qui ne marchait jamais. Et ses problèmes de topographie étaient vachement *compliqués* — il aurait voulu demander de l'aide à son père, mais Sisko ne restait jamais assez longtemps à la maison. Il était toujours pressé — à cause d'une urgence idiote.

De plus, pas d'excursion en runabout. C'était injuste.

J'aurais dû me douter que ça ne marcherait pas, pensa-t-il. Rien ne marche jamais, ici.

Au moins, il se passait toujours quelque chose sur la Promenade et il trouverait dans ses kiosques quelque chose à se mettre sous la dent. S'il se dépêchait, il avait peut-être une chance de tomber sur Nog.

CHAPITRE 2

Sisko aurait préféré que Jake évite de lui rappeler la bombe du pylône d'arrimage. Ce genre d'incident était bien la *dernière* chose dont il avait besoin en ce moment.

Le turbolift n'arrivait pas, comme d'habitude. Sisko frappa de nouveau la commande, avec irritation, et jeta un coup d'œil de chaque côté du couloir, à l'aspect lugubre, avec ses murs métalliques et son éclairage cru qui rappelaient la fonction purement utilitaire de l'architecture cardassienne.

À la pensée de la bombe, il tapa son commbadge. « Sisko à Kira. »

— Commandant ?

Sisko crut déceler un soupçon d'impatience dans la brièveté de sa réponse : Bon, pourquoi me dérange-t-il ?

— La délégation kovassiite est sur le point d'arriver, major. Je présume que votre équipe de sécurité a procédé à une fouille complète du pylône trois et donné le feu vert pour l'arrimage ?

— En effet, commandant.

— Aucune piste quant à l'identité de l'auteur de l'attentat ?

— Pas encore, répondit-elle d'un ton où perçait nettement l'agacement, cette fois.

— Merci major. Sisko hors liaison.

« Merde », ajouta-t-il tout bas.

Le major Kira était un officier d'une compétence exceptionnelle et ils faisaient du bon travail ensemble — sauf en quelques rares occasions où elle décidait de passer outre les ordres. Pourquoi avait-il ressenti le besoin de la relancer et d'empiéter ainsi sur son travail ? Il aurait dû réfléchir. Un bon commandant évitait ce genre de bévue.

Sisko savait très bien pourquoi il l'avait appelée. Il était évident que Kira avait posé son lot de bombes durant les années passées dans la résistance bajoranne — laquelle ne se démarquait pas du terrorisme par une ligne nettement définie, au temps de l'occupation cardassienne. Cette expérience qui la rendait particulièrement qualifiée pour mener l'enquête en cours — Kira maintenait des liens étroits avec tous les groupes de résistance — jouait cependant en sa défaveur : le terroriste qu'ils recherchaient pouvait très bien se révéler être un ancien camarade de combat.

Durant les premiers temps où il l'avait connue, Sisko aurait pu suspecter Kira de complicité avec les plastiqueurs, peu importe qui ils étaient — des Bajorans, en général, s'accordait-on à reconnaître. Après tout, quelle meilleure position pour un saboteur que le poste de second officier, comportant la responsabilité ultime des questions de sécurité.

Sisko gardait le souvenir vivace de sa première rencontre avec le major Kira, en plein chaos laissé par les Cardassiens : les câbles sectionnés qui pendaient des murs, les consoles fracassées et les modules arrachés, écrasés sous les bottes. L'opinion de Kira était alors que la Fédération n'avait rien à faire sur Deep Space Neuf, et elle ne s'était pas gênée pour le lui faire savoir. Selon elle, le gouvernement provisoire avait fait erreur en sollicitant la présence d'officiers de Starfleet sur la station — un territoire bajoran.

Sisko lui avait demandé son point de vue. Il l'avait obtenu.

Toutefois, après les événements récents, des liens de confiance s'étaient tissés entre eux. Kira s'était plus d'une fois montrée à la hauteur de sa tâche et l'avait épaulé quand c'était nécessaire — même contre des Bajorans.

Lorsqu'ils avaient abandonné l'espace bajoran, les Cardassiens ignoraient qu'ils cédaient l'inépuisable source de richesses que constituait le trou de ver du quadrant Gamma — une erreur qu'il leur tardait de réparer. Seule la présence de la Fédération les empêchait de reprendre tout bonnement possession de la station, sans autre forme de procès. Kira en était venue à considérer la présence de la Fédération comme un mal nécessaire, en dépit de l'opinion contraire de certains isolationnistes bajorans plus intransigeants.

Non, Kira ne collaborait pas avec les terroristes. Mais comment réagirait-elle si les preuves devaient accuser d'anciens camarades ? Des membres de son propre groupe de résistance ? Les dénoncerait-elle ? Plus important encore : son impartialité dépasserait-elle son attachement à sa cause.

Les questions de loyauté n'étaient pas simples, Sisko en savait quelque chose. Agité par ces inquiétudes, il prit la direction du pylône d'arrimage en frappant le bloc de commande du turbolift.

Sisko hors liaison.

Kira éteignit son communicateur d'un geste irrité. Mais qu'est-ce qu'il croyait ? Qu'elle n'avait pas vérifié les autres pylônes ? Ni tous les sas ? Pour quelle espèce d'incapable la prenait-il ?

— Mêlez-vous de vos affaires et laissez-moi faire mon boulot, *commandant.*

— Vous dites, major ? demanda le chef de sécurité de la station en levant les yeux.

— Quoi ? Oh, rien. Je parlais toute seule, Odo.

Le constable gloussa et se remit à ramasser les fragments éparpillés par l'explosion. Kira fit la moue ; elle savait que Odo l'avait entendue.

Elle pressa les paumes contre ses yeux. Elle était rompue de fatigue. Après l'explosion, ils avaient interdit l'accès de la zone pour ratisser les décombres, mais c'était une besogne longue et fastidieuse.

Le palier d'étanchéité entier du pylône était en ruine. Des morceaux du sas pulvérisé s'étaient fichés dans les murs et les plafonds du couloir sur des dizaines de mètres. C'était un véritable miracle qu'une brèche n'ait pas rompu la coque de la station. Si des fragments de la bombe se trouvaient parmi les débris qu'ils avaient examinés, ils ne les avaient pas identifiés. L'ordinateur y parviendrait peut-être, une fois son analyse complétée. Pour l'instant, Kira et Odo se contentaient de rechercher tout indice susceptible de leur fournir de l'information sur l'origine de la bombe et l'identité de la personne qui l'avait posée.

Qui que ce fût, Kira *tenait* à le retrouver. Et Odo autant qu'elle.

Pas pour les mêmes motifs, cependant. Odo serait ravi d'arrêter le poseur de bombes, mais qu'il fût cardassien, bajoran ou même férengi n'avait aucune importance pour lui. Le constable ne venait pas de Bajor. Il portait l'uniforme des Bajorans et leur ressemblait — en surface —, mais Odo aurait pu ressembler à n'importe qui. Ses aptitudes à changer de forme lui étaient utiles dans ses fonctions de chef de sécurité, un poste qu'il occupait d'ailleurs sous les Cardassiens. Odo était un justicier passionné, dont la vie était consacrée au respect de la loi, mais les sentiments qu'il éprouvait n'était pas ceux d'un Bajoran.

Pour Kira, il s'agissait d'une affaire personnelle. Deep Space Neuf était désormais un territoire bajoran, une victoire qui lui avait coûté trop d'efforts et de sang pour laisser quiconque la mettre en péril — pas plus les Cardassiens qu'un fanatique bajoran. Le poseur de la bombe n'était peut-être pas un bajoran — aucun indice ne l'indiquait —, mais Kira le redoutait au fond d'elle-même.

Il avait été tellement plus facile, à plus d'un égard, de combattre les Cardassiens. Tout le monde savait qui étaient les ennemis, à cette époque. Aujourd'hui, les Bajorans se retournaient les uns contre les autres et luttaient pour le contrôle des misérables lambeaux de leur civilisation. Il se passait rarement une semaine sans qu'une manifestation ou une assemblée de protestation ait lieu, ou qu'éclate une émeute quelque part sur Bajor. Et même ici, sur la station. Quel meilleur moyen d'exprimer ses frustrations que de faire sauter une bombe ou d'éliminer ses adversaires ? Ce n'était pas toujours de la fierté que Kira éprouvait pour son peuple et elle était parfois presque prête à admettre que la présence de la Fédération était nécessaire pour le protéger contre lui-même.

Presque.

Accroupie sur les talons, elle jeta un coup d'œil par le hublot. Constellé de lumières, l'arc imposant du pylône trois se dressait, resplendissant, contre les ténèbres sidérales, le vaisseau kovassiite blotti contre le sas. Des gens venus d'ailleurs. Des délégations commerciales. À l'heure qu'il était, Sisko devait jouer son rôle de commandant de la station, sapé dans ses beaux habits de Starfleet, et se fendre d'onctueuses courbettes devant les délégués kovassiites venus négocier l'accès au trou de ver. Leur présence contrariait amèrement Kira, d'autant plus qu'elle en connaissait l'impérative nécessité. Les échanges commerciaux étaient indispensables à Bajor pour se relever de la coûteuse occupation cardassienne.

Soixante années durant, ils avaient violé son monde, soumis les siens à l'esclavage ou à l'exil, écrasé sa civilisation sous leurs bottes avec le plaisir sadique propre à leur race. Pendant tout ce temps, *qui* avait élevé la voix pour protester ? *Qui* s'était levé pour stopper le génocide ou s'était même préoccupé du sort de ce pauvre monde isolé et de son peuple ? Maintenant que les Bajorans étaient parvenus à chasser l'oppresseur et qu'ils avaient enfin reconquis leur liberté, que se passait-il ? La Fédération découvrait un passage pour le quadrant Gamma dans l'espace de Bajor. Son peuple se retrouvait soudain au seuil d'une richesse prodigieuse, et toutes les planètes de l'Univers connu dépêchaient des représentants pour essayer d'obtenir une part du gâteau.

Des larmes de rage lui montèrent aux yeux et Kira maudit en silence les étrangers, tous autant qu'ils étaient. *Où étiez-vous quand nous nous faisions massacrer ? Où étiez-vous, alors ?*

— Major ?

Harassée, Kira poussa un soupir et passa la main dans ses courts cheveux foncés.

— Désolée, Odo. Il m'arrive parfois de... commença-t-elle en promenant son regard sur le sas démoli. Dites, vous croyez vraiment que nous avons une chance de trouver d'autres indices dans ce fouillis ?

— Tout ce qu'on peut faire, c'est chercher. S'il y a quelque chose, nous allons le trouver.

Kira s'agenouilla à ses côtés et braqua sa sonde pour balayer une autre section du plancher. Il restait si peu de choses. Tout avait été pulvérisé. Impossible de repérer une seule cellule identifiable pour un typage ADN, ou un quelconque indice qui aurait relié la bombe à celui qui l'avait fabriquée. Trop d'inconnues. Ce pouvait être une bombe à retardement, ou télécommandée, posée n'importe quand au cours des derniers mois. Il pouvait même s'agir d'une petite surprise laissée aux nouveaux occupants par les Cardassiens.

Kira savait qu'elle ne pouvait pas se permettre de travailler à partir d'hypothèses comme celle-là. Si des terroristes se trouvaient présentement sur la station, il fallait les arrêter, parce qu'ils frapperaient encore, c'était certain. Kira connaissait les siens. Il n'avaient pas l'habitude de s'arrêter après une seule attaque.

Il était temps de cesser de chercher et de réfléchir plutôt.

— C'était une déclaration politique, Odo, affirma-t-elle en se rassoyant.

— Major ?

— La bombe. Ceux qui l'ont installée ne voulaient pas faire sauter la station. Personne n'a été blessé. Il n'ont même pas essayé de perforer la coque.

— Vous êtes certaine qu'ils n'ont pas manqué leur coup ? On visait peut-être le vaisseau kovassiite. Le moment de l'attentat était peut-être mal calculé.

— Ce n'est pas impossible, mais j'en doute. Du moins, c'est mon impression.

— Pour ma part, je préfère m'en tenir aux faits.

— Dans ce cas, à deux nous arriverons peut-être à quelque chose. Voyez l'endroit où on avait placé la bombe... Elle n'était pas assez puissante pour ouvrir une brèche dans le sas, donc encore moins la coque d'un navire. À douze ans, je me serais mieux débrouillée ! argua-t-elle, en omettant de mentionner que cela avait été le cas. *Si* c'était bien ce que j'avais voulu faire, évidement.

— Donc, déduisit Odo, ou bien nous avons affaire à un terroriste particulièrement maladroit...

— Ou bien il s'agit de gens qui savent exactement ce qu'ils font.

— Qui veulent nous dire quelque chose.

— C'est ce que je crois, oui.

— Mais que veulent-ils dire ?

— Je n'en suis pas certaine, soupira Kira en se frottant le front. C'est peut-être quelqu'un qui veut perturber les négociations commerciales. Pour empêcher l'adhésion de Bajor à la Fédération.

— C'est une théorie. Mais on a placé la bombe dans le sas destiné au vaisseau kovassiite. Peut-être est-ce un de leurs adversaires. Ou un rival commercial qui tente de les dissuader d'exploiter le trou de ver. Ou encore un ennemi personnel de l'ambassadeur. Vous voyez une déclaration politique dans ce geste, major, parce que vous étudiez la situation selon une perspective politique. Je l'aborde plutôt sous son aspect criminel. C'est ma façon.

— Peut-être avez-vous raison, admit Kira. Mais si c'était des ennemis des Kovassii, comment ont-ils pu deviner à quel pylône stationnerait le vaisseau ? demanda-t-elle en fronçant soudain les sourcils. À moins... qu'ils aient plastiqué les six pylônes, pour ne prendre aucun risque. Nous n'avons pourtant rien trouvé.

Un doute la traversa ; elle se souvint de l'appel trop empressé de Sisko. Était-elle bien certaine qu'il n'y avait pas d'autres bombes ? Auraient-elles pu échapper à leur attention durant leurs recherches ?

— Non, vous avez raison. Il n'y en avait pas, dit Odo d'un ton hésitant. À moins...

— Quoi ?

— Qu'ils soient revenus pour retirer les autres engins avant notre passage. Ou bien un complice sur Ops les a informés de l'heure d'arrivée du vaisseau.

— Trop d'hypothèses, dit Kira en secouant la tête. Pas assez de preuves.

— Est-ce plus simple de supposer que les motifs sont politiques ?

— Pas du tout, coupa Kira avec un rire sec. La moitié des Bajorans sur la station auraient des motifs politiques de poser un tel acte, et ils savent comment installer une bombe.

— Vous croyez donc qu'il s'agit d'un Bajoran.

— Je n'ai pas le choix. Hélas, je connais trop bien mon peuple. Je n'ai aucune idée par où commencer, avoua-t-elle au bout d'un moment de silence. Avec toutes les différentes factions sur la station : les isolationnistes, les partis religieux...

Le bip de son communicateur interrompit ses réflexions. « O'Brien à Kira », entendit-elle.

— Je vous écoute, chef.

— Major, je ne voudrais pas vous déranger dans votre enquête, commença-t-il — et pourtant c'est exactement ce que vous faites, se dit Kira —, mais je me demandais si vous pourriez me dire quand vous prévoyez en avoir fini au pylône deux. Nous ne pourrons pas recevoir de nouveaux vaisseaux avant d'avoir reconstruit le sas et nous attendons d'autres délégations dans les prochains jours. J'aimerais commencer le plus rapidement possible.

Kira poussa un soupir de résignation. En tant que chef des opérations de la station, O'Brien avait son boulot à faire — tout comme elle.

— Je crois que nous avons presque terminé, chef. Envoyez vos équipes d'entretien quand vous voudrez.

CHAPITRE 3

Sisko gagna sans encombre la zone du débarcadère. Le reste du comité d'accueil était déjà réuni au sas du pylône d'arrimage trois, un vaste couloir de jonction froid et nu, dépourvu de tapis et de toute décoration — pas du tout le genre de réception somptueuse à laquelle les Kovassii devaient s'attendre. Derrière deux officiers de sécurité sur le qui-vive vêtus de l'uniforme rassurant de Starfleet se tenait l'ambassadrice Hnada Dels, l'éminente représentante du gouvernement provisoire bajoran. À son cou, elle portait un emblème de l'état qu'elle ne cessait de remettre en place, visiblement nerveuse.

La situation paraissait normale, mais Sisko ne pouvait s'empêcher de ressentir un net malaise — du point de vue éthique — à la vue du contingent de sécurité, formé de deux membres du personnel de Starfleet. Ils étaient là à cause des craintes des Kovassii, mais leur présence pouvait paraître incongrue sur une station bajoranne; il leur faudrait cependant s'habituer à cette réalité s'ils avaient l'intention de faire du commerce par le trou de ver du quadrant Gamma. Sisko regrettait à présent d'avoir accédé à leur demande.

On aurait dit que Hnada cherchait à attirer son attention.

— Madame l'Ambassadrice ? demanda Sisko en s'avançant vers elle.

— Commandant Sisko, j'espère que les délégués kovassiites accepteront nos excuses pour l'explosion qui a eu lieu. Ils doivent comprendre que les représentants attitrés du peuple bajoran ne sont absolument pas responsables...

— Ambassadrice, le mieux serait de ne faire aucune allusion à l'incident, je peux vous l'assurer.

— Vous croyez ? Je ne voudrais pas les offenser. Rappelez-vous que les Tellarites ont tenu à des excuses officielles quand des animateurs de vente ont éclaboussé leurs tuniques de sang au cours d'une de leurs manifestations. Et les Andoriens ont exigé un duel pour obtenir réparation.

— En effet, j'ai eu vent de l'affaire. Dans le cas présent, toutefois, le fait que les Kovassii souhaitent poursuivre les négociations indique qu'ils préfèrent prétendre qu'il ne s'est rien passé. Vous les obligeriez à une prise de position officielle si vous abordiez le sujet, ce qui serait un déshonneur pour la délégation entière, qui se verrait forcée de rentrer bredouille.

— Je comprends, commandant, et je vous remercie, dit Hnada avec un faible sourire. Vos conseils sur ces questions protocolaires nous ont été d'un grand secours. Ces négociations doivent absolument réussir, mais les races sont si diverses, et les coutumes si variées...

— Le sas est engagé, commandant.

Pendant que chacun reprenait sa place, Sisko se félicitait d'être parvenu à rester éveillé durant les interminables cours de protocoles diplomatiques de l'Académie.

L'écoutille du sas cardassien ressemblait à une énorme roue d'engrenage. Elle roula avec le léger sifflement habituel de la pression d'air qui s'ajustait et une tête d'humanoïde couronnée d'une luxuriante chevelure argentée en émergea timidement. De grands yeux gris fixèrent avec attention le comité d'accueil, s'étrécirent à la vue des Bajorans puis s'agrandirent de nouveau quand ils se posèrent sur la tenue de cérémonie de Sisko. Le commandant gardait ses mains nues prudemment croisées dans le dos.

Le Kovassii disparut à l'intérieur du sas, pour réapparaître aussitôt. Il s'inclina profondément et un deuxième Kovassii sortit ; il exécuta lui aussi une révérence, mais moins marquée celle-là. Puis un troisième. Les cheveux du dernier Kovassii à sortir retombaient en fontaine du chignon le plus élaboré que Sisko eût jamais vu. Sa tunique était d'une blancheur éclatante et il se courba légèrement quand son regard rencontra celui se Sisko.

Le commandant lui rendit son salut et s'avança pour accueillir l'ambassadeur.

— Votre Excellence, soyez la bienvenue dans le système bajoran et sur Deep Space Neuf. Permettez-moi de vous présenter les porte-parole du gouvernement provisoire bajoran. Voici Son Excellence l'Ambassadrice Hnada Dels.

Les diplomates échangèrent de timides révérences et Sisko allait poursuivre les présentations quand son communicateur bipa. Il serra les mâchoires. Il avait donné l'ordre formel de ne pas être dérangé, à moins d'une grave urgence. Si ce n'était pas extrêmement important...

— Ici Dax depuis Ops, commandant. Nous faisons face à une situation nouvelle, ici.

Une situation. Il s'inclina de nouveau devant l'ambassadeur kovassiite, un peu plus bas cette fois, afin de bien marquer le manquement au protocole.

— Votre Excellence, je suis profondément désolé mais, si vous voulez bien me permettre, une conjoncture imprévue requiert mon attention immédiate.

Sisko se retira à l'écart pour répondre à l'appel et laissa les deux ambassadeurs face à face, sans intermédiaire de la Fédération, se promettant que des têtes rouleraient s'il ne s'agissait pas d'une véritable urgence. Mais nul autre officier dans la station ne jouissait auprès du commandant d'une confiance plus absolue que le lieutenant Dax et il était certain qu'elle ne le dérangeait pas pour rien.

— Ici Sisko. Que se passe-t-il ?

— Commandant, un vaisseau de guerre cardassien de classe Galor approche de la station à vitesse d'impulsion point deux-deux. Ils nous ont informés de leur intention d'amarrer.

Sisko se sentit irrigué par une brusque montée d'adrénaline. Pourquoi arrivaient-ils à cette vitesse ? Préparaient-ils une attaque surprise ? Sisko connaissait bien la tactique cardassienne habituelle, qui consistait à attaquer d'abord puis à laisser ensuite les survivants poser des questions. Mais il n'avait jamais cru le commander local, Gul Dukat, capable de telles manœuvres en l'absence de provocation. Dukat, qui avait été préfet de DS-Neuf sous l'occupation cardassienne, était un élément dangereux mais prévisible.

— Déclenchez une alerte orange. Avez-vous identifié le vaisseau ? Est-ce celui de Gul Dukat ?

— Nous l'appelons en ce moment, dit-elle avant de marquer une pause. Je n'obtiens pas de réponse mais le scan indique qu'il s'agit d'un autre navire.

Le sentiment d'urgence de Sisko s'accrut. Le gouvernement cardassien demeurait instable depuis la perte du trou de ver et les revers subis dans ses tentatives de le reprendre. Une nouvelle junte, plus belligérante que la première, avait renversé le parti au pouvoir. Il y avait eu des accusations de trahison, et même des exécutions.

L'absence de Gul Dukat se gonfla soudain d'implications menaçantes et Sisko songeait à ordonner une alerte rouge quand Ops le rappela.

— Commandant, le navire cardassien ralentit. Nous avons établi le contact. Le vaisseau se nomme le *Swift Striker* et il est commandé par Gul Marak.

— J'arrive.

— Bien, commandant.

— Vos Excellences, il semble qu'une urgence nécessite ma présence immédiate au Centre des Opérations, s'excusa-t-il en se tournant vers les diplomates.

Les Kovassii échangèrent des regards inquiets.

— Pas une autre bombe ! demanda leur ambassadeur en jetant un coup d'œil vers le sas et la sécurité de son vaisseau.

— Pas du tout ! les rassura promptement Sisko. Un vaisseau franchit notre espace en violation des règles du trafic sidéral. Rien qui pourrait interférer avec vos négociations. Chef Phongsit, ordonna-t-il en se tournant vers l'officier de sécurité senior, veuillez escorter Nos Excellences vers les salles de réunion.

Il activa son commbadge : « Ops, ici Sisko. Téléportation immédiate. »

Toute l'équipe de Ops leva les yeux vers lui quand il descendit du quai de téléportation. En raison du statut d'alerte, tous les officiers disponibles étaient à leur poste devant leur console, assis ou debout, baignés par la lueur bleutée des affichages du pupitre des opérations. Au-dessus d'eux, l'énorme maître écran présentait l'image de mauvais augure du vaisseau de guerre de classe Galor. Avec ses ailes déployées à l'avant de sa proue, Sisko trouvait qu'il ressemblait à l'un de ces dinosaures qui peuplaient les fonds des océans primordiaux de la Terre, qu'on aurait grossièrement cuirassé de plaques de métal. Pour les avoir déjà affrontés, il connaissait toutefois leur redoutable efficacité au combat, en dépit de leur apparence rudimentaire.

Il gagna aussitôt son poste à la console principale, soulagé de délaisser la diplomatie pour reprendre son rôle de commandant d'une station spatiale.

— Je veux savoir tout ce qui s'est passé ici, ordonna-t-il au lieutenant Dax qui venait à sa rencontre.

— Jetez un coup d'œil là-dessus, lui dit Dax en rappelant un enregistrement à l'écran.

L'image était celle du même vaisseau cardassien, à une distance plus lointaine. Sisko entendit la voix de Dax lui demandant de s'identifier.

L'officier cardassien qui apparut sur l'écran, avec ses lèvres minces au sourire cruel et son nez étroit, avait un air de prédateur. Sisko se demanda si tous les bébés cardassiens naissaient avec une grimace méprisante.

— Ici Gul Marak, commandant du cuirassé d'escadre le *Swift Striker*. Nous aborderons votre station dans quatre-vingt-dix minutes environ.

— Gul Marak, votre vitesse d'approche excède largement les paramètres autorisés par notre code de navigation, rapporta la voix de Dax. Vous vous trouvez dans une zone de trafic civil. Veuillez réduire votre vitesse immédiatement.

L'image du Cardassien disparut de l'écran sans réponse et l'enregistrement prit fin, remplacé par une vue en temps réel du vaisseau qui approchait.

— Quelle est leur vitesse d'approche actuelle ? demanda Sisko.

— Accélération point quinze.

— Hmm.

Toujours dangereusement rapide, certes, mais ce n'était probablement qu'une démonstration d'agressivité typiquement cardassienne, décida Sisko. Ce genre de provocation délibérée était tout à fait dans leur style. Ils aimaient bien juger de ceux qu'ils pouvaient intimider dès le premier contact.

Le problème qui se posait pour l'instant était cependant tout autre. Si Gul Marak avait l'intention d'arrimer son vaisseau, où trouverait-on l'espace nécessaire pour le loger ? Avec toutes ces délégations, Deep Space Neuf commençait à être bondée, et il n'y avait que six pylônes d'arrimage aptes à accueillir un astronef de la taille d'un vaisseau de classe Galor. Le cuirassé cardassien allait restreindre l'espace d'accueil disponible — une autre complication dont Sisko n'avait nul besoin.

— Chef, demanda-t-il en se tournant vers O'Brien. Je suppose qu'on ne peut pas songer à utiliser le pylône trois pour l'instant ?

— Certainement pas, affirma catégoriquement l'ingénieur en secouant la tête. Et impossible de dire quand ce sera possible. Les portes du sas ont été démolies et nous n'avons rien pour les remplacer.

— Et le six ?

— Il y a toujours des fluctuations dans les nœuds de jonction de l'alimentation des turbolifts de cette section.

— Ça devra suffire, trancha Sisko.

Le pylône d'arrimage six se trouvait dans la partie « inférieure » de la station, directement à l'opposé du vaisseau kovassiite. À mesure que les crises se succédaient sur la station, on avait négligé l'entretien et les réparations de ces sections. Mais des hôtes qui arrivaient sans invitation ne sauraient se montrer trop exigeants sur l'hébergement.

— J'espère que les lifts vont tomber en panne, souhaita O'Brien à mi-voix. Ça ne ferait pas de mal aux Cardass de se rendre jusqu'au cœur à pied.

Sisko le tança d'un regard, mais ne le reprit pas. Il connaissait les raisons qui motivaient l'attitude de son chef envers les Cardassiens.

— Commandant Sisko, Gul Marak insiste pour s'adresser à vous personnellement, annonça bientôt le technicien aux communications.

— Ouvrez la fréquence.

Les fines narines de Marak frémissaient d'indignation et les tendons côtelés de son cou semblaient palpiter à l'unisson :

— Commandant, une *Bajoranne* vient de nous assigner le pylône six. Je commande un cuirassé de classe Galor, pas un rafiot de minage crasseux. Cette insulte est intolérable !

— Constatez la situation vous-même, Gul Marak. Le pylône deux est hors de service à cause d'un accident récent et toutes les autres installations sont déjà occupées par des vaisseaux ou réservées à des visiteurs attendus. Je vous ferai remarquer que vous vous présentez ici sans préavis et sans invitation. À votre place et dans les circonstances, j'accepterais le poste d'amarrage disponible.

Sisko coupa la communication et poussa un soupir de satisfaction. Il avait appris depuis peu que la politesse ne servait à rien avec les Cardassiens. Ils n'y voyaient que de la faiblesse et l'utilisaient ensuite contre vous. Et ce Gul Marak avait tout du Cardassien qui allait semer la zizanie.

— Je serai dans mon bureau, dit-il en se dirigeant vers l'escalier.

La situation ne manquait pas d'ironie, pensa-t-il quelques instants plus tard, en considérant la pièce et sa perspective dominante sur le Centre des Opérations. Peu de temps auparavant, ce bureau avait été le siège du commandement de Gul Dukat. Les sentiments de Sisko à l'égard de Gul Dukat n'étaient certes pas chaleureux, mais, après sa rencontre toute fraîche avec Gul Marak, il regrettait presque l'ancien préfet. Il savait maintenant comment traiter avec lui.

Qu'était-il arrivé à Dukat, d'ailleurs ? Lui avait-on retiré son commandement ? Le nouveau gouvernement l'avait-il jeté en prison ? Pourquoi ce Gul Marak surgissait-il soudain dans l'espace bajoran ?

Il aperçut le major Kira qui descendait du turbolift, sur Ops, légèrement hors d'haleine.

— Major, dit Sisko en effleurant son badge. Pourriez-vous monter ?

Il savait qu'au fond de son cœur Kira était toujours en guerre contre les Cardassiens, et qu'elle possédait sûrement des renseignements de première main sur l'ennemi.

— J'arrive tout de suite, répondit-elle en levant les yeux vers lui du pont inférieur.

Le commandant entendit son pas pressé dans l'escalier métallique.

— Y a-t-il une alerte ? demanda-t-elle en entrant dans le bureau. Un vaisseau cardassien ?

— Rien d'urgent. Plus maintenant. Je vous en prie, major, asseyez-vous. J'aimerais que vous jetiez un coup d'œil là-dessus, la pria-t-il en faisant rejouer sur son visualiseur les échanges qu'il avait eus avec le *Swift Striker*. Connaissez-vous cet officier cardassien ?

— Gul Marak, répéta Kira en fronçant les sourcils, un geste qui accentuait ses traits bajorans. Non. Je ne le reconnais pas. Mais... il me semble avoir déjà entendu ce nom, dit-elle en passant la main sur ses yeux qui clignaient de fatigue.

Sisko réalisa qu'elle venait probablement de passer les dernières vingt-huit heures à enquêter sur l'attentat à la bombe sans prendre de repos.

— Merci, major. Ce sera tout. Allez vous reposer un peu, si vous le pouvez.

L'officier bajoran se redressa sur-le-champ, consciente d'avoir été surprise dans un moment de faiblesse.

— La station est en état d'alerte, fit-elle remarquer avec brusquerie.

— Une alerte que j'ai l'intention de lever dès que le *Swift Striker* sera à quai, dit Sisko en lui adressant un regard dur.

— La présence de Cardassiens sur la station exigera une sécurité accrue.

— Eh bien, raison de plus pour vous reposer avant leur arrivée, fit-il observer sur un ton qui n'admettait aucune réplique.

Quand Kira fut partie, Sisko réfléchit un moment en pianotant du bout des doigts sur la surface du bureau.

— Ordinateur, je veux un rapport sur la situation politique cardassienne actuelle. Je veux savoir quels sont les liens qui rattachent Gul Marak au nouveau parti dirigeant.

— Deux individus portant le nom de Marak occupent une charge dans le gouvernement cardassien actuel. Tous deux sont membres du parti de la Revanche. L'un est l'adjoint du nouveau ministre de la guerre, et l'autre siège au Conseil d'Inquisition de la Loyauté. Le Gul Marak qui commande le *Swift Striker* est le cousin de l'adjoint du ministre.

— Et Gul Dukat ?

— Les registres ne mentionnent aucun Gul Dukat présentement en poste.

— Quoi ? A-t-il été démis de ses fonctions ? Arrêté ?

— Il n'existe aucun renseignement disponible sur Dukat.

— Je veux être informé de l'évolution de cette situation, exigea le commandant après un moment de silence.

— Message reçu.

Sisko tapota de nouveau le coin de son bureau. Pensif, il frappa finalement son communicateur.

— Dax ? Ici Sisko. Auriez-vous le temps de monter discuter quelques minutes ?

— Je suis là dans un moment.

Les traits du commandant s'animèrent sensiblement quand Dax entra dans le bureau. Un observateur de passage aurait pu attribuer sa réaction à l'exceptionnelle beauté humanoïde de Jadzia Dax, mais la féminité du lieutenant constituait en réalité un obstacle pour Sisko dans ses rapports avec elle. Quelques années plus tôt, un autre Dax avait été son mentor, dont le symbiote résidait à présent partiellement dans ce nouveau Dax — une conjoncture déroutante qui continuait de lui demander un effort d'adaptation.

Dax était la seule personne sur la station avec qui il pouvait converser en tête-à-tête. Avec elle, il s'autorisait à se départir de son rôle de commandant.

— Un problème, Benjamin ?

— J'aurais dû porter plus d'attention aux développements de la situation politique cardassienne. Notre nouvel ami, Gul Marak, appartient au nouveau parti de la Revanche qui a récemment pris le pouvoir. Je ne crois pas qu'il soit venu jusqu'ici pour une simple visite de courtoisie.

— Tu t'attends à du grabuge ?

— Tout indique que Gul Dukat a été relevé de son commandement, dit-il avec un signe de tête affirmatif. Il a peut-être même été arrêté, je l'ignore.

— Difficile à croire. L'auraient-ils condamné parce qu'il n'a pas réussi à reprendre le trou de ver ?

Dax et Sisko échangèrent un regard chargé de souvenirs communs. C'était eux qui avaient découvert le trou ver du quadrant Gamma, alors qu'ils exploraient une zone agitée par des perturbations de neutrinos inexpliquées.

— Ce n'est pas impossible. Ordinateur, combien de Cardassiens ont-ils été arrêtés depuis l'arrivée au pouvoir du parti de la Revanche ?

— Les registres indiquent que des accusations de trahison ont été portées contre cent quatorze individus associés à l'ancienne administration. Il y a eu quatre-vingt-trois exécutions. Tous les coupables ont confessé avoir accepté des pots-de-vin des Bajorans et de la Fédération pour la cession de Deep Space Neuf et le contrôle du trou de ver.

— C'est absurde ! s'exclama Sisko. Des pots-de-vin ? En échange du trou de ver ? Personne n'était au courant de l'existence même du trou de ver avant que les Cardassiens ne quittent le système !

— Pas complètement absurde, Benjamin, observa Dax. Penses-y : Nous savons que le trou de ver est une anomalie cosmique artificiellement maintenue par des entités capables de communiquer avec les espèces humanoïdes, et que les Bajorans vénèrent depuis des millénaires. Pourquoi les Cardassiens ne supposeraient-ils pas que les « dieux » ont décidé de transmettre leur secret à leurs fidèles ? Et que ces dieux ont attendu, de connivence avec les Bajorans, et peut-être même de la Fédération, que les Cardassiens aient cédé le contrôle du trou de ver avant d'en révéler l'existence ? Tu ne trouves pas que cette explication est plus plausible qu'une pure coïncidence ?

Sisko ne croyait pas aux coïncidences quand il s'agissait des Prophètes bajorans. Il admit du bout des lèvres que l'analyse de Dax était logique, mais il était pris d'une sorte de nausée à la pensée de tous ces aveux d'un crime inexistant — et des méthodes probablement utilisées pour les extorquer.

— C'est la faction de Gul Marak qui est derrière tout ça, dit-il l'air sinistre. Ça ne me dit rien qui vaille, mon vieux, et j'aimerais bien savoir ce qu'il mijote.

— Nous ne pouvons nous permettre ni de le provoquer ni de réagir à une provocation éventuelle.

— Exact, convint Sisko. Ce n'est certainement pas un hasard non plus s'il arrive juste à temps pour les négociations commerciales. Je vais aller me débarrasser de cet accoutrement, dit-il en tirant sur son col.

TRAHISON

Les quartiers de Kira Nerys étaient presque nus, dépouillés de tous biens matériels. Le seul objet personnel visible était une photo de sa famille — ce qui en restait à cette époque — prise dans le camp de réfugiés où ils vivaient quand elle était encore très jeune — trois ou quatre ans au plus, à en juger par la photo. Elle n'en gardait aucun souvenir. La moitié des visages étaient ceux d'inconnus dont elle ignorait le nom et qui avaient dû être des frères, des oncles, des grands-parents. Autant de proches perdus, que les Cardassiens lui avaient enlevé.

Marak. Le nom s'était gravé dans son esprit. Kira avait beau fermer les yeux, étendue sur la mince et dure couchette qui lui servait de lit, les images persistaient.

J'étais toute petite. Quelqu'un me portait dans ses bras, au milieu d'une foule nombreuse. Je crois que nous faisions la file — peut-être pour de l'eau. Il manquait toujours d'eau et de nourriture dans les camps. Faire la queue, voilà à quoi se réduisait leur existence la plupart du temps.

Soudain des cris retentissent, et tout le monde se met à courir. C'est la panique. Je me retrouve par terre, foulée et rouée de coups de pieds dans la débandade. Ils tentent de fuir.

Les gens s'écroulent au sol. Certains tombent sur moi. Je ne peux plus respirer. Je pousse... je pousse de toutes mes forces sur le cadavre pour avoir de l'air.

C'est alors que je les vois. Les Cardassiens. Ils tirent sur ceux qui fuient en tous sens — c'est pour ça qu'ils tombent. Je pleure en les voyant s'effondrer.

Elle voit maintenant le visage aperçu sur le visualiseur de Sisko : Gul Marak. Le même uniforme sombre et blindé. Des années ont passé, mais l'estomac de Kira se noue chaque fois qu'elle voit cette cuirasse, ou le visage d'un Cardassien.

Elle sait que ce Gul Marak n'a pas pu se trouver dans le camp — cela fait trop longtemps. Le capitaine du *Swift Striker* est à peu près du même âge qu'elle, d'après l'image qu'elle a vue dans le bureau de Sisko.

La Fédération pouvait essayer de prétendre que les Cardassiens n'étaient plus des ennemis, Kira n'y croirait jamais. Ils le resteraient aussi longtemps qu'elle vivrait — aussi longtemps qu'elle se souviendrait.

Et jamais son souvenir ne s'éteindrait. Jamais elle ne pourrait fermer les yeux sans revoir les images, telle était la malédiction laissée par son passé.

Seuls les noms étaient oubliés.

CHAPITRE 4

Il aurait été risqué de s'endormir.

Berat ferma les yeux et resta étendu, absolument immobile. Il essaya de ralentir sa respiration afin qu'ils ne puissent pas savoir s'il était éveillé ou non. Il était si épuisé que tout son corps lui faisait mal.

On lui avait assigné la couchette tout à côté des cabinets et il entendait continuellement les gargouillements de l'égout, les voix des hommes qui entraient et sortaient pour se soulager, le bruit des bottes résonnant sur les plates-formes d'acier du pont. Du temps qu'il était officier ingénieur, il disposait en général d'une alcôve, même s'il ne s'agissait le plus souvent que de quatre minces cloisons ; mais ici, dans les baraquements du pont inférieur, avec la double rangée de lits de métal et l'élément d'éclairage qui crachotait sa lumière au-dessus de leurs têtes, il n'existait pas la moindre intimité pour quiconque. Et comme ils devaient tous passer à côté de lui pour se rendre aux toilettes, Berat ne savait jamais, chaque fois qu'il entendait leurs pas s'approcher, lequel déciderait de « trébucher » délibérément sur sa couchette ou de le harceler par un moyen quelconque, juste pour le plaisir.

Les divertissements devenaient aisément sanglants sur le pont inférieur d'un vaisseau cardassien.

L'un des jeux favoris consistait à jeter une couverture sur la victime et à retenir celle-ci au sol pendant que les autres tabassaient la forme qui se débattait ; il lui était ainsi impossible d'identifier ses assaillants si elle survivait aux coups et à la suffocation. Ils lui avaient infligé ce traitement plus d'une fois depuis son transfert sur le *Swift Striker*, et ils pouvaient recommencer à tout moment. Les raclées survenaient quand les hommes avaient bu, quand l'un d'eux s'était battu ou avait perdu au jeu, ou encore à la suite d'un discours électrisant d'un Gul les exhortant à la reprise des territoires perdus.

Une fois, il avait osé signaler une de ces corrections, mais il n'en avait retiré que des travaux supplémentaires, pour s'être battu. Des représailles aussi, plus tard, dans l'obscurité de la nuit. Ils lui avaient ravagé les côtes de leurs lourdes bottines, en riant bruyamment, et s'étaient moqués de lui dans le langage cardassien grossier des ponts inférieurs. « Et ça, tu vas faire un rapport là-dessus, sale traître ? Tu vas faire un rapport sur *ça* ? » Ils s'amusaient d'autant plus qu'ils savaient qu'il avait été officier avant d'être déclassé, une occasion de se venger qui se présentait rarement et dont les pauvres occupants maltraités du pont inférieur ne manquaient pas de profiter.

Il était en danger dans l'obscurité, dans les cabinets ou sous la douche, partout où ils pouvaient le coincer seul. Même sur sa couchette, ce n'était pas prudent de s'endormir.

Et les choses allaient se gâter encore. Berat le savait. Tout le monde était au courant que le vaisseau se dirigeait vers l'espace bajoran, vers la station que l'ennemi appelait maintenant Deep Space Neuf. Plus ils approchaient de Bajor, plus la situation devenait risquée pour lui.

Selon les rumeurs qui circulaient sur les ponts inférieurs du vaisseau, Gul Marak s'y rendait pour adresser un ultimatum à la Fédération : rendre le trou de ver qu'on leur avait volé ou affronter la puissance de la flotte cardassienne.

Un peu plus tôt dans la journée, deux membres de l'équipage bavardaient ensemble lorsqu'il était entré dans les cabinets pour réparer un ventilateur défectueux.

— Gul va les écrabouiller s'ils ne veulent pas la redonner.

— Faut exterminer c'te vermine bajoranne, fit l'autre avec force hochements de tête.

Ils s'étaient tus en l'apercevant et l'avaient couvé d'un regard hostile.

— Qu'est-ce que tu regardes, le *traître* ? Et d'ailleurs, qu'est-ce que tu fous là ? Tu nous espionnes ? Pour tes petits amis bajorans ?

Berat était considéré comme un criminel, même si on ne pouvait rien prouver contre lui. Ce n'était pas un hasard, il le savait, s'il se retrouvait à bord de ce vaisseau, sous les ordres de ce commander et pour cette mission précise. Ils lui tendaient un piège. Il allait arriver quelque chose sur DS-Neuf et ce serait lui qui en porterait le blâme. Il serait ramené au bercail, pieds et poings liés, pour être exécuté.

Comme son père. Ainsi que son frère et deux de ses oncles.

Au moment de la chute de son gouvernement, Berat s'était d'abord cru chanceux ; on l'avait nommé officier au contrôle des systèmes de la station Farside, dans une zone de l'espace cardassien à l'extrême opposé du secteur bajoran. Il n'existait aucune preuve susceptible de le relier personnellement au scandale du trou de ver, mais toute cette histoire était éminemment politique. On lui avait retiré sa charge dès que les Revanchistes avaient consolidé leur pouvoir. Même s'il avait signé la dénonciation, ce qui le laissait brûlant de honte, quand il se le rappelait. Ils l'avaient obligé à regarder, bien sûr. Toute la scène, sans omettre aucun détail. L'un d'eux lui avait tendu une pierre. « *Tu n'as pas de pitié pour les traîtres, n'est-ce pas ?* »

Berat l'avait lancée. Il avait visé pour manquer la cible, mais, à sa honte éternelle... il l'avait tout de même lancée.

Maintenant qu'il revivait la scène, étendu sur sa couchette, l'ingénieur avait du mal à déglutir, et même à respirer. Le *Swift Striker* avait franchi l'espace bajoran.

Berat se crispa en entendant le bruit des bottes ferrées qui se rapprochait dans le couloir. Les pas s'arrêtèrent devant son lit, un puissant coup de pied ébranla les montants métalliques.

— Berat ! Debout, espèce de fumier !

Il reconnut la voix du sous-officier Halek. Il la reconnaîtrait jusqu'à son dernier jour en enfer. Il fallait réagir, pas réfléchir. Berat fut sur ses pieds en un éclair, dans un garde-à-vous rigoureux, le regard fixé droit devant lui, évitant celui de Halek. Son cœur battait à tout rompre dans sa poitrine et il avait l'estomac chaviré par la peur. Il était un homme mort s'il laissait paraître le moindre signe de faiblesse.

— Mais qu'est-ce que tu fiches au pieu quand t'es supposé être au travail ?

— Sous-officier, j'étais en poste durant les deux derniers quarts.

— Eh ben, tu l'es encore. Avance ! Ne reste pas planté là ! J'ai du travail pour toi, dit Halek en tapotant son bloc-notes avec arrogance.

Berat se garda bien de protester. Il s'agissait probablement d'un égout bloqué ou d'une autre sale corvée dont personne ne voulait. Vite, sous le regard menaçant de Halek, il enfila sa tenue de travail souillée. Il récolterait quelques points de démérite parce que Halek ne lui laisserait pas le temps de ranger sa couchette, et aussi pour son uniforme sale qu'il n'avait pas eu le temps de faire nettoyer. Cela n'avait plus tellement d'importance à présent. Il avait déjà accumulé suffisamment de mauvaises notes dans son dossier pour demeurer sous le coup de châtiments pour toute la durée de son espérance de vie — qu'il ne comptait pas atteindre.

Ce fut un choc quand Halek lui ordonna :

— Va démonter le sas d'arrimage principal. Je veux une vérification systématique de chaque élément du moteur, de chaque joint d'étanchéité.

C'était un travail qu'on confiait habituellement à une équipe de deux membres expérimentés de l'équipe d'ingénierie, pas à un simple technicien de premier niveau. Il n'émit pas la moindre protestation, rien qui aurait pu déclencher chez Halek une de ces crises de rage dont il avait l'habitude, mais il resta inquiet en retirant un coffre d'outils d'un placard d'ingénierie.

Pourquoi lui attribuer cette tâche ? Pourquoi maintenant ? Cela faisait-il partie du piège ? Se préparait-on à l'inculper de sabotage ?

Ou bien ce n'était qu'un sale moyen expéditif de se débarrasser de lui. Un « accident » pendant qu'il travaillait à l'intérieur du sas, et l'espace bajoran avalerait un cadavre cardassien de plus.

Le pire était de n'avoir aucun moyen de les en empêcher, si tel était leur plan.

S'il refusait d'obéir à un ordre, ils l'éjecteraient de toute façon dans l'espace, à la seule différence qu'ils le pendraient d'abord. Une mort rapide, en comparaison à certaines autres dont il avait été témoin.

Il redoubla le pas en direction du sas, Halek sur les talons. Leurs bottes heurtaient le métal nu du pont. Quand il dépassa une équipe affectée à la réparation d'un des énormes câbles d'alimentation des systèmes d'armement, tous levèrent les yeux pour lui lancer un petit sourire narquois, amusés de voir quelqu'un mené à une corvée punitive. Il trouva le sas en parfait état, à son arrivée au port d'arrimage. Ce n'était peut-être après tout qu'une simple vérification de routine.

Berat se mit au travail, essayant d'ignorer de son mieux Halek, qui demeura à ses côtés les bras croisés, à lui marteler des ordres inutiles et contradictoires qu'il appuyait à l'occasion d'un coup de pied ou d'une gifle de son gantelet tressé de fer.

— Graisse-moi ces roulements.

— Ça ne m'a pas l'air aligné. Ôte-moi ce foutu joint et réinstalle-le !

— C'est ce que t'appelles un rail propre ?

— Je serai de retour à 0600 heures, finit par dire son bourreau en consultant son chronomesureur. Tu ferais bien d'avoir tout remis en ordre d'ici là.

Une fois seul, Berat s'appuya contre un mur, agité par un tremblement de fatigue et de tension nerveuse refoulée. Il avait vu clair dans leur jeu dès son premier jour sur le vaisseau. Ils cherchaient un motif de porter une accusation capitale : refus d'obéir à un ordre direct, voie de fait sur un officier supérieur. Il se demanda dans combien de temps ils arriveraient à le faire craquer.

Halek ne lui avait pas laissé beaucoup de temps pour finir et Berat reprit aussitôt son ouvrage. Tranquille pour travailler, il réassembla les mécanismes du sas, s'assura que la porte glissait en douceur sur ses rails et que les joints s'ajustaient à la tolérance voulue. Il termina en vérifiant le niveau de pression d'air. Ce travail, qu'il eut le loisir d'accomplir correctement, restaura quelque peu sa confiance en lui-même, passablement meurtrie. Il restait un ingénieur de tout premier ordre, même s'ils l'avaient relégué aux plus bas échelons. Peu importe les traitements qu'ils lui feraient subir encore, ils ne pouvaient pas lui enlever ça. Son rang, sa carrière, et probablement sa vie, oui, mais ça, jamais.

Halek finit par revenir. Il testa le fonctionnement du sas et reconnut de mauvaise grâce que l'ouvrage respectait les spécifications. En remarquant le geste appuyé avec lequel Halek valida le rapport d'inspection sur son bloc-notes électronique, Berat fut de nouveau envahi par cette terreur venue de l'impression d'être victime d'un coup monté.

Une fois relaxé, il regagna péniblement sa couchette et s'y écroula, oubliant même qu'il était imprudent de dormir.

Il lui sembla que quelques minutes seulement avaient passé quand l'alarme retentit. Les haut-parleurs crachèrent les ordres : « *Le vaisseau abordera dans trente heures. Tous les effectifs à leur poste de travail !* »

Berat poussa un grognement. Il s'arracha douloureusement de sa couchette et se leva avec peine, vacillant de fatigue. Combien de temps cela durerait-il encore ? Jusqu'à quand tiendrait-il le coup ? Tôt ou tard, ils finiraient par le briser. Ce n'était qu'une question de temps.

CHAPITRE
5

— Commandant Sisko, Gul Marak demande la permission de vous rencontrer aussitôt que possible.

Sisko ne fut pas surpris. Il s'attendait à cette communication depuis que le *Swift Striker* s'était arrimé. Quels que fussent ses plans, Gul Marak n'avait pas l'intention de perdre de temps.

— Dites-lui que je l'attendrai dans mon bureau lorsqu'il descendra sur la station.

Sisko s'agita impatiemment dans son fauteuil. Il ne s'était jamais vraiment senti à l'aise dans ce bureau dressé au-dessus de la passerelle des Opérations, mais sa conception permettait de comprendre la tournure d'esprit des Cardassiens. À l'instar de tous ceux de son rang, Gul Marak se considérait certainement comme une espèce d'être suprême secondaire auquel les subordonnés devaient vouer une obéissance aussi immédiate qu'aveugle. Sisko en avait connu d'autres comme lui.

Songeant aux Cardassiens, il activa sa console et demanda une image du pylône six. Il avait suivi la procédure d'arrimage du *Swift Striker* depuis Ops. Le pilote cardassien avait adroitement lové le monstrueux cuirassé dans son poste de mouillage avec un minimum d'ajustements des propulseurs. Le gigantesque vaisseau ailé s'unissait à la station comme s'ils avaient été faits l'un pour l'autre. Ce qui était d'ailleurs le cas. Le *Swift Striker* pouvait paraître de conception frustre et sans élégance aux yeux de Starfleet, mais l'arrimage auquel il venait d'assister obligea Sisko à se rappeler que Deep Space Neuf était une construction cardassienne et que c'était une pensée utilitaire différente de la leur qui avait présidé à la conception des particularités qui ne cessaient de les faire pester, lui et son équipage.

En sa qualité d'officier de Starfleet, Benjamin Sisko se devait d'être absolument affranchi de toute xénophobie. Mais les Cardassiens représentaient tout ce qu'il déplorait le plus, aussi bien à titre personnel que comme officier servant les idéaux de la Fédération. Il était fréquemment confronté à ce dilemme depuis qu'il assumait le commandement de la station, tout particulièrement quand il se trouvait dans l'ancien bureau de Gul Dukat.

Marak passa la porte en trombe, sans frapper pour s'annoncer, cette marque de savoir-vivre étant apparemment inconnue des officiers de la flotte cardassienne. Sisko ne s'en formalisait plus, à présent.

— Gul Marak ? s'enquit-il d'un ton calme et laissant un sourire sans joie masquer son irritation.

— Et vous c'est Sisko, déclara Marak avec un aimable rictus.

Sisko accusa sa réaction agressive, et son sourire s'effaça. « Je crois que vous avez demandé à me rencontrer », continua-t-il.

Pour toute réponse, Marak jeta un bloc-notes informatique sur son bureau.

— Le gouvernement cardassien m'a chargé de communiquer sa requête à la Fédération des planètes unies. À vous, vu que vous en êtes le représentant.

— Assoyez-vous, Gul, pendant que j'en prends connaissance, l'invita Sisko en ramassant le carnet électronique.

— Pas besoin de lire. Je vais vous dire de quoi il retourne : Mon gouvernement exige la restitution de la station cardassienne illégalement acquise par la Fédération présentement désignée sous le nom de DS-Neuf. J'ai reçu pleins pouvoirs d'en assumer le commandement dès à présent.

Oh, vraiment ?

— J'ai en effet appris que vous aviez récemment changé de gouvernement, se contenta-t-il de répliquer.

— La Fédération, continua Marak comme si Sisko n'avait rien dit, ne saurait avoir aucune prétention légitime sur ce territoire, cédé par des traîtres qui avaient usurpé leur pouvoir d'agir en notre nom. Je peux vous fournir les actes de leurs confessions. Cette station est une propriété cardassienne en vertu du droit prescrit.

— Gul Marak, je ne peux faire aucun commentaire sur les accusations de trahison portées par le gouvernement cardassien et, de toute manière, je ne suis pas habilité à transmettre le commandement de DS-Neuf. La station et la région qu'elle contrôle appartiennent aux Bajorans. Peut-être est-ce à eux qu'il faudrait communiquer votre *requête*.

— Les Cardassiens ne reconnaissent pas la vermine bajoranne ! siffla Marak avec mépris.

— Ça, c'est votre problème ! Il reste que l'administration précédente a cédé la station à Bajor, insista Sisko, qui respira profondément. J'informerai évidemment les autorités concernées de la Fédération de la position de votre gouvernement. En l'absence d'ordres contraires, DS-Neuf demeure un territoire bajoran, administré par la Fédération à la demande de Bajor. Et j'en conserve le commandement.

— Je vois, dit Marak d'un ton qui se fit menaçant. Vous ne pourrez pas dire que vous n'avez pas été prévenu.

— Et réciproquement, Gul. J'espère que vous m'avez bien compris.

— Je présume que mon vaisseau reste libre de stationner ici, sous votre administration, nota Marak avec un bref hochement de tête.

—Au même titre que n'importe quel autre vaisseau. Deep Space Neuf est une station ouverte à tous. Même aux Cardassiens. Maintenant, passons à autre chose. Avez-vous l'intention d'accorder des permissions à votre équipage durant votre séjour ?

— Des objections ?

— Aucune, pourvu que vos hommes se conforment à notre réglementation. Les armes sont interdites sur la Promenade. Aucune violence n'est tolérée, pas plus que les menaces de violence ou l'intimidation par la force — y compris les échanges sexuels. Si des membres de votre équipage veulent porter plainte, qu'ils s'adressent au service de sécurité de la station et n'essaient pas de régler le problème euxmêmes.

— Une dernière chose. La station accueille présentement de nombreuses délégations planétaires et la capacité de nos systèmes environnementaux atteint presque sa limite. Je dois donc vous demander de limiter vos groupes de permissionnaires à quinze membres d'équipage par sortie.

— C'est tout ?

— Pour éviter tout malentendu, je ferai parvenir à votre vaisseau la liste complète des règlements en usage sur la station.

— Très bien, commandant Sisko, dit Marak en s'inclinant avec la raideur d'une machine. Vous aurez de mes nouvelles.

— Vous savez où me trouver, Gul.

Sisko ne pouvait pas se débarrasser de lui trop rapidement. L'espace d'un instant, il ressentit avec une étrange acuité l'absence de Gul Dukat.

Il frappa son communicateur dès que Marak fut hors du bureau.

— Ici Sisko. Trouvez-moi immédiatement le constable Odo. Réunissez tout le personnel de sécurité pour un briefing. Je veux aussi rencontrer le major Kira, mais seulement quand elle aura repris son poste. Inutile de la réveiller.

Tant mieux si Kira dormait dans ses quartiers quand Gul Marak avait débarqué sur la station. Il n'avait pas envie d'assister à une confrontation entre eux.

Kira n'arrivait tout simplement pas à s'endormir.

Un humain aurait peut-être eu recours à un somnifère, mais c'était différent pour un Bajoran. Kira savait que son centre spirituel était perturbé. Elle savait qu'elle ne trouverait pas de repos avant de l'avoir remis en harmonie.

Dès l'instant où elle franchit la voûte du porche pour pénétrer dans la pénombre du temple, Kira sentit sa tension se relâcher. La lueur vacillante des chandelles baignait le lieu d'une apaisante clarté et on entendait au loin la douce psalmodie d'une voix. Son cœur bondit de joie quand elle vit une silhouette familière, vêtue d'une tunique safran, se lever de son banc auprès d'un petit bassin et venir à sa rencontre.

— Leiris ! J'espérais te trouver ici.

Ils joignirent leurs mains et le moine lui pressa le lobe de l'oreille, où pendait un anneau d'argent.

— Kira Nerys, vieille camarade ! dit-il en la menant vers le bassin, où ils s'assirent. Tu es perturbée, je le sens en toi.

— Tu peux le comprendre, soupira-t-elle. Mieux que n'importe qui.

Leiris secoua la tête, l'air serein.

— Nous portons tous les cicatrices de nos expériences passées, dit-il. Tu n'es pas seule, Nerys.

— Je me suis souvent sentie seule, s'épancha Kira. Ici, sur cette station. Quand j'ai appris que tu allais venir, j'ai réalisé l'ampleur de ma solitude, qui dure depuis longtemps. Tu sais, j'ai évité le temple durant de longues années, pendant la guerre. J'ai même cessé de méditer. J'avais perdu contact avec moi-même. Je crois qu'il le fallait, pour être en mesure de poursuivre la lutte, et accomplir notre tâche.

— Peut-être que les Prophètes m'ont envoyé pour t'aider.

— Je revois les visages, confia-t-elle en enfouissant la tête dans les mains. Dès que je ferme les yeux. Ils ne me laissent pas de repos.

— Non, Nerys. C'est toi qui ne t'accordes pas de repos. Les morts dorment en paix. Dans leurs souffrances que tu imagines, c'est ton propre malheur que tu ressens.

— Ils ont souffert si longtemps. Comment peux-tu avoir oublié, Leiris ? Comment as-tu réussi à retrouver la paix, après tout ce qui est arrivé ?

— Je n'ai pas oublié. Mais le temps est venu de laisser le passé là où il est. Le temps est une suite d'instants, qui sont chacun toujours un *maintenant*. Durant l'oppression, nous trouvions notre centre dans l'acte de résistance. Un certain nombre d'entre nous, du moins. Mais aujourd'hui, c'est en toi-même, Nerys, qu'il te faut regarder pour trouver le centre de ton être. Qu'est-ce qui t'emprisonne dans le passé ? Qu'est-ce qui t'empêche de trouver ton centre ici, maintenant ?

— Chaque Cardassien que je vois, chaque nom cardassien que j'entends m'en empêche.

— Les Cardassiens, oui… Dis-moi, si tu les avais tous tués durant la guerre, serais-tu en paix avec toi-même aujourd'hui ?

Kira se contenta de soupirer sans répondre.

— On ne peut pas faire de mal aux morts, ni les aider. On ne peut que s'aider soi-même. Nous sommes parmi les vivants. Méditons ensemble.

Recherche ton centre, Nerys. Laisse les morts en paix. Tu es vivante. Il faut vivre le temps présent.

Il toucha une fois de plus l'extrémité de son oreille et appuya le bout de ses doigts contre sa tempe.

— Ferme les yeux, Nerys. Laisse le passé derrière toi. Dis-lui adieu.

Elle expira profondément et ferma les yeux ; les visages des morts apparurent, puis s'effacèrent.

— Détourne-toi d'eux. Tourne le dos à la souffrance. Trouve ton centre, Nerys.

Le temps sembla s'arrêter ou avoir cessé d'exister. Les contours du temple disparurent. Seul subsistait son moi, le centre qui avait traversé le temps et les événements. Elle se coupa des événements, du monde et de sa souffrance. Éternelle, infinie...

À la fin de sa méditation, Kira n'aurait su dire combien de temps celle-ci avait duré. Elle préféra ne pas consulter l'horloge afin de ne pas réduire cette expérience à des dimensions purement matérielles, comme des minutes ou des heures.

Elle quitta le temple confiante de pouvoir retrouver le sommeil — un sommeil sans rêves — et regagnait ses quartiers quand son communicateur transmit le message : « Briefing pour tout le personnel de sécurité. »

— Mais qu'est-ce...

Elle fut brusquement ramenée à la réalité. Ici, dans un couloir de la Promenade, sur Deep Space Neuf. Où venait d'accoster un vaisseau cardassien. Elle activa son commbadge. « Kira à Odo. Que se passe-t-il ? »

— Major, votre service n'est pas commencé.

— Je vous ai posé une question, Odo. Quelle est l'urgence ? Pourquoi l'alerte orange est-elle maintenue ?

— Il n'y a pas d'urgence, major. La réunion n'est qu'une simple mesure de précaution, à cause des Cardassiens à bord. Le commandant veut éviter les provocations.

— Quelles provocations ? demanda-t-elle, déjà en route vers le bureau de sécurité.

Sisko ne s'attendait pas à la voir.

— Votre service n'est pas commencé, major, s'étonna-t-il.

— Mais je suis là quand même. Quelle est cette histoire de provocations des Cardassiens ?

— Les Cardassiens exigent que la Fédération leur restitue la station.

Kira sentit la colère bouillir en elle, et son sang ne fit qu'un tour. Son tout récent équilibre spirituel la déserta.

— Ils *exigent* ! Qu'on leur redonne la station ? Ils ont le c...

— Major ! ordonna Sisko d'une voix qui l'arrêta. C'est une simple *démonstration* de force du gouvernement qui vient de s'emparer du pouvoir. Je ne serais pas surpris qu'il s'agisse d'un écran de fumée destiné à satisfaire l'opinion publique chez eux. Ils me lancent un ultimatum, je le transmets à la Fédération, et voilà, ils ont passé le message.

« Mais au cas où l'affaire serait plus sérieuse, j'ai pris certaines mesures. Nous conserverons le statut d'alerte. J'ai également restreint le nombre de

Cardassiens autorisés à séjourner sur la station en même temps.

« La *dernière* chose dont nous ayons besoin présentement, c'est d'un exalté bajoran qui trouverait le moment bien choisi pour liquider une vengeance personnelle. Dois-je vous rappeler que les négociations en cours en sont à un stade qui rend la situation délicate. L'ambassadrice Hnada m'a demandé de m'assurer personnellement qu'aucun incident ne vienne déranger les délégués.

« Tout le monde a bien compris ? Major ?

— Parfaitement, acquiesça-t-elle d'un ton sec.

Kira portait l'uniforme du gouvernement provisoire bajoran, même s'il lui arrivait souvent d'être en désaccord avec ses décisions ; s'il avait favorisé ces négociations commerciales, son devoir à elle était d'aider à leur réussite — peu importait ses sentiments personnels à propos de l'adhésion de Bajor à la Fédération.

— Une seule chose, commandant. Je connais les Cardassiens. Quelques subtilités d'ordre juridique ne leur suffiront pas. Ils ne s'arrêteront pas avant d'avoir vu le sang couler.

Sisko se rappela les rapports d'exécutions et les enregistrements des confessions transmis par Gul Marak à son retour sur son vaisseau.

— Je crois qu'ils ont déjà vu beaucoup de sang couler, major, se contenta-t-il de répondre.

CHAPITRE 6

Sur les ponts du *Swift Striker*, à l'architecture sinistre et d'un utilitarisme lourd, tout l'équipage était sur les charbons ardents dans l'attente du retour du Gul de la station, où il était allé transmettre les exigences officielles des Cardassiens. Rassemblés par grappes dans les quartiers, à la porte des toilettes ou dans les files d'attente à la coquerie, les membres d'équipage spéculaient sur l'issue de la rencontre. Quelques officiers leur ordonnaient de se disperser et de reprendre le travail, mais les gradés partageaient aussi leur excitation. On s'accordait à dire que la Fédération refuserait les exigences du Gul et que ce serait la guerre !

Les plus belligérants jubilaient dans l'espoir de recevoir l'ordre de s'éloigner de Deep Space Neuf et d'ouvrir le feu de tous les bancs de phaseurs. Ceux qui gardaient la tête froide argumentaient contre cette probabilité. La station spatiale, faisaient-ils remarquer, était la clé du contrôle du trou de ver. Ils voulaient la reprendre, pas la détruire.

Pures spéculations, de toute manière. Le Gul n'avait pas l'habitude de discuter de ses stratégies avec ses subalternes.

Quant à Berat, il était pratiquement perclus de fatigue. Des ordres étaient venus d'en haut et le *Swift*

Striker devait reluire comme un tri-esta neuf avant d'arriver sur DS-Neuf ; il fallait qu'il soit frotté et récuré comme si un amiral de la Flotte l'attendait pour inspection — une tâche qui revenait évidemment au personnel des services d'ingénierie et d'entretien. Pour une fois, Berat ne serait pas le seul à enchaîner plusieurs quarts de travail, ce qui ne lui enlevait en rien l'impression d'avoir frotté à lui seul chaque centimètre de la coque et des ponts, fait briller la moindre rampe et poli jusqu'au dernier hublot. Sa seule consolation était que les officiers n'avaient pas le temps de le punir pour un manquement particulier.

Une fois le vaisseau arrimé à la station, le fruit de leur travail produisit le plus bel effet. Contre le *Swift Striker* étincelant, Deep Space Neuf paraissait délabrée, négligée, exactement comme on pouvait s'y attendre d'une administration bajoranne, même si la Fédération en assumait en principe la charge. La supériorité de la discipline cardassienne devait sembler évidente à tous au premier coup d'œil.

Celle-ci n'empêchait cependant pas la majorité de l'équipage de piaffer d'impatience à la perspective d'une permission sur DS-Neuf. Plusieurs d'entre eux, pour avoir déjà séjourné sur la station, étaient parfaitement au courant des distractions offertes sur la légendaire Promenade. L'anarchie avait du bon, quand on la comparait à l'austère discipline des Cardassiens. Accoudés aux tables polies par l'usure de la cantine du pont inférieur, les vétérans décrivaient à leurs compagnons des plaisirs qui les faisaient saliver d'avance. On trouvait sur DS-Neuf des liqueurs exotiques assez fortes pour vous faire sauter la calotte et vous laisser dans les vapes durant trois jours ; des jeux de hasard, parmi lesquels les tables de Dabo, animées par des femelles exotiques aguichantes ; et des holosuites qui proposaient des fantaisies érotiques dépassant les rêves les plus fous. Berat dut se farcir à répétition les descriptions détaillées de ce que les hommes du vaisseau se promettaient de faire dans ces holosuites.

Leur réaction n'eut rien de surprenant quand le Gul annonça, à son retour de la station, que les groupes de permission seraient limités à quinze personnes et ne s'étendraient pas sur plus de la durée d'un quart de travail.

Les hommes écoutaient avec attention la voix de leur commander dans l'intercom, jurant tout bas.

— De nombreux ambassadeurs gouvernementaux importants sont présentement les hôtes de DS-Neuf. Je ne tolérerai *aucun* incident qui pourrait jeter du discrédit sur la discipline cardassienne. Il n'y aura *aucune* arme sur la station. Je ne veux pas entendre parler d'un seul *acte de violence*, de voie de fait ni de viol, ni de la moindre confrontation avec le personnel de Starfleet ou les autochtones. Bref, je ne veux recevoir aucune plainte sur un membre de l'équipage. Celui qui ramènera un problème de la station va passer un sacré bout de temps à regretter que sa mère l'ait mis au monde.

Les murmures se turent et firent place à des mines renfrognées. Gul Marak n'avait pas la réputation d'un commandant qui s'amusait à lancer des menaces en l'air.

Berat n'espérait pas de permission, et DS-Neuf était bien le dernier endroit où il aurait voulu en profiter. Mais il n'était pas à l'abri des conséquences de l'insatisfaction générale. Dès qu'il se présenta pour son nouveau quart de travail, il capta une lueur vengeresse dans le regard du sous-officier Halek.

— Eh bien, *technicien* Berat, dit Halek en tapotant son bloc-notes d'un geste plein de sous-entendus. T'as fait un si bon boulot sur le sas individuel principal l'autre jour que je me suis dit que tu pourrais peut-être réajuster aussi les sas de marchandises et d'urgence. *Allez, grouille-toi* !

Maugréant en lui-même, Berat sentit renaître sa peur, malgré sa fatigue. Il n'éleva pas l'ombre d'une protestation, même si cette inspection avait déjà été effectuée durant les préparatifs en vue de l'arrimage. Il ignorait leur plan exact, mais il craignait que ses ennemis ne se contenteraient pas de le crever à l'ouvrage.

Ils se rendirent d'abord au sas de la soute à marchandises C, une vaste caverne austère remplie des provisions nécessaires pour l'entretien d'un cuirassé qui logeait plus de sept cents hommes. Quand ils y arrivèrent, Berat trouva évidemment le sas en parfait état, mais Halek sauta ce détail et ordonna à Berat de se mettre à l'ouvrage, sans cesser d'abattre sur lui une pluie d'injures et de coups.

— Y'a une fuite d'air ici. Démonte-le au complet et réajuste les joints. Hé... Est-ce que je t'ai demandé de vérifier la pression ? Je t'ai dit de démonter cette foutue porte !

Berat hésita. Les sas de la soute étaient énormes et il fallait deux hommes pour en démonter un seul. Mais il n'avait pas le choix. Il avait reçu un ordre. Il commença par dégager l'écoutille de ses rails mais sentit sa prise glisser quand il eut à moitié soulevé le lourd panneau circulaire. Étouffant un juron, il tenta de la retenir de ses mains rendues huileuses à cause de la graisse du rail, mais le poids bascula et lui coinça les doigts entre l'écoutille et le rail inférieur.

Un feu d'artifice éclata derrière ses paupières et la douleur le fit suffoquer entre ses mâchoires serrées. Il savait que Halek ne lèverait pas le petit doigt pour lui venir en aide. Au prix d'un effort déchirant, Berat réussit à pousser suffisamment l'écoutille pour libérer sa main prisonnière. Il fit doucement jouer les articulations de ses doigts — qui ne semblaient pas cassés — marquées par des zébrures parallèles livides et une profonde entaille traversait une jointure.

Un coup de pied lui laboura les côtes.

— Mais qu'est-ce que tu fous ? Je t'ai dit d'ôter cette porte ! Et surtout, pas d'excuses !

Berat, à genoux, envoya silencieusement à tous les diables Halek, la porte, le *Swift Striker* et son commander — et tous ses bourreaux. Il ramassa ensuite le levier et recommença à soulever l'écoutille, parvint à la désengager et à l'appuyer sur le côté. Remonter les joints n'avait rien de compliqué mais il lui fallait ensuite hisser de nouveau la porte et la réengager — avec pour seule aide de Halek qu'un torrent incessant d'ordres abusifs et de coups.

Quand il eut enfin terminé, il frappa le bloc de commande ; la porta glissa en douceur : il l'ouvrit et la referma. Il songea à se retourner vers Halek pour lui dire : « J'y suis arrivé. Vous pensiez me briser, mais vous n'avez pas réussi. »

Il garda plutôt les yeux rivés au plancher.

— C'est bon ! Allons-y ! Prends tes outils, Berat. Il reste deux sas d'urgence à vérifier sur cet étage. Qu'est-ce que tu veux parier qu'ils ont des fuites ceux-là aussi ? Ne t'imagines surtout pas être relevé de ton quart avant que le boulot soit fini !

— Mais... Sous-officier. Les sas. La vérification de press…

— T'ai-je demandé de vérifier la pression ? Obéis aux ordres, Berat, sans quoi je te fais découper en morceaux ! À présent, *dépêche-toi* !

Toujours hésitant, Berat ramassa ses outils. En vertu du règlement, le test de pression était obligatoire après chaque opération de réparation ou d'entretien — une mesure de sécurité élémentaire que Halek connaissait fort bien. Mais le sous-off lui avait donné un ordre formel auquel il lui était impossible de désobéir. S'il obtempérait, il savait bien que la responsabilité de cette omission ne retomberait certainement pas sur les épaules de Halek... Si un incident devait se produire…Une évidence terrible s'imposa soudainement à Berat : un incident *devait* se produire...

— Sous-officier, les règlements... ne put-il s'empêcher de répéter.

Une main maillée d'acier s'abattit sur sa mâchoire et le goût du sang lui monta à la bouche.

— Eh bien, Berat, tu refuses un ordre direct ? Ce n'est pas trop tôt !

Le sous-off ramenait son bras en arrière pour lui asséner un autre coup, quand Berat éclata et réagit instinctivement. Dans un élan désespéré, il lança la trousse d'outils sur Halek et atteignit celui-ci à la tempe. Le sous-officier chancela, l'ingénieur vit sa main chercher son fuseur à tâtons. Il fondit sur lui en un éclair, la barre de levier à la main. Le contact du métal dans sa paume lui procura un brusque sentiment d'euphorie. Il frappa de toutes ses forces, et entendit avec jouissance les os craquer en même temps que le fuseur tombait au sol.

Il ramassa l'arme en vitesse, mais lorsqu'il l'eut dans la main et qu'il vit Halek se tordre de douleur sur le pont, Berat sentit la peur lui déchirer le ventre. Le souvenir de l'exécution de son père passa devant ses yeux. Il se savait perdu à présent. Gul Marak avait toutes les raisons de le pendre — et même plus. Il avait agi sous l'influence d'une impulsion désespérée, en état de légitime défense, mais cela ne compterait pas. Voie de fait sur un officier supérieur : un délit capital. Gul Marak n'aurait aucune pitié. C'était ça qu'ils attendaient.

Il baissa les yeux vers son tortionnaire. Halek, devenu soudainement muet, fixait le fuseur pointé sur lui. Ça y est, se dit Berat. C'est terminé. Aucune issue possible, seulement l'occasion de satisfaire une vengeance. La vie d'un ennemi contre celle de son père. S'il devait mourir, aussi bien que ce soit pour ça que pour une accusation bidon.

Berat rassembla son courage, mais ne tira pas tout de suite. Impossible de s'en sortir ? Pas de fuite possible ? Alors qu'il se trouvait à quelques mètres à peine d'un territoire bajoran, échappant à l'emprise puissante de Gul Marak ?

Non. Ça ne pourrait pas marcher. Ce bref élan d'espoir l'incita toutefois à reconsidérer sa situation. Il y avait plusieurs sorties sur le vaisseau et au moins une écoutille d'urgence devait être accouplée à la station, la procédure était la même sur tous les vaisseaux et les stations des Cardassiens : on engageait toujours une écoutille de secours en cas de défaillance du sas principal. Au cas où on aurait oublié de vérifier la pression.

Son regard alla du fuseur à Halek. S'il voulait fuir, il avait besoin de temps. Impossible de prendre le risque de les avoir à ses trousses.

Il pressa la gâchette. Un bref éclair de feu jaillit du pistolet laser et Halek s'écroula lourdement au sol, inerte. Berat riva son regard sur l'arme. Il n'avait encore jamais tiré sur personne. Il n'y avait pas une minute à perdre. Il se pencha sur Halek et retira le bloc-notes du ceinturon du sous-officier. C'était lui ou moi, se dit-il. Il tapa le code d'entrée et put constater que le test de pression de la soute C n'avait pas été pointé.

L'ingénieur fixa le bloc-notes à sa ceinture d'outils, ramassa la trousse et s'empressa de réunir les outils éparpillés. La barre de levier était maculée de sang : Berat déchira un pan de la veste de Halek et l'utilisa pour la nettoyer. Il ne vérifia ni le pouls ni la respiration de l'homme inconscient. Il ne voulait pas savoir.

Il jeta un coup d'œil en direction du sas. Berat pouvait se débarrasser de Halek par là, mais il décida que ce n'était pas le moment de voir flotter le cadavre d'un officier cardassien autour du vaisseau, puisqu'il voulait fuir discrètement.

La proue du *Swift Striker* comportait deux écoutilles d'accès d'urgence, l'une à bâbord, l'autre à tribord. Grâce à sa trousse d'outils et à sa ceinture de travail, personne ne fit attention à Berat quand il traversa les couloirs bondés du vaisseau. Il sut qu'il avait trouvé la bonne écoutille lorsqu'il aperçut un garde posté devant un sas de bâbord.

Il chercha le fuseur dissimulé parmi les outils, mais le guet l'avait déjà repéré.

— On ne passe pas, lança-t-il d'un ton féroce en levant son arme. Ordre du Gul. Personne ne peut accéder à la station par ici.

— Moi aussi j'ai des ordres, rétorqua Berat et il brandit son carnet électronique. Service d'entretien. Je dois vérifier la pression des sas.

Le garde fronça les sourcils, perplexe. Berat lui tendit le bloc-notes affichant les autorisations pour les réparations et l'entretien des soutes et des sas d'urgence.

— Hmm, continua de douter le gardien. Je ne sais pas... Y'a trois pauvres mecs qui ont essayé de traverser durant le dernier quart. Ils voulaient aller s'amuser sur la Promenade. Il paraît qu'ils dansent encore au bout d'une potence dans les cachots du Gul.

— Ben moi, répliqua Berat, c'est le sous-off Halek qui va me pendre si je finis pas ce boulot. Je sais pas ce qui se passe ici, mais j'ai des ordres. Vise un peu... J'ai failli perdre un doigt sur le dernier turbin. J'devrais avoir déjà fini mon quart et j'ai encore le sas à tribord à tester. Avec cette main, j'devrais même pas bosser !

Le ton geignard de Berat, si coutumier parmi l'équipage, endormit les craintes du garde.

— Ouais, je comprends. Les ordres sont les ordres, déclara-t-il et il s'écarta pour laisser passer Berat.

Le guet observa l'ingénieur pendant qu'il déposait sa lourde trousse et sortait le manomètre. Berat sentait son regard vissé dans son dos. Quoi faire à présent ?

— Bon Dieu ! jura-t-il avec feu, imitant le parler du pont inférieur. Encore une fuite ! C'est la deuxième aujourd'hui ! J'vas être obligé de remplacer les joints ! J'vas être encore là l'an prochain avec tous ces foutus sas à réparer !

Il continua de fulminer en déballant sa trousse, espérant que la sentinelle ne remarquerait pas qu'il tournait souvent la tête vers le panneau du système de sécurité.

Mais le garde ne le lâchait pas.

— Hé, il me semble que je t'ai déjà vu. C'est pas toi le…

Avant que les soupçons du gardien n'aient eu le temps de se concrétiser, Berat fit semblant de chercher un outil dans sa ceinture, saisit le fuseur, se retourna et tira. L'homme tomba sur le pont, plié en deux. Berat se mit au travail sans tarder ; le temps jouait contre lui à présent. Il remit le fuseur dans sa ceinture en maudissant sa main blessée, puis il ouvrit le panneau de contrôle de l'écoutille et neutralisa le système d'alarme.

Il frappa ensuite le bloc de commande et la porte roula dans son ouverture. Une fois dans la chambre, il lui sembla voir passer d'interminables minutes avant que les senseurs de pression n'activent les voyants, du côté de la station, et qu'il lui soit possible d'actionner l'autre porte ; ce qu'il était sur le point de faire quand il songea qu'une alarme de sécurité protégeait l'autre côté aussi !

Il s'interdit de céder à la panique qui s'emparait de lui. *Réfléchis*. Quelqu'un pouvait survenir d'un moment à l'autre, jeter un coup œil dans le couloir d'accès et le surprendre dans sa fuite. Et le garde, quand allait-il se réveiller ? Dans cinq minutes ? Dix ?

C'était le problème le plus pressant. L'homme était vivant et respirait bruyamment. Berat le tira à l'intérieur du sas. Il sortit le fuseur et le paralysa davantage, afin de s'assurer qu'il ne pourrait pas lui nuire. Puis il coinça le levier dans le rail pour bloquer la porte, au cas où on tenterait de l'ouvrir.

Avec un peu de chance, il venait de se ménager assez de temps pour prendre le large. Il jeta un coup d'œil dans le couloir à travers le hublot de l'écoutille. À moins d'un mètre, dans le couloir de la station, il vit le panneau de sécurité et le dispositif de fermeture de l'alarme. Il était aussi utile que s'il s'était trouvé à l'extrémité opposée de l'anneau d'arrimage.

Non, il faudrait prendre les grands moyens. Vite, ignorant la douleur à sa main, il retira le bloc pour accéder à la circuiterie. L'alarme était réglée pour se déclencher chaque fois que l'écoutille était activée. De plus, les deux lignes étaient reliées : la porte ne s'ouvrirait pas, même s'il coupait le circuit. Pire, en le sectionnant, il déclencherait un signal de défaillance qui alerterait instantanément l'équipe de surveillance de la station.

Il étudia un moment le réseau complexe de branchements, pour s'assurer qu'il procédait correctement. Ce n'était pas très compliqué, pourvu qu'on sache identifier les circuits. Aucun n'était marqué, pour des raisons de sécurité évidentes. Un mauvais fil coupé, ou s'il en effleurait seulement un avec sa sonde, et l'alarme qu'il tentait de réduire au silence allait retentir.

Berat essuya ses mains moites sur ses guêtres huileuses. Puis, il sectionna les circuits — celui de l'alarme de surveillance d'abord et ensuite la ligne de sécurité auxiliaire. Il restait à remettre les contrôles de l'écoutille directement en prise dans le nœud d'alimentation, et à contourner ainsi le reste de la circuiterie.

Il remit le panneau d'accès en place aussitôt qu'il eut fini et prit une grande respiration. Il activa le bloc de commande. L'écoutille de la station spatiale glissa dans un léger sifflement.

Berat regarda dans le couloir. Il était désert — ou plutôt déserté. Presque toutes les lumières étaient éteintes, des panneaux de cloison manquaient et des marques de fumée noire tapissaient les murs et les plafonds. On racontait que les troupes d'occupation avaient vandalisé et démoli la station avant de quitter DS-Neuf. Des rumeurs qui paraissaient fondées.

Pas de garde en vue. Berat repéra seulement des senseurs installés au haut d'une cloison, qui permettraient à la sécurité de le suivre à la trace. Ces moniteurs ne fonctionnaient peut-être même pas, s'il fallait en juger par l'état général du hall.

Berat n'avait guère eu le temps de réfléchir à ce qu'il ferait une fois parvenu de l'autre côté du sas. Où se réfugierait-il sur cette station cardassienne pleine de Bajorans ? Impossible de rebrousser chemin et d'implorer l'indulgence de Gul Marak, c'était trop tard. Il lui apparut pour la première fois qu'il se fichait peut-être dans un pire pétrin en quittant le vaisseau. Il avait entendu parler des traitements réservés aux Cardassiens par les terroristes. Qui sait s'il ne finirait pas par supplier Gul Marak de le pendre ?

Il jeta un regard inquiet vers l'écoutille du vaisseau et la sentinelle qui se mettrait bientôt à remuer. Non, il était impensable de faire demi-tour, quoi qu'il advint, et le temps fuyait.

Il ramassa la trousse et s'engagea dans le couloir de la station. D'abord, les senseurs. Grâce à sa sonde diagnostique, il découvrit qu'ils étaient hors d'usage. Il faillit presque s'évanouir de soulagement ! Enfin, la chance lui souriait !

Si seulement ça pouvait continuer. Une chose était sûre : il ne moisirait pas dans le secteur où le *Swift Striker* était arrimé. Dès qu'on constaterait sa disparition — quand la sentinelle ouvrirait les yeux — le Gul mettrait des hommes à ses trousses.

Il se mit à courir.

Au premier couloir de branchement qu'il atteignit, Berat se retourna et dressa l'oreille, à l'affût d'éventuels poursuivants. Pas un son ; aucun garde, personne ne le pourchassait — ni les patrouilles de pont de Marak ni les équipes de sécurité de la station.

Que se passerait-il si la patrouille tombait sur une équipe de la Sécurité ? Sur un escadron de surveillance bajoran ? C'était peut-être ce qui pouvait lui arriver de mieux ! Ce couloir était plus endommagé que l'autre. Les vaisseaux ne fréquentaient certainement pas ce pylône régulièrement !

Il trouverait une cachette ici. Non seulement l'endroit était désert, mais les soutes, les lifts et les tunnels d'accès — pareils à ceux de Farside, dont il connaissait le moindre recoin — lui offraient de multiples possibilités. Toutes les stations spatiales cardassiennes étaient construites sur le même modèle.

D'une main tremblante, il sonda avec précaution le senseur de sécurité le plus proche. Celui-là aussi était à plat, à cause d'un circuit qui avait sauté. Une réparation toute simple. Et il avait tous les outils nécessaires sous la main.

Il trouva ce qui n'allait pas dès qu'il eut retiré le panneau d'accès et commencé à sonder. Le nœud de jonction était grillé. C'était réparable, ça aussi. Une unité neuve, quelques raccordements et le tour fut joué. Il lui aurait fallu deux fois moins de temps si des bruits de pas imaginaires ne l'avaient arrêté à tout moment. Il vérifia le senseur d'un bref scan de sa sonde ; oui, il fonctionnait !

Quand le Gul enverrait sa patrouille de pont, celle-ci tomberait peut-être en effet sur quelque chose !

Berat s'introduisit dans une soute vide et se glissa dans une conduite d'alimentation qu'il était certain de trouver là. Il se mit à ramper, à la recherche d'un endroit pour se terrer. Et dormir.

Enfin dormir.

CHAPITRE 7

Dans le local de la Sécurité de DS-Neuf, le constable Odo était assis à un bureau entouré de moniteurs de surveillance. Certains affichaient des diagrammes lumineux, d'autres étaient éteints, mais pour l'instant, le constable gardait les yeux rivés sur un seul visualiseur. Voilà qui était vraiment curieux ! Les senseurs de toute une section du pylône six venaient tout juste d'être remis en fonction. Comment était-ce possible ?

En temps ordinaire, il se serait contenté d'aviser le service d'entretien pour qu'on s'occupe de cette anomalie mais, avec le récent attentat à la bombe, rien ne devait être laissé au hasard. Sans compter que le cuirassé cardassien avait justement mouillé au pylône six.

Odo appela d'urgence le major Kira. Seul dans son bureau, absorbé par son travail, le changeur de forme avait lentement laissé ses traits s'estomper et sa physionomie n'avait plus qu'une vague ressemblance humanoïde, même si elle en conservait les aspects fonctionnels. Quand Kira répondit, il avait recouvré son apparence habituelle, qu'on pouvait prendre à première vue pour celle d'un Bajoran.

— Major, il y a une anomalie dans la section neuf, pylône six.

Kira était en poste sur Ops. Tout était calme et chaque technicien était occupé à sa console, mais Kira sursauta lorsqu'elle entendit la voix de Odo, et sa main chercha instinctivement son fuseur. Pylône six : le vaisseau cardassien ! Elle réussit avec peine à contrôler sa réaction ; si Odo avait parlé d'une « anomalie », il ne s'agissait pas d'une émeute ni d'une invasion des Cardassiens.

— Les senseurs de cette section sont grillés depuis que les Cardassiens ont tout démoli dans la zone et voilà tout à coup qu'ils se remettent en marche. Aucune équipe d'entretien n'a pourtant été affectée à ce secteur, il me semble.

— Vérifiez l'horaire des programmes de réparation avec le chef O'Brien, lui conseilla Kira en haussant les épaules. Rendez-vous ensuite là-bas pour vérification. Je vous rejoins.

Elle se dirigeait vers le quai de téléportation quand le technicien des communications l'appela :

— Major ! Un message urgent du *Swift Striker*. Gul Marak demande à parler au commandant.

Kira s'arrêta. Elle était l'officier responsable, en l'absence de Sisko dont elle relevait la garde, et aurait normalement dû se charger de cette communication. On pouvait évidemment appeler le commandant en cas d'urgence, mais qui parlait d'une urgence ici ? D'ailleurs, pour qui se prenait-il, ce Cardassien, avec ses exigences ?

— Je m'en occupe, répondit-elle vivement, les mâchoires serrées, et gagna rapidement le maître écran.

Le visage furieux de Gul Marak s'afficha aussitôt sur le vaste visualiseur. La fine lippe du chef cardassien se retroussa dans un rictus méprisant quand il vit à qui il avait affaire.

— J'ai demandé à parler au commandant de la Fédération.

— Je suis le major Kira, officier en second de cette station, répliqua-t-elle d'un ton sec, dissimulant sa propre répugnance de son mieux. Le commandant Sisko n'est pas disponible.

Les narines de Marak frémirent, il adressa sa requête à contrecœur :

— Un déserteur vient de s'enfuir de mon vaisseau. Il est passé sur la station en utilisant le sas d'urgence. J'exige que le criminel nous soit livré *immédiatement*.

— Nous n'avons reçu aucun rapport concernant la présence d'un déserteur cardassien sur la station, déclara Kira en toute sincérité, avec une bouffée de joie vengeresse.

— Cet individu est un traître et un meurtrier ! Il est armé et dangereux. Il a sauvagement assassiné son supérieur et attaqué une sentinelle.

— J'en aviserai notre bureau de sécurité, répondit Kira sans rien concéder. Vos inculpations feront bien sûr l'objet d'une enquête.

Marak allait parler, mais son image disparut abruptement de l'écran.

Le contentement de Kira persista quand elle éteignit la communication et logea l'échange en mémoire. Donner le change à Marak et le contrarier lui avait procuré plus de plaisir qu'elle n'en avait eu le jour où elle avait tenu trois vaisseaux de guerre cardassiens en respect armée de simples fuseurs de poing et d'une bonne dose de bluff.

Un *assassin. Tu es un assassin, Marak. Comme tous ceux de ta race.* La présence d'un malfaiteur cardassien en liberté sur DS9 constituait néanmoins une menace sérieuse... si Marak disait la vérité, et Kira avait de bonnes raisons de le croire. Mieux, elle aurait parié que cet incident n'était pas sans rapport avec l'" anomalie » du pylône six rapportée par Odo. Le sas auxiliaire rattaché au vaisseau cardassien était situé dans la section huit, juste au niveau supérieur. Elle n'en avait évidemment rien dit à Marak, que les mesures de sécurité de DS9 ne concernaient nullement. Il n'existait aucune preuve tangible permettant de relier les deux incidents — sinon une pure coïncidence.

— Informez le service de sécurité qu'on signale un déserteur cardassien sur la station, ordonna-t-elle au technicien en se dirigeant vers le quai de téléportation. Pylône six, section neuf, demanda-t-elle. Énergie.

— Avez-vous contacté O'Brien ? demanda-t-elle à Odo qui l'attendait.

— Les seules équipes de réparation affectées à cette section sont venues pour vérifier les systèmes des sas et les turbolifts. Le travail était terminé quand le vaisseau est arrivé.

— L'affaire se complique. Gul Marak prétend qu'un déserteur cardassien s'est infiltré sur la station par le sas auxiliaire de la section huit. Il pourrait se cacher dans les parages.

— Est-il armé ? demanda Odo avec une expression inquiète.

— Marak prétend que l'homme a assassiné son supérieur et attaqué un gardien avant de s'enfuir par le sas.

— Mais... il n'y a pas eu d'alarme !

— Une autre défaillance ? supposa Kira.

— C'est ma faute ! s'exclama Odo entre les dents. Je prends toute la responsabilité de cet incident. Quand le vaisseau s'est arrimé ici, j'ai oublié le sas auxiliaire ! La plupart des navires qui passent ici en sont dépourvus et ne l'utilisent pas.

— Il n'était pas surveillé ?

— Non. Le réseau de senseurs de cette section n'était même pas opérationnel !

— Alors comment se fait-il que ces senseurs sont activés ? observa-t-elle en levant les yeux vers les moniteurs au-dessus d'eux. Et ceux du sas auxiliaire ?

— Hors fonction, annonça-t-il après avoir rapidement vérifié son bloc-notes.

— Ça n'a aucun sens, dit Kira en secouant la tête. Avez-vous inspecté les senseurs en question ? Sait-on pourquoi ils se sont rallumés ?

— Ma sonde révèle simplement une activité normale. J'ai demandé à O'Brien de descendre jeter un coup d'œil. Peut-être pourra-t-il nous dire s'ils ont été trafiqués.

— Bien. Il vaudrait peut-être mieux examiner d'abord le sas auxiliaire, décida Kira.

Ils ne trouvèrent rien d'anormal dans le couloir de l'étage inférieur. Le regard de Kira s'arrêta sur l'écoutille hermétiquement fermée du sas. Le vaisseau cardassien était là, tout juste de l'autre côté, si proche. Elle dut fermer les yeux un moment.

— Major ?

— Désolée, dit-elle en les rouvrant ; elle examina le panneau mural. Vous avez dit que l'alarme de sécurité ne s'est pas déclenchée. Était-elle activée ? L'a-t-on endommagée ?

Un bref examen de l'intérieur du panneau révéla un réglage adéquat du commutateur de relais avertisseur. Si quelqu'un avait utilisé le sas, l'alarme aurait dû retentir.

— On ne peut pas la neutraliser depuis l'intérieur du sas. Comment a-t-il pu traverser ? demanda Kira avec frustration.

— Le déserteur avait peut-être un complice sur la station.

Kira fronça les sourcils à l'idée d'une association entre un Cardassien et quelqu'un de la station.

— Ou bien... reprit Odo en braquant sa sonde. Elle ne fonctionne pas non plus ! Mais... l'écoutille ne peut pas s'ouvrir, si l'alarme est éteinte. En principe, en tout cas. Et personne n'aurait donc pu entrer par ici.

— Et peut-être que personne n'est venu. C'est Marak qui aurait inventé toute cette histoire, dit lentement Kira.

Ils échangèrent un regard. Il existait un moyen de s'en assurer. Kira prit une grande respiration et activa le bloc de commande, mais l'écoutille demeura close;

au lieu de l'alarme de sécurité, Kira entendit la sonnerie assourdissante du signal d'urgence. Des voyants rouges clignotèrent sur le panneau de la porte, affichant des signes cardassiens que Kira et Odo pouvaient tous deux déchiffrer :

Pression défectueuse
Sas désactivé

Leurs yeux se croisèrent de nouveau. La situation devenait de plus en plus inexplicable.

— Nous pourrions ne pas en tenir compte, suggéra Odo, sans enthousiasme.

Ni l'un ni l'autre n'était prêt à courir ce risque ; sur une station spatiale, on ne prend pas une défaillance de la pressurisation à la légère.

Que se passait-il ? Le sas fonctionnait de travers, l'alarme restait muette, des senseurs se remettaient en marche tout seul.

— Se pourrait-il que vos relevés soient erronés ? demanda le major à Odo.

— Ça m'étonnerait, dit-il en examinant sa sonde. Mais je présume que c'est possible. Dans ce genre de situation, tout est possible.

Kira prit une grande respiration, où perçait sa frustration. Où était passé O'Brien ?

— Kira appelle O'Brien, dit-elle en tapant son communicateur. Avez-vous vérifié les moniteurs de sécurité de la section neuf ?

— C'est ce que je fais en ce moment, répondit la voix joviale de l'enseigne à l'autre bout du lien sonore. On dirait que quelqu'un s'est amusé à réparer notre système de senseurs de surveillance.

— Vous en êtes sûr ?

— Absolument. J'ai un des nœuds brûlés sous les yeux. Quelqu'un l'a réparé à l'aide d'une belle unité neuve. Du beau travail. J'aimerais connaître le gars qui a fait ça... j'aurais du boulot pour lui.

Les plaisanteries de O'Brien lui tapaient parfois sur les nerfs, mais Kira se contenta de demander :

— Pourriez-vous descendre ? Section huit, sas auxiliaire. Il se passe des choses étranges ici.

— J'arrive.

Quelques minutes plus tard, O'Brien arrivait par le turbolift. Devant le signal d'urgence qui clignotait toujours, il sortit son tricordeur d'ingénierie pour tenter d'évaluer la situation.

— Il y a peut-être une petite fuite dans un joint, mais pas de dépressurisation importante, déclara-t-il. Je pense que nous pouvons entrer.

Il pianota la séquence d'annulation au clavier et le clignotement du signal d'urgence cessa.

— Et l'alarme de sécurité ? lui demanda Kira. La sonde de Odo indique qu'elle est hors d'usage.

— C'est exact, rapporta O'Brien qui s'était avancé jusqu'au panneau de contrôle. Tiens... Ça, c'est curieux, ajouta-t-il en se tournant vers le bloc de commande de l'écoutille, qu'il balaya de son tricordeur. *Très* curieux.

— Qu'y a-t-il ?

— Ils sont sur le même circuit. Le bloc de commande ne devrait pas fonctionner. Vous n'auriez même pas dû recevoir ce signal. Drôle de manière de monter un système, à mon avis, mais c'est ainsi que les Cardass l'ont fabriqué.

Il retourna au panneau, l'ouvrit et sonda l'intérieur durant quelques minutes.

— Tout est normal ici.

— Est-ce qu'on aurait pu trafiquer les circuits à partir de l'autre côté, demanda Kira, le front plissé. À partir de la cabine du sas ?

— Ça, je ne sais pas, avoua O'Brien, en haussant les sourcils. Il faudrait que je jette un coup d'œil. C'est peut-être faisable, oui.

Il heurta avec précaution le bloc de commande et la porte s'ouvrit normalement. Rendus nerveux par l'avertissement de dépressurisation, ils pénétrèrent dans le sas. Ils virent d'abord l'écoutille opposée, à moitié démontée, qu'une équipe de maintenance s'affairait à réparer, puis un Glin qui leur intima d'une voix forte l'ordre de rester où ils étaient, un fuseur braqué dans leur direction...

— Passage interdit !

Le sang de Kira bouillonna, mais elle résista à l'envie de dégainer son arme. Près d'elle, Odo et O'Brien s'étaient raidis, prêts à tout. Elle savait qu'elle pouvait compter sur les deux hommes en cas de coup dur. Ni l'un ni l'autre ne faisait confiance aux Cardassiens.

En vertu du droit coutumier, la cabine d'un sas, dans un tel cas, était un territoire appartenant à la station et finissait à l'écoutille du vaisseau. Dans un langage sans ambiguïté, Kira renseigna le Glin sur ce détail juridique.

— J'ai reçu des ordres, opposa-t-il, son arme toujours pointée sur eux.

— Et moi j'enquête sur une menace à l'intégrité des systèmes de sécurité de cette station, rétorqua Kira, refusant de céder la moindre parcelle de terrain au Cardassien. Ou bien, ajouta-t-elle, avec une inspiration machiavélique, dois-je informer votre Gul qu'un de ses subordonnés fait obstacle à des recherches visant à retracer un déserteur qu'il prétend s'être réfugié sur Deep Space Neuf ?

Le Glin devint pâle et recula d'un pas chancelant.

— Je ne peux permettre à personne de passer par ce sas, répéta-t-il avec moins d'assurance.

— Parfait, claqua Kira. Nous n'avons pas l'intention de mettre le pied sur votre vaisseau. Surveillez-le bien, murmura-t-elle à l'intention de Odo, les lèvres serrées ; puis, plus haut : Vous pouvez continuer chef O'Brien.

L'ingénieur procéda à l'inspection des commandes intérieures du sas, coincé dans cet affrontement silencieux des deux contingents. L'équipe de maintenance reprit également son travail du côté cardassien.

Kira se demandait bien ce qui était arrivé, mais n'avait certainement pas l'intention de poser la question au Glin.

— Ah ! s'exclama O'Brien au bout d'un moment.

— Quoi ?

— Vous avez vu ça ? Il a neutralisé l'alarme de sortie à partir d'ici puis il a raccordé la circuiterie pour que la commande de l'écoutille reste opérationnelle. Fortiche !

— Vous pouvez le réparer ? demanda Kira, qui aurait préféré moins d'exhibition de joie à cette découverte.

— Facile, répondit O'Brien en jetant un bref regard de l'autre côté du sas. On sait maintenant pourquoi il y a eu une alerte de dépressurisation, dit-il avec plus de sérieux.

— Oui, mais j'aimerais bien savoir ce qui s'est passé là-bas, confia Odo qui lança lui aussi un coup d'œil à la dérobée vers les Cardassiens.

O'Brien eut bientôt fait de restaurer la circuiterie originelle, qu'il testa ensuite.

— Bon, que doit-on penser de tout ça ? demanda Kira une fois hors du sas. Après avoir tué son supérieur, un membre d'équipage cardassien force l'écoutille du vaisseau et contourne les systèmes de sécurité de la station ; ensuite il se volatilise sur DS-Neuf.

— Et il s'amuse à réparer les moniteurs dans la section voisine, ajouta O'Brien. Le type est sûrement un technicien ou quelque chose du genre.

— Pourquoi réparer le système de surveillance ? demanda Odo, toujours dépité. Je pourrais comprendre qu'il veuillent les neutraliser s'il en est capable, mais pourquoi prendre le temps de les réparer ?

Kira commençait tout juste à penser qu'elle connaissait peut-être la réponse à cette question quand ils furent surpris par l'alerte qui fusa à travers l'intercom du couloir désert et à moitié démoli : « *Alerte générale ! Tout le personnel de sécurité sur la Promenade. Les civils doivent évacuer les niveaux neuf à onze. Soins médicaux, présentez-vous sur la Promenade.* »

Ils entendirent au loin le bruit des sirènes d'alarme.

La réaction de Kira, qui redoutait le pire, fut immédiate. Elle et Odo se regardèrent, puis se retournèrent vers le sas qui conduisait au vaisseau cardassien : peu importe ce qui était arrivé ici, cela devrait attendre.

— Ici Kira et Odo, dit-elle en frappant son commbadge. Téléportez-nous sur la Promenade !

CHAPITRE 8

Kira et Odo se matérialisèrent au milieu d'une scène trop familière à quelqu'un ayant grandi au milieu des guerres et des camps de réfugiés : une foule paniquée qui s'enfuyait de tous côtés en hurlant, les sirènes d'alarme qui aboyaient leur plainte, les fatales odeurs de feu et de fumée. Une enfant pleurait de douleur, terrorisée par le sang qui coulait de son bras tailladé. Kira la ramassa et chercha des secours du regard. Elle avait d'abord cru à une attaque des Cardassiens, mais sa colère avait changé de cible : les terroristes ! Une autre de ces bombes maudites par les Prophètes ! En pleine Promenade, cette fois — au milieu de civils et d'*enfants*.

Kira aperçut un jeune infirmier et lui confia la petite. L'équipe médicale s'empressait autour d'autres victimes, plus grièvement blessées. Le docteur Bashir était penché sur... Kira faillit dégainer son fuseur avant de reconnaître le Cardassien, Garak, qui tenait la boutique de couture de la station. Un civil innocent, s'obligea-t-elle à penser. Il était si facile d'oublier qu'il existait des Cardassiens innocents.

Garak était en état de choc. Son visage, atteint par une multitude d'éclats acérés, semblait-il, ruisselait de sang.

— Je ne suis sorti qu'une minute, répétait-il. Rien qu'une minute. J'allais retourner dans ma boutique. J'aurai dû m'y trouver.

— Ça ira, tenta de le rassurer Bashir. Ne bougez pas.

Kira regarda derrière eux, vers la porte de la boutique de Garak — ou plutôt l'ouverture où s'était trouvée la porte. Il s'en échappait de lourdes volutes de fumée, au milieu des débris et des éclats de vitre.

— Établissez un périmètre de sécurité autour de cette zone ! cria Odo en se dirigeant rapidement vers la scène de l'attentat. Que personne ne touche à rien !

Kira constata que la force d'impulsion de l'explosion avait été dirigée vers l'intérieur du commerce, contenant ainsi les indices dans une zone relativement restreinte au lieu de les projeter jusque de l'autre côté de la Promenade. Cette fois, il *fallait* qu'ils attrapent celui qui avait fait ça !

— Je veux les noms de tous ceux qui se trouvaient dans cette zone ! Tous les témoins éventuels, ordonnait Odo aux forces de sécurité qui convergeaient vers la scène de la catastrophe.

— Que s'est-il passé ici ? interrompit une voix familière.

Kira leva les yeux vers Sisko, qui de toute évidence dominait à grand peine une sourde colère.

— On a posé une autre bombe. Dans la boutique de Garak, dit-elle. Nous avons interdit la zone, le temps de recueillir les indices. Nous saurons s'il s'agit du même type de bombe qu'au pylône seulement après une analyse médico-légale.

Bashir venait à leur rencontre, son uniforme maculé de sang.

— Aucun mort, dit-il. Seulement six blessés ; des blessures causées surtout par des éclats de verre. L'un d'eux pourrait perdre l'usage d'un œil, rapporta-t-il avant de se diriger vers l'infirmerie, dans le sillage des civières qu'on y transportait.

— Major, dit Sisko d'un ton sec. *Trouvez-moi* celui qui a fait ça.

— Major. Commandant. Venez jeter un coup d'œil là-dessus.

Odo les appelait depuis la boutique de Garak, devant laquelle les forces de sécurité érigeaient une barrière.

Kira emboîta les longues enjambées de Sisko, écrasant les morceaux de verre sous ses pas. Une affiche grossièrement découpée était collée à un mur et on y avait inscrit, manifestement à la hâte :

À MORT LES CARDASSIENS !

C'était signé : *Kohn Ma.*

— Puissent leurs âmes errer dans les ténèbres pour l'éternité tout entière ! jura Kira.

C'était une malédiction presque inimaginable pour un Bajoran et quelques badauds, rassemblés l'autre côté de la barrière, accomplirent certains signes rituels pour s'en protéger, tandis que d'autres hochèrent la tête pour marquer leur accord. On s'en était pris à des enfants, des enfants bajorans. Ils auraient pu être tués.

Pour ajouter à la confusion, un groupe de moines arrivait du temple, psalmodiant des chants traditionnels bajorans.

— Il faut éloigner tous ces gens d'ici, commanda Sisko. Cette section de la Promenade devra rester fermée durant tout le temps de l'enquête. Pour l'instant, c'est tout ce qu'on peut faire.

— Je recueille les noms de tous témoins, l'informa Odo.

Kira regarda avec inquiétude le cortège s'approcher. Il ne serait pas facile de convaincre les moines de partir et la foule réprouverait peut-être qu'on interrompe les chants. Parfois, Kira ne savait pas trop quoi penser de son peuple.

C'est alors qu'elle reconnut un visage familier parmi les religieux.

— Veuillez m'excuser, dit-elle à Sisko. J'ai des questions à poser à quelqu'un.

Elle prit Leiris par la manche de sa tunique.

— Je dois te parler, cher camarade. Tout de suite. Est-ce possible ?

— Bien sûr, Nerys, dit-il en lui effleurant le lobe d'oreille du bout des doigts. Je vois que tu es troublée.

Kira le suivit jusqu'au temple ; ils s'arrêtèrent au bord du bassin réfléchissant où ils s'étaient entretenus un peu plus tôt. Le contraste entre la paix et la sérénité qui régnaient ici et le chaos qui faisait rage au-dehors lui donnait l'impression de passer dans une autre dimension de l'existence. C'était étrange... Chaque fois qu'elle pénétrait dans le temple, peu importait le temps écoulé depuis sa dernière visite, elle ne comprenait pas qu'elle ait pu s'en tenir éloignée si longtemps. Un trait de nature des Bajorans, supposait-elle.

— Dis-moi ce qui te trouble, à présent, demanda Leiris. Ce sont ces attentats, n'est-ce pas ?

— Ils s'attaquent à un territoire bajoran. À des civils bajorans, à des enfants... se désola-t-elle et elle posa les yeux sur une tache sur sa manche. Ils font couler du sang bajoran... le sang d'enfants bajorans. On en a déjà trop répandu. Je vais trouver qui a fait ça, Leiris. Je vais les arrêter. J'en ai fait le serment. Peu importe qui ils sont. Même si je dois...

— Trahir un ancien camarade ?

— Oui, s'il le faut, dit-elle en baissant le regard.

— Je vois. Un lourd fardeau pèse sur ton cœur, Nerys. Tu es la seule à connaître certaines choses, qui t'ont été confiées sous le sceau du secret.

— Je connais des noms, et aussi certaines méthodes, admit-elle en hochant la tête. Ce sont des gens aux côtés de qui j'ai combattu. Nous avons traversé ensemble beaucoup d'épreuves, et donné notre sang pour le même idéal.

— Tu sais donc de qui il s'agit ? Tu as... des preuves ?

— Pas encore. Mais ça viendra. Tôt ou tard. Parce qu'ils ne s'arrêteront pas là. Après l'attentat d'aujourd'hui, j'en suis certaine.

— Je vois. Et soupçonnes-tu un groupe en particulier ?

— Pas encore, avoua-t-elle en secouant la tête. Nous avons peu d'indices pour nous mettre sur la piste. Mais ils ont laissé un message sur les lieux de l'attentat, cette fois : « À mort les Cardassiens », et c'était signé Kohn Ma. C'est de ça dont je voulais te parler. As-tu la *moindre* idée de qui a pu faire ça ?

— Tu crois que c'est le Kohn Ma ? demanda Leiris.

— Je l'ignore. Peut-être bien. Mais le Kohn Ma a toujours préféré des solutions plus... radicales. Je suis sûre qu'il s'agit d'attentats politiques, mais on dirait qu'ils ne sont pas destinés à tuer des Cardassiens ni détruire la station.

— Dans ce cas, à quoi servent-ils ?

— Ce peut être des tas de choses, répondit Kira en se passant la main dans les cheveux. Provoquer les Cardassiens. Perturber les négociations commerciales. Empêcher Bajor d'adhérer à la Fédération. La violence ne les a jamais fait reculer, mais cette fois c'est... du terrorisme dirigé directement contre les Bajorans ! C'est pour ça que je te demande si tu as des renseignements. As-tu appris quelque chose, par un de tes contacts ?

— Je suis désolé, Nerys, dit Leiris en joignant les mains dans une pose méditative. Te souviens-tu qu'on nous appelait aussi des terroristes, voilà longtemps, durant notre jeunesse où nous combattions pour la liberté de notre peuple ? Il arrivait aussi, je m'en souviens, que des innocents soient blessés. Même parmi les nôtres.

— Ce n'est pas pareil ! répliqua Kira avec fougue.

— C'est une opinion que tous ne partagent pas. Certains disent que nous avons simplement remplacé les Cardassiens par la Fédération. Ces terroristes que tu as fait le serment d'arrêter... sont-ils si différents de ce que nous étions ?

— Oui ! affirma-t-elle avec passion. Tu m'as dit qu'il fallait oublier le passé, mais c'est d'avenir qu'il est question ici. L'avenir de Bajor. Un vaisseau de guerre cardassien est stationné au pylône six, et s'il n'attaque pas, c'est seulement à cause de la présence des effectifs de Starfleet. Ne crois pas que je m'en réjouisse, Leiris ; je préférerais que Bajor sache se défendre seule, mais nous n'en sommes pas capables ! Seule la Fédération nous protège d'une agression des Cardassiens ou de toute autre puissance qui voudrait s'emparer du trou de ver. Avec des isolationnistes comme le Kohn Ma, nous nous retrouverions à la merci de nos ennemis. Je ne peux pas laisser mon action entravée par d'anciennes loyautés — pour le bien même de Bajor.

— Je comprends. C'est le chemin que tu dois suivre, Nerys. Mais je crains qu'il soit semé d'embûches.

— Je sais. Ils croiront que je les ai trahis.

— Cela ne doit pas t'empêcher de suivre ta voie. Loin de ton passé. Oui. Méditons ensemble, Nerys. Regardons devant nous les chemins qu'il faut prendre.

Kira fit non de la tête et repoussa à regret la main que Leiris lui tendait. Elle ne pouvait se permettre de glisser en-dehors du temps et de l'espace, dans la paix de la méditation — à supposer qu'elle eût put l'atteindre.

— Je n'ai pas le temps. Je dois retourner là-bas.

— Je prierai pour toi, Nerys.

— Merci, dit-elle et elle pressa le pas hors du temple pour retourner sur les lieux du désastre.

CHAPITRE 9

Le commandant Benjamin Sisko ne s'étonna guère, une fois le gros des dégâts nettoyé, des messages nombreux laissés par les diplomates pour le rencontrer « sans délai », « de toute urgence » et « d'extrême urgence ».

Après avoir inutilement tenté d'établir un certain ordre de priorité parmi les messages, il choisit de répondre d'abord à Hnada, vu que l'ambassadrice bajoranne avait appelé trois fois depuis qu'il avait franchi le seuil de son bureau.

Hnada était en état de crise aiguë, que Sisko aurait qualifié d'hystérie s'il s'était senti l'âme un peu moins charitable.

— Commandant Sisko ! Vous voilà enfin ! Il faut leur dire... Vous devez les *assurer* que nous n'avons absolument rien à voir dans tout ça, ni Bajor ni le gouvernement ! C'est l'œuvre de hors-la-loi, de criminels ! Nous réprouvons les actes de terrorisme ! Ils ne représentent pas le peuple bajoran ! Les responsables de ces attentats subiront les châtiments les plus sévères prévus par la loi ! Ces agressions ont blessé des Bajorans ! Vous ne devez laisser aucun doute subsister !

— Ambassadrice... Ambassadrice Hnada... Si vous me permettez... finit par l'interrompre Sisko.

Soyez assurée, Ambassadrice, que je ferai tout en mon possible pour exposer clairement votre position aux diverses délégations... Oui, je comprends... Bien sûr, nous avons *déjà* ouvert une enquête... Oui, j'insisterai sur ce point auprès des représentants... Ambassadrice, termina-t-il, je dois prendre contact avec d'autres délégués.

Non sans appréhension, Sisko prit l'appel suivant. Le représentant Nev'turien apparut sur le visualiseur, les crocs découverts par l'indignation. Passant outre aux politesses d'usage, il se mit aussitôt à débiter ses doléances :

— On m'avait dit que les Bajorans étaient un peuple civilisé, porté sur la *spiritualité* ! On m'avait assuré que ces accusations de terrorisme étaient sans fondement ! Et voilà qu'ils font sauter des explosifs dans un environnement clos et mettent en danger la vie de tous les occupants ! S'attend-on à ce que je négocie de bonne foi avec une telle race ? Comment pouvez-vous songer à admettre un monde comme celui-là au sein de la Fédération ?

Les choses ne s'améliorèrent pas. Sisko ne put identifier aucune expression chez l'ambassadeur Agguggt !, dont l'apparence consistait en une masse de bulles verdâtres frémissant à l'intérieur d'un sac translucide, mais le traducteur modulait sa voix en de stridents accents de fureur. « Nous ne resterons pas ici un instant de plus. Notre sécurité est de toute évidence menacée. Nous avons été *endommagés*, commandant, par un éclat de matériau. Regardez ! dit-il en imprimant à sa forme de vigoureuses ondulations censées démontrer la gravité de sa blessure.

Endommagés ! Percés ! Nous avions reçu l'assurance de la Fédération que cette station était sécuritaire. L'affaire est grave. Nous avons l'intention de déposer un grief, une fois que nous aurons quitté cet endroit. Des indemnités devront être versées. Nous l'exigerons !

Sisko s'efforça d'apaiser les ambassadeurs un à un et, réfutant les faussetés les plus évidentes et clouant le bec aux rumeurs, il tenta de restaurer la réputation ternie du gouvernement provisoire. Non, les Bajorans n'approuvaient pas le terrorisme, et personne n'avait été tué ; non, la station n'allait pas être évacuée. Oui, on avait mobilisé des effectifs, qui enquêtaient sur les attentats, et on accordait une priorité absolue à la sécurité des délégués.

Non, on n'avait pas suspendu les négociations — et il ne s'attendait pas à ce qu'elles le soient. Non, il ne conseillait pas de rompre toute relation avec Bajor.

Un différend éclata sur Ops, au milieu de ces appels, et Sisko dut dévaler l'escalier pour intervenir dans un échange qui tournait au duel entre les ambassadeurs klingon et aresaï. Ils se disputaient la préséance quand le temps serait venu de passer les terroristes par le fil de l'épée — une fois qu'on les aurait identifiés. Une question d'honneur, insistaient-ils tous deux.

Le temps de regagner son bureau et la représentante vnartia qu'il avait dû faire patienter était devenue rouge de colère. Elle déclara n'avoir encore jamais été soumise à une telle humiliation, et si Sisko avait le moindre sens de l'honneur, il se couperait sur-le-champ un de ses membres droits. Sa déception fut grande quand on lui rappela que les appendices humains ne repoussaient pas, mais l'ambassadrice jugea que cette excuse ne constituait toutefois pas un motif valable de se soustraire aux devoirs imposés par l'honneur.

— Vos supérieurs seront informés de ce manquement, commandant. Ainsi que vos grands-parents !

Quand le visage furibond de Gul Marak apparut sur le visualiseur, Sisko ne lui trouva presque aucune différence avec ceux de la horde de diplomates.

— Savez-vous depuis combien de temps j'attends, Sisko ? Non, je ne sais pas combien de délégations vous avez sur les bras, et je m'en fiche ! Comment se fait-il que des Cardassiens soient attaqués en plein jour sur votre station ? Un des nôtres a été blessé par un de ces sales terroristes ! Si ça continue, ils s'attaqueront bientôt à mon vaisseau ! Que comptez-vous faire, Sisko ? Quand ferez-vous enfin cesser ces attaques perpétuelles contre les Cardassiens — sur une propriété qui leur appartient ?

Sisko serra les mâchoires jusqu'à en avoir mal et réprima l'envie de maudire les Bajorans. Il répugnait à l'admettre — et tout spécialement devant Marak —, mais les récriminations du commander cardassien étaient légitimes.

— Comment comptez-vous remédier à la situation, Sisko ? demanda Marak de nouveau. Le terrorisme bajoran a assez duré ! Nous nous sommes retirés de leur petite planète boueuse et des traîtres leur ont livré cette station *cardassienne*, mais ces ordures refusent toujours de respecter les conditions de la trêve !

« Voilà qui montre bien la valeur de la paix aux yeux des Bajorans ! Toutes ces sornettes sur l'harmonie spirituelle... Foutaise ! Nous aurions dû les exterminer quand nous le pouvions encore, avant que Starfleet ne vienne mettre le nez dans nos affaires. Nous aurions dû les rayer de la carte et disperser leurs cendres dans l'espace pour nous assurer qu'ils ne se reproduisent plus ! Il aurait fallu empoisonner l'eau et le sol de leur planète pour empêcher toute vie d'y renaître à tout jamais !

« Écoutez-moi bien, Sisko ! Je ne quitterai pas cette station avant d'avoir vu ces terroristes se balancer au bout d'une corde ! Même si je dois m'y rendre pour les lyncher moi-même ! Je ne resterai pas les bras croisés quand la vie de Cardassiens est en jeu ! Si vous êtes incapable de venir à bout de cette peste terroriste, ou que vous ne le *voulez* pas, je m'en occuperai moi-même !

— *Gul* Marak ! s'exclama finalement Sisko pour mettre fin à la diatribe du Cardassien et répéter, pour la centième fois aujourd'hui : Je condamne le terrorisme, autant sur DS-Neuf que n'importe où ailleurs. Le gouvernement légitime bajoran déplore ces actes de violence. Notre équipe de sécurité dispose de toutes les ressources nécessaires pour faire enquête sur ce dernier attentat. Une intervention des Cardassiens serait *tout à fait* inutile. Les coupables seront jugés selon la loi lorsqu'on les capturera.

— La loi ! railla Marak avec fureur. Vous voulez dire la loi bajoranne ? Vous croyez vraiment que ces flics bajorans vont sévir contre des terroristes qui attaquent des Cardassiens ! Les meurtriers seront décorés et traités en héros — ils recevront le titre de combattant de la liberté — ou de saint ! On leur dressera une statue, une bombe à la main et une auréole autour de la tête !

« Je veux qu'ils soient châtiés, Sisko ! Je veux qu'on les pende, et qu'ils souffrent pour les crimes qu'ils ont commis ! Oh, je connais les directives de Starfleet ! Les règles timorées de la Fédération ! Du vent ! Les Cardassiens ont toujours été vos ennemis. Vous êtes incapables de nous vaincre en combat singulier, alors vous complotez dans l'ombre et vous faites exécuter le sale boulot par des traîtres et des terroristes !

« Et ne me parlez surtout pas de vos forces de sécurité ! Je les aie vues à l'œuvre ! Votre major *bajoran* ! Dites-moi, Sisko, vous êtes de mèche avec eux ou bien vous êtes simplement aveugle ? Comment pouvez-vous laisser courir des terroristes en liberté sur votre station ? Et je ne parle pas des traîtres, des déserteurs et des meurtriers ?

« Je vous préviens encore une fois : je me chargerai de cette affaire moi-même, s'il le faut. J'aurais déjà dû envoyer mes patrouilles sur votre station pour qu'on ramène immédiatement ce déserteur ici, mais j'ai respecté notre entente, *moi* ! Je me suis fié à la parole d'un officier de Starfleet ! Mais c'était la dernière fois ! Vous voulez un déploiement de forces, eh bien, vous l'aurez ! Je démonterai chaque boulon de votre station, s'il le faut.

— Est-ce une menace, Marak ?

— Prenez-le comme vous voudrez, Sisko. Vous savez ce qu'il vous reste à faire. Je vous le répète, je veux qu'on me livre ces terroristes et ce déserteur...

— Ce *déserteur* ? Mais... de quoi parlez-vous, Marak ?

— Inutile de me jouer la comédie, Sisko !

— Marak, grinça le commandant. On vient de commettre un attentat sur ma station. J'essayais de prendre un peu de repos quand on m'en a informé. J'ai passé les deux dernières heures à tenter d'expliquer la situation à une flopée de diplomates affolés et je dois maintenant écouter vos élucubrations. Je vous répète que je n'ai pas entendu parler d'un déserteur !

— Alors vous devriez peut-être vous renseigner auprès de votre officier en second *bajoran* ! conseilla Marak avec une lueur mauvaise de triomphe dans le regard. Peut-être vous cache-t-elle encore une chose ou deux... les noms de ses amis terroristes, par exemple !

« C'est mon dernier avertissement — ou appelez ça une menace si vous préférez. Je veux ce traître. Je veux voir ces terroristes pendus. Sans quoi, vous aurez de mes nouvelles. Bientôt, Sisko. Très bientôt.

L'écran s'éteignit. Sisko respira profondément pour se calmer. Il connaissait bien les mensonges et le bluff cardassiens, mais l'emportement de Marak au sujet d'un déserteur avait un accent d'authenticité. Et qu'avait-il insinué à propos du major Kira ? Quelle que fût sa confiance en Kira et les nombreuses marques de loyauté qu'elle avait démontrées, il était impossible à Sisko d'oublier complètement son passé.

La voix méprisante de Marak lui revint — « Votre officier *bajoran.* » Anxieux, le commandant passa en revue le journal de bord pour la période où il n'avait pas été en poste. Tout était là, y compris l'autorisation personnelle de Kira : l'appel de Gul Marak, la réponse du major. Il était temps de tirer cette affaire au clair !

— Major Kira, rendez-vous au bureau du commandant. Immédiatement !

Il n'eut pas le temps d'éteindre la fréquence. « Commandant Sisko, un message de l'ambassadeur kovassiite. » Sisko retint son souffle. « Leur vaisseau décollera dans trente minutes. Ils quittent DS-Neuf. »

Sisko laissa échapper un soupir. Encore un autre qui s'en va. Il songea un instant à tenter de dissuader le Kovassii de partir, mais décida aussitôt que c'était inutile.

— Vous vouliez me voir, commandant ?

— Entrez. Fermez la porte, demanda-t-il, omettant délibérément de lui offrir un siège.

— J'ai reçu une plainte, major. De Gul Marak. Il prétend que nous hébergeons un déserteur cardassien sur DS-Neuf. Il veut qu'on lui remette l'individu afin qu'il réponde de ses actes. Dites-moi, major, vous ne croyez pas que le commandant d'une station devrait être informé de ce genre de situation ?

Kira sembla surprise, et peut-être aussi un peu coupable — ou n'était-ce que l'imagination de Sisko ?

— La communication avec Gul Marak est enregistrée dans le journal de bord. Ma réponse aussi, se contenta-t-elle de dire en se refermant aussitôt sur elle-même.

— J'ai consulté le journal de bord. Vous avez jugé inutile de m'informer de cette communication ?

— Vous n'étiez pas en poste. En tant qu'officier en second, répondre à cet appel était pour moi une procédure normale. Je ne considérais pas qu'il s'agissait d'une urgence.

— Je vois, répondit Sisko en se déridant.

Elle avait évidemment raison quant à la lettre du règlement, mais pour ce qui était de son évaluation de la situation, il était moins sûr.

— Gul Marak soupçonnait un de ses hommes d'avoir déserté le vaisseau pour gagner la station, continua Kira. Je l'ai informé que nous n'avions aucun renseignement relativement à un déserteur cardassien. Je lui ai assuré que nous ferions enquête. Ce que nous avons fait.

Cette fois, Sisko ne put retenir un air réprobateur. Encore une fois, la version de Kira était exacte — sauf qu'elle ne rapportait rien de la mutuelle agressivité dans laquelle s'était déroulé leur échange : l'attitude menaçante de Marak, la pose fière et vengeresse de Kira.

— Et cette situation ne vous a pas paru urgente ?

— Non. Rien ne laissait croire à une menace pour la station. Pas à ce moment.

— Et maintenant ? Y a-t-il ou non un déserteur cardassien à bord de la station ?

La voix de Kira ne trahit rien de son léger malaise :

— J'ai immédiatement commencé mon enquête. Odo avait signalé une... anomalie, dans le système de sécurité du pylône six. J'ai pensé qu'il existait peut-être un lien. Nous avons découvert que le sas relié au port d'arrimage d'urgence cardassien avait été saboté.

— Du sabotage ?

— On a neutralisé l'alarme de sortie et aussi trafiqué les senseurs de sécurité à proximité du sas. Il est donc fort possible qu'un déserteur cardassien soit sur la station. Le chef O'Brien croit qu'il s'agit probablement d'un technicien.

— C'est tout ?

— Nous étions en train d'enquêter quand l'urgence a été décrétée. Nous nous sommes rendus sur les lieux de l'attentat.

— Bien sûr, dit Sisko sans rien laisser paraître de son mécontentement.

Le moment ne pouvait être plus mal choisi. Les diplomates désertaient la station et des terroristes essayaient de la faire sauter — et Marak prétendait que le déserteur était armé et dangereux. Kira se tenait de l'autre côté de son bureau, les lèvres serrées, avec cette même expression légèrement provocatrice qu'elle avait adoptée avec Marak.

Sisko regrettait de ne pouvoir interdire à Kira tout contact avec le commander cardassien, mais elle avait raison : en sa qualité d'officier en second, c'était son travail de remplacer le commandant en son absence. S'il refusait de le reconnaître, aussi bien déclarer publiquement que son poste de major ne soutenait aucune autorité véritable. DS9 était censée être une station bajoranne, comment aurait-il pu agir de la sorte avec Kira ?

Mais n'aurait-elle pas pu au moins essayer de se montrer moins *provocatrice* dans ses relations avec les Cardassiens ?

Marak ne faisait rien pour arranger les choses, il fallait l'admettre.

— D'accord, finit-il par trancher. Si nous n'arrivons pas à mettre fin aux attentats, aussi bien balancer au recycleur les espoirs de Bajor en vue d'un accord commercial. Il faut donc d'abord et avant tout stopper les terroristes. Vous restez chargée de cette enquête.

« Mais nous ne pouvons pas simplement écarter la question du déserteur cardassien. À cet égard, les demandes de Gul Marak sont légitimes. Si cet individu est effectivement un meurtrier, il peut représenter un danger pour la station. Je demanderai à Odo de s'occuper de cette affaire.

« J'allais oublier, major. Si nous *essayions* de resserrer la communication entre nous, qu'en dites-vous ? Je ne veux plus de ce genre de surprise. Entendu ?

— Entendu, commandant.

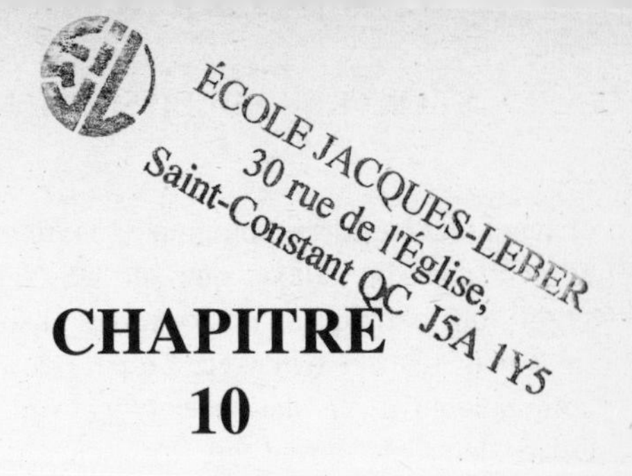

CHAPITRE 10

Les deux garçons étaient tapis derrière une barrière érigée sur le pont principal de la Promenade, dans une zone où la déflagration avait éteint les unités d'éclairage. Les équipes de sécurité dispersaient les derniers civils de la scène du drame. On avait depuis longtemps conduit les blessés à l'infirmerie et dressé un périmètre de sécurité dans les environs immédiats de la boutique de Garak.

— Quel gâchis ! chuchota Jake Sisko, troublé.

Les scènes de ce genre lui rappelaient toujours le *Saratoga*, quand le Borg avait attaqué le vaisseau. *Le jour où maman est morte*. Il ne gardait aucun souvenir précis des événements, mais certains sons, certaines odeurs, ravivaient sa mémoire : les cris de femmes, le parfum âcre de la fumée.

Depuis qu'il vivait sur DS-Neuf, les désastres étaient devenus affaire courante. Il jugea qu'il avait vu pire, même s'il faudrait pas mal de travail pour tout remettre en état. « De toute façon, la station est toujours complètement déglinguée », finit-il par dire tout haut.

— Ça, c'est vrai, l'approuva Nog.

Le jeune Férengi, avec les gigantesques oreilles hypersensibles de sa race, était beaucoup plus petit que Jake. Ce qui unissait les deux amis était d'abord et avant tout leur désir commun de vivre n'importe où ailleurs dans la Galaxie que sur DS-Neuf — et de savoir tous deux qu'ils ne pouvaient absolument rien faire pour réaliser leur vœu. Le père de Jake était le commandant de la station et Nog avait pour oncle Quark, le propriétaire d'une florissante maison de jeu située sur la Promenade.

Les petits yeux fureteurs du Férengi allaient et venaient rapidement de la vitrine démolie de la boutique au constable Odo, occupé au nettoyage du secteur aux côtés de l'équipe de sécurité.

— Qu'est-ce qu'il vient faire ici encore celui-là ? marmonna-t-il.

Tout le monde savait que Odo considérait tous les Férengis comme des voleurs. Il se méfiait tout particulièrement de Quark, mais ses soupçons ne perdaient rien de leur acuité lorsqu'ils atteignaient son neveu — un sentiment que Nog lui rendait avec une égale intensité.

À présent que l'agitation provoquée par l'explosion s'était apaisée, Jake se demandait bien pourquoi Nog insistait tellement pour rester dans les parages. Ils allaient avoir des ennuis, Jake le *sentait*. D'ailleurs, son père n'aimait pas le voir le voir traîner avec Nog... mais il n'était nulle part en vue. Sisko avait dû regagner son bureau d'urgence et ne rentrerait probablement pas à la maison avant un bon bout de temps.

Odo parla dans son communicateur ; il prit ensuite le chemin du bureau de sécurité.

— Enfin ! Allons-y ! dit Nog avec un soupir de satisfaction.

— Où ça ?

— Je connais un moyen d'entrer par l'arrière.

— Mais... fit Jake, désemparé, les yeux fixés sur les barrières devant la boutique. On ne peut pas !

— Je viens de te dire que je sais comment entrer par derrière, répéta Quark avec une grimace interrogatrice.

— Non, tenta mollement de protester Jake — il savait qu'il était inutile d'en appeler à de stupides notions de bien et de mal avec Nog. Je veux dire, euh... Et Garak ?

— Quoi, Garak ? Il est à l'infirmerie.

— Non, je veux dire...

— S'il est intelligent, il a des *in*ssurances, tu ne crois pas ? Sinon...

Jake poussa un cri quand les lumières se rallumèrent subitement. Une voix cria : « Vous deux ! Sortez de là ! C'est une zone interdite ! »

Alors qu'un sentiment de culpabilité laissait Jake figé par l'indécision, Nog fila sans demander son reste. Le jeune Férengi ne manquait ni d'expérience ni de rapidité au jeu de la fuite, mais la chance ne lui sourit pas cette fois. Il était de retour quelques minutes plus tard, sous la poigne du constable qui lui tenait douloureusement une conque d'oreille.

— Sortez, vous aussi, M. Sisko, ordonna Odo et Jake émergea piteusement de sa cachette.

— On ne faisait rien ! On voulait seulement regarder, se défendit-il avec désespoir.

— Videz vos poches, ordonna Odo d'un ton dur, sans laisser paraître la plus petite trace de pitié.

Les prisonniers obéirent — Nog, de mauvaise grâce et Jake, terrifié à l'idée d'être enfermé au corps de garde ou que le constable appelle son père. S'il fallait que son père vienne le chercher en prison... *Cette fois, si je m'en tire, je jure que je ne ferai plus jamais rien.*

Odo porta une attention particulière au contenu des poches de Nog et sembla déçu de n'y trouver rien d'illégal ni aucun article de contrebande.

— Ça ira pour cette fois, mais je ne veux plus vous revoir dans le coin tous les deux, finit-il par dire. Cette zone est interdite. En situation d'urgence, les personnes trouvées dans une zone interdite sans autorisation peuvent être détenues *indéfiniment*.

Odo les escorta lui-même hors de la Promenade.

— Je savais qu'on allait se faire pincer, maugréa Jake.

— Si tu n'avais pas fait autant de bruit, j'aurais pu rentrer, répliqua Nog d'un ton sec. La prochaine fois, j'irai tout seul ! dit le petit Férengi en s'éloignant sur ses jambes courtaudes.

— C'est ça ! Vas-y tout seul ! Et fais-toi donc jeter en tôle ! lui rétorqua Jake. Je m'en balance éperdument !

Un tas de problèmes, voilà ce que Nog était, décida-t-il, bouillant de rage. Peut-être que son père n'avait pas tort, après tout.

Jake resta seul dans le couloir. « Je hais cet endroit », marmonna-t-il.

TRAHISON

Les sirènes d'alarme s'étaient tues depuis longtemps — plusieurs heures, constata Berat en vérifiant son chrono.

Ils ne l'avaient pas encore attrapé. Berat avait failli céder à la panique, au début, quand l'alerte s'était déclenchée et qu'il avait su qu'ils étaient à sa poursuite. Terré au fond d'une soute à marchandises dans une section de la zone inférieure qui semblait abandonnée, il avait serré les mains sur son fuseur — sa planche de salut, se disait-il — sans savoir si, au bout de la route, il le tournerait vers ses poursuivants ou contre lui-même.

On ne l'avait pas découvert. Il n'avait même pas entendu les bruits d'une chasse à l'homme.

L'obscurité la plus totale régnait dans la soute, à l'exception de la lueur ténue de son chrono quand il regarda l'heure. Silence et ténèbres. Berat ne put garder les yeux ouverts plus longtemps, mais il continua d'entendre sa respiration et les battements de son cœur, accélérés par la peur. Quand il retenait son souffle, il percevait les bruits de la station, le sifflement grinçant des systèmes de ventilation, les étranglements capricieux des pistons hydrauliques.

C'était pour lui des sons familiers et rassurants, même si DS-Neuf n'émettait pas les vibrations d'une station en santé. Berat n'avait encore jamais vu une installation cardassienne dans un tel état. Des sections entières du pylône d'arrimage, et aussi de la centrale d'énergie, semblaient abandonnées. Il restait partout des traces de dévastation à grande échelle, même si on avait tenté de rafistoler les plus gros dégâts.

Il n'avait personne à ses trousses, c'était l'essentiel. Il était en sécurité ici, en partie à cause de l'état de délabrement des lieux.

La tête de Berat tomba en avant et il s'endormit enfin, la main toujours serrée sur le fuseur.

Dans son rêve, Sub Halek frappait sa couchette à coups de pied. *« Berat ! Réveille-toi ! Debout ! J'ai du boulot pour toi, sale fumier ! C'est aujourd'hui que tu vas être pendu !*

Berat rouvrit les yeux, affolé, et se cogna la tête contre une cloison avant de se rappeler où il se trouvait — et les raisons qui l'avaient conduit là.

Il revécut la scène : l'expression furieuse de Halek, le coup, la douleur cinglante. Sa main qui cherchait la barre d'acier. La sensation au moment de l'impact contre le crâne du sous-off, le craquement des os brisés...

Berat toucha son visage avec précaution et sentit son pouls palpiter sous les contusions ; mais, recroquevillé dans cette soute, c'est tout son corps qui le faisait souffrir, plus que jamais.

Au fond, il avait stupidement joué le jeu de ses ennemis. Ils avaient maintenant toutes les raisons de le traiter comme bon leur semblerait. Quand ils l'auraient attrapé.

Au moins, il avait le choix à présent. Un peu d'air pour reprendre son souffle. DS-Neuf accueillait en permanence des vaisseaux en transit qui lui offraient une possibilité de fuite. Loin de la station — et de l'espace cardassien. Il connaissait mieux les stations que les vaisseaux, mais il trouverait certainement un navire intéressé à embaucher un ingénieur technique supplémentaire. Après les humiliations subies sur le *Swift Striker*, jamais plus il n'accepterait un poste au-dessous de ses compétences.

Berat en était à se demander s'il devait s'embarquer clandestinement ou faire une demande de poste publiquement, quand il sentit soudain son estomac se serrer. Il réalisa qu'il n'avait rien mangé depuis très longtemps. Immobile dans les ténèbres, il tendit l'oreille. Le couloir était désert.

Parfait. Il se trouvait quelque part dans la zone inférieure du cœur, peut-être au niveau trente et un ou trente-deux. Non loin des réacteurs. Dans une section qui *semblait* abandonnée. Où était situé le synthétiseur le plus proche ? Quel était le meilleur chemin pour s'y rendre sans être vu ? Il traça mentalement un diagramme, comme s'il avait été sur Farside, et localisa les servitudes utilitaires, les puits de service, les tunnels et les cheminées d'entretien — des conduites où il était parfois si difficile de se faufiler. Le régime de Sub Halek ne lui avait heureusement pas permis de prendre du poids.

Il entrebâilla la porte. Soit par négligence, soit par mesure d'économie d'énergie, la section n'était éclairée que par la faible lueur de quelques lampes d'urgence — à peine suffisante pour chasser la pénombre. D'autres défaillances, qui ramenèrent sa pensée au synthétiseur de nourriture. Il retourna à la soute et attacha sa ceinture d'outils autour de sa taille.

Il ouvrit une trappe d'accès et se glissa à l'intérieur d'un tunnel d'entretien, puis referma le panneau derrière lui. On ne le chercherait certainement pas ici. D'énormes conduites d'alimentation, non fonctionnelles, couraient au milieu du tunnel. Berat les longea en se demandant comment la station pouvait fonctionner en l'absence d'une telle capacité de puissance. Les réacteurs étaient-ils en dérangement ? Comment pourrait-on protéger cet endroit en cas d'attaque ?

Tant mieux pour lui si tout marchait de travers. Si personne ne descendait jamais dans ces sections, peut-être pourrait-il y rester caché indéfiniment. S'il réussissait à trouver de la nourriture. Un peu plus confiant en ses chances de survie, il monta jusqu'à un quai de marchandise. Après avoir rôdé quelque temps dans les couloirs, il trouva une salle de repos en ruine. Il s'approcha prudemment du synthétiseur, dont quelqu'un avait démoli le panneau avant d'un coup de pied — probablement le même individu qui avait taillé les chaises et les tables en pièces, pulvérisé les unités d'éclairage et maculé le mur du fond d'une bouillie dégueulasse. Un saccage systématique et gratuit.

Berat frissonna. L'endroit était trop vide, déserté depuis trop longtemps. Il avait l'impression de se trouver sur une station fantôme. Toutes les histoires qu'on racontaient n'étaient peut-être que pure invention, mais les stations et les vaisseaux fantômes formaient un mythe galactique solidement implanté :

Quelque chose se glissait à bord de la station. Parfois, personne ne s'en apercevait avant qu'il soit trop tard et tous les occupants périssaient ; la station se mettait à dériver dans l'espace, pendant que ses systèmes s'éteignaient un à un. Certaines versions plus violentes mettaient en scène des pirates ou des vaisseaux extraterrestres qui se lançaient à l'attaque.

On aurait dit que des pirates étaient passés par ici — ce qui ne différait pas tellement de la réalité, puisque que c'était les troupes cardassiennes qui avaient tout ravagé, enragées de devoir battre en retraite et de céder la station à une race auparavant conquise qu'elles méprisaient et déterminées à leur en laisser aussi peu de jouissance que possible.

Comme des synthétiseurs de nourriture en bon état, par exemple. Résigné, Berat retira le panneau et sonda l'intérieur du réplicateur. Au cours de ses affectations précédentes, trente pour cent des cas de mauvais fonctionnement d'une station incluaient des défaillances des systèmes de réplication et, dans la moitié des cas, c'était à cause de la grille matricielle. Quelque chose clochait dans sa conception, même si le service d'approvisionnement refusait mordicus de l'admettre.

Cette fois, le coup de botte cuirassée, porté sans aucun doute par un individu de haute taille, avait provoqué la rupture du modulateur de flux de puissance. Sur Farside, il aurait simplement installé un nouveau bloc, mais sa trousse d'outils actuelle ne comportait pas de modulateur de remplacement.

Mais peu importait. Quand on avait servi aussi longtemps sur des stations et des vaisseaux, on apprenait certains trucs qui ne figuraient pas dans les livres et qu'il valait mieux cacher aux inspecteurs. Dans les salles de repos comme celle-ci, les ouvriers se ménageaient toujours un endroit pour se soulager.

Même si tous prétendaient l'ignorer, l'ingurgitation d'aliments et l'élimination des déchets n'étaient à la base que deux faces opposées d'un même processus. Donc... l'unité d'élimination elle aussi comportait un modulateur de flux, tout comme le synthétiseur, et malgré sa modulation de fréquence différente, il était possible d'ajuster les résistances des synthétiseurs pour compenser... comme ça... puis les abaisser au maximum et les brancher dans l'autre module, ici... voilà. Ça tiendrait le temps que ça tiendrait, comme disait le dicton.

L'ingénieur programma un truc simple en retenant son souffle : un petit pain à la viande chaud, le mets favori des troupes cardassiennes sur Farside. D'abord, il ne se passa rien, puis Berat entendit un bourdonnement intermittent quand le courant commença à passer ; un pain se matérialisa sur le plateau du synthétiseur, dégageant un fumet qui lui fit monter les larmes aux yeux.

Il mordit dans le sandwich. Oh, quel délice ! Il était si heureux qu'il faillit éclater de rire.

Qui sait, peut-être que son séjour sur cette misérable épave de station ne se passerait pas si mal. Jusqu'à ce qu'il trouve un vaisseau pour s'en échapper.

CHAPITRE 11

Kira hésita devant les portes du centre de détention de la station. Elle redoutait cette rencontre et songea à se retirer un moment pour méditer, avant d'interroger la prisonnière, mais cela ne ferait que repousser l'échéance.

Ils détenaient enfin un suspect en rapport avec les attentats.

Durant de longues heures sans sommeil, Kira avait passé en revue à l'ordinateur les profils de tous les résidants de la station, joignant aux renseignements informatiques ses propres souvenirs des années de résistance. Parcourir ainsi les chemins d'autrefois, le long desquels elle avait retrouvé tant de visages et de noms aujourd'hui disparus, s'était avéré un exercice douloureux ; les noms d'amis, les visages d'amants : leurs yeux éteints au regard accusateur.

Grâce aux dossiers, elle réussit à réunir les profils de tous les occupants de la station qui entretenaient, ouvertement ou non, des liens avec les divers groupes de résistance, y compris elle-même et quatre moines du temple. Pendant que l'ordinateur retraçait les allées et venues de chacun d'eux jusqu'aux jours précédant le premier attentat, les officiers de sécurité avaient interrogé toutes les personnes qui se trouvaient sur la Promenade peu avant l'attaque de la boutique de Garak. On avait collé l'affiche juste avant l'explosion de la bombe ; un des témoins retracés par le constable Odo pouvait avoir aperçu l'individu.

Le lieutenant Dax, de son côté, avait fait l'essai d'un nouveau procédé de chromatographie submoléculaire capable d'isoler et de reconnaître les marqueurs d'ADN à partir d'un échantillon plus petit qu'une cellule. Elle avait identifié deux Bajorannes ayant été en contact avec l'affiche — deux personnes que les témoins se rappelaient avoir vues sur les lieux du crime. L'une d'elles était Kira, l'autre une manutentionnaire nommée Gélia Torly, dont on ignorait l'emploi du temps au moment des attentats.

Interroger Gélia faisait partie du travail de Kira. Inutile de tergiverser, cela ne rendrait pas la tâche plus facile.

Elle toucha le bloc de contrôle, la porte glissa. Deep Space Neuf avait été construite par des Cardassiens, aussi les cellules de détention étaient-elles nombreuses. Durant toute l'histoire de la station, elles avaient été occupées par des prisonniers bajorans attendant d'être interrogés ou exécutés par leurs oppresseurs — une ironie que Kira ressentait avec acuité maintenant qu'elle se trouvait en face de Gélia. Elles avaient toutes deux appartenu à la résistance et lutté pour les mêmes idéaux. Il existait entre elles un lien que des étrangers comme le commandant Sisko, ou même Odo, ne pourraient jamais partager.

La prisonnière bajoranne rejeta ses longs cheveux en arrière dans une pose de défi. Elle portait le bleu de travail fripé et taché de graisse des dockers, et une simple boucle d'argent à l'oreille.

— Tiens, tiens. J'aurais dû me douter que ce serait vous, major Kira la Collaboratrice. Cet uniforme vous va à ravir.

Kira serra les lèvres et redressa légèrement les épaules.

— Gelia Torly, cet entretien est enregistré. Vous avez été mise en état d'arrestation relativement à l'attentat perpétré contre la boutique de couture du Cardassien Garak. On a trouvé des traces de votre ADN sur une affiche incendiaire laissée sur les lieux et des témoins affirment vous y avoir vue. Quel était votre emploi du temps au moment de l'attentat ?

— J'étais au travail, déclara Gélia en posant les mains sur ses hanches.

— Selon les registres informatiques, vous avez quitté le travail trois heures avant la fin de votre quart, observa Kira en secouant la tête.

— Dans ce cas, je prenais peut-être un verre au Quark's.

— Vous y étiez peut-être, en effet... mais une heure avant que des témoins reconnaissent avoir vu quelqu'un qui vous ressemblait poser l'affiche sur le mur de la boutique de Garak. Qu'avez-vous à déclarer ?

— Et si je décidais de me taire ? Allez-vous employer les inducteurs de douleur ? Ou bien préférez-vous la bonne vieille méthode de la cravache et des poucettes ? Les Cardassiens vous ont peut-être appris quelques trucs ?

Une bouffée de colère envahit Kira, mais un effort lui permit de contrôler le ton de sa voix :

— Vous avez le droit de ne rien dire. Mais n'oubliez pas que vous êtes un membre reconnu du Kohn Ma, et présentement le seul suspect détenu en relation avec les deux attaques terroristes survenues sur la station. Vous savez aussi bien que moi que le gouvernement provisoire condamne le terrorisme, sans distinction de motifs. Le Kohn Ma est une organisation illégale. Pensez-y, Gélia. Vous allez vous épargner un tas d'embêtements si vous vous décidez tout de suite à collaborer.

Une grimace de mépris tordit les traits de l'ouvrière. Kira remarqua une cicatrice qui lui traversait la joue, une ancienne blessure, à peine visible, pâlie par les années.

— Oh, j'ai déjà mûrement réfléchi à la question, *Major*. J'y méditais déjà il y a dix ans, au fond d'une cellule cardassienne, ironisa Gélia qui leva les yeux et regarda autour d'elle en feignant la surprise. Oh, mais j'oubliais : je suis *toujours* dans une prison cardassienne ! Et je ne trahirai toujours pas mes camarades ! lança-t-elle d'une voix dure. Nous n'avons pas tous oublié le sens de la loyauté !

C'en fut trop pour Kira, qui perdit son sang-froid.

— Loyauté envers qui ? demanda-t-elle en haussant la voix. Certainement pas envers Bajor, quand vous essayez de faire sauter une station bajoranne ! Quand vous tentez de saper nos relations avec la Fédération, la seule force qui empêche la flotte cardassienne de nous écraser !

— Une station bajoranne ? répliqua Gélia sur le même ton. En ce moment même, un vaisseau de guerre cardassien est stationné ici ! Il y a des

Cardassiens jusque sur la Promenade ! Je n'ai pas combattu durant quinze ans pour en arriver là ! Et vous... C'est *ça* que vous appelez la liberté ? L'indépendance ? Oh, je vous connais, *major* Kira. Nous avons grandi dans les camps toutes les deux. Voyez où vous êtes à présent : de l'autre côté de la barrière, avec les Fédéraux et les Cardassiens. Et moi je suis ici, dans la cellule, avec les *vrais* Bajorans.

— Ce ne sont pas des Cardassiens qui ont tué des enfants bajorans, cette fois. Ce sont des Bajorans, qui continuent les combats même si la guerre est finie.

— Aucun enfant n'a été tué !

— Et vous le saviez peut-être quand vous avez posé la bombe ? Oh, mais j'oubliais : les vrais combattants de la liberté ne peuvent laisser la vie de quelques enfants innocents faire obstacle à leur cause ! Les vrais combattants de la liberté savent que ces sacrifices sont nécessaires pour l'accomplissement d'un dessein supérieur !

Les deux femmes échangèrent des regards hostiles, séparées seulement par le champ de force de la cellule. « Elle pourrait être à ma place et moi à la sienne », pensa Kira. Il aurait suffi que...

— Je n'ai fait qu'obéir aux ordres, avoua Gélia en détournant les yeux la première. Vous savez comment ça se passe. On ne pose pas de questions.

— Vous avez donc reçu l'ordre d'installer la bombe, conclut Kira d'une voix égale. Qui vous l'a donné ?

Gélia secoua la tête, légèrement radoucie.

— Non. Ce n'est pas moi. On ne m'a rien dit à propos d'une bombe, j'ignorais totalement ce qui allait arriver. Je... j'avais des doutes... mais vous connaissez la procédure. J'ai reçu un message, accompagné du mot de passe approprié. On me demandait de rédiger une affiche et de la laisser à un certain endroit. C'est ce que j'ai fait.

Kira hocha la tête, parfaitement au courant des méthodes utilisées par la résistance.

— Vous a-t-on transmis les termes exacts de l'affiche ?

— Oui. « À mort les Cardassiens ! », suivi de la signature du Kohn Ma.

— Quel était le mot de passe ?

— Tornade des Prophètes, indiqua Gélia en lançant à Kira un regard de défi. Vous le connaissez ?

Kira fit non de la tête. C'était un slogan semblable à beaucoup d'autres utilisés par les combattants de la liberté. Un même mot de passe ne pouvait servir qu'à trois personnes. Elle-même en avait employé une douzaine, sans toutefois jamais arrêter son choix sur une expression particulière — elle s'en félicitait aujourd'hui. Durant la résistance, il était dangereux de connaître certains noms et d'identifier les individus avec qui on travaillait. Kira craignait que Gélia n'ait été l'un de ses propres agents, ou même un supérieur dont elle n'aurait pas connu l'identité à l'époque.

— Et le message ? Qu'en avez-vous fait ?

— Je l'ai fait disparaître, évidemment.

Évidemment. Pour effacer toute preuve. Ses questions ne la menaient nulle part.

— Êtes-vous membre du Kohn Ma ?

— Vous ne croyez tout de même pas que je vais vous répondre ? demanda Gélia qui croisa les bras en éclatant de rire.

— Vous devez comprendre que vous êtes le seul suspect dans cette affaire, expliqua Kira avec un soupir. Vous prétendez avoir seulement posé l'affiche, et pas la bombe, mais nous n'avons que votre parole pour vous croire.

— Je maintiens ce que j'ai dit. Je suis prête à me soumettre au test de vérité.

— Oh, vous le passerez, soyez sans crainte. Mais des inculpations de conspiration seront retenues de toute façon. Vous êtes dans un sale pétrin, Gélia, qui peut vous conduire en prison. Un peu de collaboration ne pourrait que vous aider.

L'ouvrière bajoranne se contenta de garder les bras croisés et Kira reconnut l'expression de son visage : Gélia était prête à devenir un martyr de leur cause.

Le martyr est le produit d'exportation le plus populaire de Bajor, pensa tristement Kira. J'ai parfois l'impression qu'on ne sait pas faire autre chose.

Inutile de poursuivre l'entretien, Kira ne tirerait plus rien de Gélia. Plutôt mourir que parler, c'était un article du code de la résistance.

À son retour des cellules, Kira trouva Odo assis devant son moniteur.

— Je présume que vous croyez à son histoire ?

— Hélas, oui, admit-elle en hochant la tête. Il s'agit bien des méthodes de la résistance. Le nom de celui qui nous donnait nos ordres demeurait secret pour que nous ne puissions pas vendre la mèche en cas d'interrogatoire.

— Nous ne sommes donc pas plus avancés.

— Exact. Nous recherchons toujours celui qui a posé la bombe, si ce n'est pas Gélia, et celui qui en a donné l'ordre — si ce sont deux personnes différentes.

Elle baissa les yeux vers le moniteur et vit l'image de la Bajoranne, assise au bord de sa couchette dans une pose méditative.

— Quelque chose me tracasse, confia Kira. Cette histoire d'affiche ne tient pas debout. Signer Kohn Ma... C'est trop... maladroit. Je me demande si Gélia n'a pas été piégée.

— Je me pose la même question, abonda Odo. Le véritable terroriste essaie peut-être de détourner notre attention sur un suspect commode. Nous mènerons quand même une enquête sur la filière Kohn Ma.

— Bien sûr, dit Kira en écartant délibérément son regard de l'écran. Mais qu'est-ce que tout le monde voit, de l'extérieur ? Une série d'attentats commis au hasard ; des crimes haineux perpétrés contre les Cardassiens ; une terroriste bajoranne capturée sur la station. C'est une affaire politique, j'en suis certaine ! C'est une conspiration pour saboter les négociations et empêcher Bajor de se joindre à la Fédération. Vous savez, Odo, il m'arrive de penser que les Bajorans sont de pires ennemis pour eux-mêmes que les Cardassiens.

Odo ne trouva rien à répondre. Kira secoua vigoureusement la tête, sa boucle d'oreille d'argent tinta.

— Si je n'avais pas entendu la confession de Gélia, je jurerais que les Cardassiens sont derrière tout ça ! continua-t-elle.

Le visage ensanglanté de Garak lui revint en mémoire. Et puis, non, peut-être pas, finalement.

— Avez-vous trouvé des indices sur le site de l'attentat ? finit-elle par demander.

— Rien. Je vais devoir rouvrir la Promenade. On ne peut pas en interdire l'accès indéfiniment, comme pour un pylône toujours désert.

— Je comprends, soupira Kira. Et votre déserteur cardassien, l'avez-vous retrouvé ? Avez-vous découvert d'autres anomalies suspectes ?

— Le chef O'Brien prétend que la station tout entière est une anomalie, répondit Odo, l'air morne. Notre déserteur est bien caché, c'est le moins qu'on puisse dire. Même si une récompense est offerte pour sa capture. Je voudrais bien mettre la main sur ce type qui s'amuse ainsi avec notre réseau de senseurs.

— Et si cette histoire de déserteur n'était qu'une ruse des Cardassiens ? Pour s'infiltrer sur DS-Neuf ?

— S'infiltrer ? Jetez un coup d'œil là-dessus, major, suggéra le constable en se tournant vers son moniteur.

Il syntonisa l'image d'une partie de la Promenade restée ouverte. La foule contournait un policier militaire cardassien tout de noir cuirassé qui jetait des regards à gauche et à droite dans un couloir. Quelques mètres plus loin, une silhouette dans l'uniforme de la Sécurité de Starfleet gardait le Cardassien à l'œil.

— Il en est descendu au moins quatre autres, tous avec des laissez-passer de permissionnaires du *Swift Striker*.

— Ils sont à la recherche du déserteur ?

— Ils cherchent un Cardassien. Ils ont arrêté Garak si souvent que le pauvre homme s'en est plaint à Gul Marak. Nous les maintenons sous étroite surveillance, comme vous pouvez le constater. Officiellement, ce sont des hommes d'équipage et jusqu'à maintenant ils ne se sont pas approchés des zones interdites.

— Ils ne portent aucune arme, remarqua Kira.

— En effet, répondit Odo.

— Ça ne me dit rien qui vaille. Notre sécurité se charge déjà de cette affaire.

— Je sais. Ce sont les ordres du commandant. Tant qu'ils ne sont pas armés et ne causent pas de problèmes, ils sont libres d'aller et de venir sur la station comme tous les autres visiteurs. Le commandant ne veut aucune provocation, ni d'un côté ni de l'autre.

L'avertissement contenu dans la voix de Odo n'échappa pas à Kira. Elle baissa de nouveau les yeux vers le moniteur :

— S'il pense qu'il n'aura pas d'autres ennuis avec *ça*, Sisko est cinglé.

Odo s'abstint encore une fois de tout commentaire.

CHAPITRE 12

Pour souligner la réouverture de la Promenade et de son casino, Quark avait suspendu des bannières multicolores au-dessus de l'entrée et affiché de nouveaux prix sur toutes les boissons importées. Le joueur férengi, qui se tenait avec fierté dans le hall de son établissement superbement illuminé, invitait avec effusion les passants à entrer se divertir. Quark était de petite taille, comme tous les Férengis, mais son appétit pour le gain n'avait pas de limites. Quand certains habitués de son bar lui firent remarquer que ses nouveaux tarifs étaient supérieurs aux anciens, Quark s'excusa avec un large sourire obséquieux qui découvrit sa denture pointue et réduisit le montant, rejetant la responsabilité de l'erreur sur son barman.

À l'intérieur du casino, des jeux de lumière rouge et jaune jetaient leurs feux sur la décoration tapageuse et les multiples surfaces au lustre étincelant. Le long bar poli comme un miroir conviait les clients à y prendre place pour se désaltérer et les jeunes filles court vêtues du Dabo les exhortaient d'un sourire à venir gaspiller leur argent aux tables de jeu, mais la foule qui s'était rassemblée au Quark's n'avait pas vraiment le cœur à la fête. Certains se demandaient tout haut où allait exploser la prochaine bombe et regardaient nerveusement derrière eux, d'autres se plaignaient de ne pouvoir faire aucun business, à cause de tous ces uniformes de la sécurité qui les surveillaient sans cesse. Pourquoi n'allaient-ils pas plutôt arrêter d'autres terroristes, en laissant les honnêtes commerçants en paix ?

Un serveur effectuait une navette ininterrompue entre le bar et une table du fond pour approvisionner en pichets de synthale un groupe d'une demi-douzaine de membres d'équipage du *Swift Striker* ; c'est ce qu'on trouvait de moins cher au Quark's, mais les Cardassiens se rattrapaient sur la quantité.

Ils se sentaient victimes d'une injustice profonde.

— Huit heures de permission ! Sais-tu qu'il y a des holosuites à l'étage qui peuvent te tenir allumé huit heures d'affilée ?

— Ouais, quand j'y suis allé, la dernière fois, j'ai pris ce programme : y'a ces deux Bajorannes, tu vois...

« J'leur arrache toutes leurs fringues...

« Et y'en a une qui tombe à genoux...

« Alors j'prends le fouet...

« Et là, elle me supplie...

Enflammés par ces réminiscences, les hommes d'équipage levèrent des yeux concupiscents vers la porte des holosuites, mais leurs laissez-passer expiraient dans moins d'une heure. À peine avaient-ils le temps de se saouler à fond avant de devoir retourner au vaisseau, et aucun d'eux n'aurait voulu risquer d'être en retard. « Hé ! On est à sec, ici ! Apporte de la synthale ! », hurlèrent-ils au serveur.

Un des Cardassiens aperçut deux mineurs bajorans leur lancer des regards de dégoût et de mépris et se leva en chancelant :

— Je vais apprendre à ces petits fumiers qu'on ne me regarde pas comme ça ! Non, mais pour qui se prennent-ils ?

Ses compagnons, moins ivres, s'empressèrent de le faire rasseoir.

— Kulat ! Souviens-toi des ordres du Gul : pas de bagarre ! Même si c'est eux qui commencent.

— Ouais, pense à ce pauvre Lok !

Kulat obéit et siffla une autre chope de bière, l'air renfrogné. « Il est toujours pendu, hein ? »

Les autres hochèrent la tête.

— Ouais, fit l'un d'eux. Si vous l'aviez vu ce matin... Je lui ai envoyé quelques baffes, pas fort, juste pour voir s'il remuait encore. C'est à peine s'il arrivait à gémir.

Ils éclatèrent tous de rire en imaginant le supplice de leur camarade — sauf Kulat, qui s'envoya le reste de sa synthale derrière les dures arêtes de sa gorge. Il aboya pour en commander une autre.

— Pas moyen de s'amuser ici, marmonna-t-il. Y'a d'la police partout.

— Ils cherchent Berat, le traître, dit un de ses compagnons. Je ne veux pas manquer ça quand le Gul le pendra, *lui* !

— J'aimerais bien mettre la main sur une part de la récompense, ajouta un autre.

— La foutue sécurité est partout, dit Kulat à voix basse. Des Bajorans ! Des gardes bajorans ! Et ce foutu Starfleet. Un gars descend sur la station pour se payer un peu de bon temps, et zut ! Un seul quart. Huit heures ! On peut même pas se cuiter en huit heures.

Tous les Cardassiens se redressèrent d'un seul coup sur leur siège, les épaules bien droites, tout à fait dégrisés par la peur — sauf Kulat, assis dos à l'entrée, qui poursuivait sa litanie, sans voir Gul Marak qui faisait son entrée dans la salle de jeu, souriant, en compagnie d'un ambassadeur Klystron.

Quark se rua sur les talons du Gul, poussé par son infaillible instinct pour le gain et l'intérêt.

— Excellence ! Ambassadeur ! Gul ! Soyez la bienvenue dans mon modeste établissement ! Que puis-je pour vous servir ?

Marak tira une pièce d'or et la tint entre deux doigts.

— Donne-nous une suite privée où nous pourrons parler sans être dérangés. Et apporte une bouteille de ton meilleur brandy importé de Rigel. Pas de ta bibine locale.

— Les désirs de Vos Excellences sont des ordres, roucoula Quark, l'œil brillant, en exécutant une profonde révérence. Je ne puis que constater votre bon goût et votre distinction. Laissez-moi vous conduire à nos appartements privés les plus discrets. Et quand votre entretien sera terminé, si vous désirez vous distraire...

— Apporte le brandy et tire-toi, claqua Marak.

— Bien sûr. Tout de suite. Notre meilleur brandy rigellien, répéta Quark en se hâtant vers le bar. Va porter de la synthale à la table du coin, ordonna-t-il à Nog qui faisait office de barman.

Mais les membres d'équipage du *Swift Striker* regagnaient déjà leur vaisseau, entraînant de force Kulat, le seul qui ne bénissait pas son ange gardien d'avoir échappé à l'attention du Gul.

Lorsque Quark eût déposé le brandy sur la table et refermé la porte, Marak s'assit sur un des canapés et descella la bouteille.

— J'espère qu'il est buvable, dit-il à l'ambassadeur Klystron. Comme vous avez pu le constater, les standards de qualité ont décliné dans ce secteur de l'espace, continua-t-il en portant le verre à ses lèvres. Pas mal... Pas mal du tout.

— Vous désiriez me rencontrer seul à seul et on m'a indiqué que cet endroit était le plus discret de la station, glissa le Klystron en buvant à son tour.

— Je crois que vous en avez assez vu pour comprendre ce que je veux dire, acquiesça Marak avec un bref hochement de tête. Voilà le résultat d'une administration bajoranne. Croyez-moi, l'*ordre* régnait ici quand DS-Neuf était une station cardassienne. Les systèmes fonctionnaient, les gens savaient garder leur rang et les affaires marchaient rondement. Et il en sera de même quand les bonnes personnes reprendront les choses en main.

— C'est-à-dire les Cardassiens, devina le Klystron, intéressé, en sirotant son brandy. Vous n'avez pas caché vos intentions.

— Pourquoi l'aurions-nous fait ? Cette région de l'espace nous appartient de plein droit. Nous l'avons occupée durant de nombreuses années, ce sont les manœuvres de traîtres qui nous l'ont fait perdre.

— C'est ce que votre gouvernement prétend.

— Le gouvernement légitime, rectifia Marak d'un ton sec. Les traîtres ont été éliminés.

— C'est ce que j'avais cru comprendre. Mais la Fédération continue de soutenir les revendications de Bajor.

— Dites-moi, vous voulez vraiment faire affaire avec les Bajorans ? demanda Marak sans l'entendre. Regardez ce qui se passe ici ! Ils ont laissé cette station complètement à l'abandon. Plus rien ne fonctionne, depuis les systèmes d'amarrage jusqu'aux synthétiseurs de nourriture. Et voyez comment ils accueillent des ambassadeurs venus négocier avec eux en toute bonne foi : avec du sabotage et du terrorisme.

— Un suspect est détenu en rapport avec les attentats, m'a-t-on informé. Les représentants bajorans nous ont bien assuré qu'ils n'approuvent aucunement les activités terroristes, quelles qu'elles soient.

— Les représentants bajorans ! grinça Marak. Tous d'anciens terroristes eux-mêmes ! Prenez cet officier en second — cette femme nommée Kira —, nos services secrets savaient qu'elle était membre d'une des organisations terroristes les plus connues : un groupe du nom de Shazaan, ou quelque chose comme ça. Nous aurions dû nous occuper d'elle à l'époque. Elle dirige pratiquement cette station, aujourd'hui. C'est *elle* qui enquête sur l'attentat ! Une ancienne terroriste ! Voilà le genre d'engagement auquel on peut s'attendre de la part d'un gouvernement bajoran.

Non. Si vous voulez savoir ce qu'est la traîtrise bajoranne, parlez-en à un Cardassien. Demandez à cet innocent marchand qui a failli laisser sa peau dans l'explosion de sa boutique sur la Promenade.

— On entend parfois dire que les Cardassiens se sont permis... certains excès, durant l'occupation, fit observer l'ambassadeur en fixant pensivement son brandy.

— Sornettes ! Racontars ! Mensonges ! Le règlement cardassien était *ferme*. Il fallait une poigne solide pour maintenir l'ordre parmi les Bajorans. Regardez-les à présent : les factions se livrent une lutte perpétuelle entre elles. Ils posent des bombes sur leur propre station. Ils n'arrivent même pas à s'entendre sur les échanges commerciaux avec le quadrant Gamma ! Ils prétendent que cela enfreindrait les lois de leur religion, ou quelque stupidité du genre.

— Vous avez raison sur ce point. J'ai participé à quelques séances avec eux. Il ne faudrait cependant pas oublier que Bajor leur appartient. Leur opposition à l'occupation cardassienne n'était peut-être pas dénuée de fondement.

— Pour ma part, les Bajorans peuvent bien garder leur petite planète puante, répliqua Marak en balayant cette assertion du revers de la main. Allez faire un tour là-bas, vous comprendrez pourquoi. Mais nous ne renoncerons jamais à nos droits sur cette station et le territoire qu'elle contrôle !

— Y compris le trou de ver...

— Le trou de ver se trouve en territoire cardassien. Il est normal que nous exigions d'en avoir le contrôle.

Le Klystron contempla de nouveau la couleur de son brandy.

— Supposons, simple hypothèse, que nous appuyions votre position à l'égard du trou de ver, quels avantages les Klystrons en retireraient-ils ? Pourquoi vous choisir vous, plutôt que les Bajorans ? demanda-t-il à Marak en le regardant droit dans les yeux.

Marak se versa un autre brandy, maintenant qu'ils en venaient au fait.

— Avec les Cardassiens, vous serez assurés de l'ordre et de la stabilité. Vos commerçants pourront stationner sur DS-Neuf sans se demander si le sas n'a pas été plastiqué par un fanatique. Vous obtiendrez également les meilleures conditions possibles en matière de tarifs et de frais douaniers, de taux de change et de coûts d'hébergement sur la station.

— Pourriez-vous apporter quelques précisions quant à ces *meilleures conditions* dont vous parlez ? demanda l'ambassadeur en se penchant légèrement vers le Gul.

— Si un monde aussi influent que celui des Klystrons désavouait publiquement la fallacieuse revendication des Bajorans sur le territoire en question et se retirait immédiatement des négociations commerciales, je crois que le gouvernement cardassien serait prêt à lui consentir des garanties extrêmement avantageuses. Certainement meilleures que tout ce que Bajor peut offrir.

— Voilà qui ne manque pas d'intérêt, confia l'ambassadeur à voix basse. Dites-moi, Gul... simple hypothèse, encore une fois, quel genre de garanties avez-vous en tête ?

Penché sur son moniteur, dans l'intimité de son bureau privé, Quark gémissait de plaisir, au comble de l'excitation. Son front bulbeux luisait de sueur et ses yeux brillaient d'une cupidité proche de la luxure. Le spectacle d'une négociation comme celle-là valait mille fois mieux que n'importe quel holo érotique !

Quark garantissait à ses clients que ses suites d'holosexe étaient à l'abri de toute surveillance de la sécurité de la station et qu'ils pouvaient se sentir libres d'assouvir leurs fantasmes les plus dépravés sans crainte d'arrestation ou de condamnation. Il était donc normal que certaines personnes usent de cette discrétion à d'autres fins — comme des entretiens sur des questions délicates, par exemple.

Il était tout aussi naturel que Quark enregistrât soigneusement tout ce qui se passait dans les suites, au cas où il pourrait tirer avantage de ces informations. Le Férengi savait bien que certains renseignements valaient souvent bien davantage que l'or — et qu'ils étaient plus facile à transporter.

Son sens critique aigu de l'art de négocier lui permettait d'apprécier les prestations du Cardassien et du Klystron : les mensonges et les demi-vérités, les rares moments de naïveté, l'usage prudent de l'hypothèse. Déloyauté, intérêt personnel et convoitise : seul un Férengi pouvait goûter des moments comme ceux-là. Et tout était enregistré.

À tout hasard.

Les sujets abordés dans cet entretien le concernaient directement. Si les Cardassiens devaient reprendre le contrôle de la station... à quelle enseigne logeaient les intérêts de Quark ? Du côté des Bajorans et de la Fédération ou de celui du gouvernement de Marak ? Quel parti choisir ?

Quark avait prospéré sous la précédente autorité cardassienne. Toutes ces allusions au renforcement de l'ordre et de la stabilité visaient les Bajorans, non pas un commerçant indépendant comme lui. Les Cardassiens étaient d'enthousiastes consommateurs d'alcools et de jeux, quand les officiers leur en donnaient l'autorisation ainsi que Dukat venait de le faire. Quark possédait une vaste collection de programmes holographiques de grande valeur qui s'adressaient à leurs goûts particuliers, mais dont la demande avait chuté depuis quelque temps. En fait, Sisko l'avait menacé de confisquer et de détruire certains des échantillons les plus extrêmes.

Quark découvrit ses petites dents pointues en pensant au commandant actuel de la station. Gul Dukat dirigeait DS-Neuf d'une toute autre façon. Le Gul ne refusait jamais de considérer le point de vue de Quark, pourvu qu'il lui soit présenté convenablement — c'est-à-dire accompagné d'une quantité raisonnable de latinum endoré. Sisko, par contre... Quark avait encore sur le cœur la manière dont le commandant s'était servi du jeune Nog et l'avait menacé de garder le gamin en détention si son oncle refusait de collaborer. Quark devait cependant convenir que les affaires n'étaient pas si mauvaises qu'il ne l'avait craint, sous la nouvelle administration.

Il y avait aussi les attentats. La politique et les affaires ne faisaient pas bon ménage, et les Bajorans péchaient par leur zèle politique outrancier. Comment pourrait-il accumuler des bénéfices si des terroristes bajorans continuaient de faire sauter des bombes sur la Promenade et que la sécurité fermait celle-ci à tout moment ?

La sécurité — encore autre chose —, avec cet insupportable constable Odo à sa tête. Une véritable épine au pied. Odo occupait déjà son poste à l'époque de Gul Dukat mais, encouragé par Sisko, il était devenu une vraie calamité. Et il travaillait à présent en étroite collaboration avec le major Kira.

Quark se passa lubriquement la langue sur les lèvres en songeant à Kira. Personne ne semblait apprécier les attributs féminins du major à leur juste valeur, mais il apparaissait que Gul Marak vouait une haine particulière à l'officier bajoran. Peut-être le Férengi aurait-il avantage à tirer cette ficelle et que Gul Marak se laisserait persuader que Odo s'était trop rapproché de Kira. Et des Bajorans. Impossible, désormais, de se fier à lui. Excellent.

Quark sourit à l'idée d'une station gouvernée par les Cardassiens — sans constable Odo. Il sortit de son bureau et cria à son neveu d'apporter une autre bouteille de brandy rigellien à Gul Marak, ce noble commander cardassien, et de lui présenter ses hommages les plus respectueux.

CHAPITRE 13

Nog était conscient du risque énorme qu'il prenait en s'éclipsant du Quark's pendant que des clients attendaient. Il se frotta le haut de l'oreille, encore douloureuse de la taloche qu'il avait reçue de Rom. Il savait qu'il s'exposait à en recevoir une autre, de Rom ou de Quark, s'il rentrait les mains vides ; mais Nog n'avait pas l'intention de réapparaître devant ses impatients aînés avant d'avoir quelque chose à leur montrer. Du reste, servir des tablées de Cardassiens éméchés était un travail indigne d'un jeune entrepreneur férengi ambitieux.

Personne ne connaissait DS-Neuf aussi bien que Nog — sauf peut-être le constable Odo, à qui l'adolescent férengi vouait une estime plus médiocre encore que son oncle. Mais il fallait bien que Odo dorme parfois, lui aussi. Nog savait que le métamorphe se transformait en une espèce de flaque de gélatine durant son sommeil. Il aurait bien aimé voir ça. En fait, ce serait génial d'être un changeur de forme, rêvait l'adolescent férengi. Trop de gens pouvaient le reconnaître sur DS-Neuf, où les Férengis n'étaient pas si nombreux. S'il avait pu changer d'apparence à volonté, personne ne pourrait jamais l'identifier. Les vendeurs de la Promenade ne protégeraient pas leurs marchandises en le voyant arriver et quand ils le poursuivraient, Nog n'aurait qu'à se liquéfier et à s'écouler par une fissure pour les semer.

Odo était bien le seul qui aurait pu l'attraper à présent. Tout ce que Nog espérait, c'était que son oncle et son père prennent conscience de ses talents.

Il avait encore sur le cœur la cuisante humiliation de s'être fait pincer devant la boutique de Garak. À cause de cet humain... Jake. Pourquoi avait-il crié si fort quand les lumières s'étaient rallumées ?

Parfois, Nog trouvait Jake pénible. D'accord, ils étaient copains tous les deux et il leur arrivait de bien rigoler ensemble, mais c'était toujours pareil avec lui : chaque fois qu'une bonne occasion se présentait, Jake commençait par vouloir embarquer dans le coup, mais reculait invariablement quand venait le temps de réaliser un profit — comme en dévalisant la boutique de Garak. Les scrupules humains agaçaient le jeune Férengi au plus haut point et il n'avait certainement pas l'intention de mêler Jake à son nouveau projet : Nog visait rien moins que d'accaparer le monopole des pièces de rechange de toute la station.

Son plan était d'une lumineuse simplicité. Tous les systèmes de DS-Neuf étaient de fabrication cardassienne, mais avec le climat politique actuel, il était impossible de se procurer des pièces de rechange. Les Cardassiens préféreraient se couper une oreille plutôt que de négocier avec les Bajorans. O'Brien, l'ingénieur de Starfleet, se plaignait constamment de ce problème.

Nog avait trouvé la solution : voler les composantes dans les régions abandonnées de la station et les revendre à ceux qui en avaient besoin pour réparer leurs systèmes !

Il descendit en turbolift jusqu'à la zone inférieure, où il trouverait des sections complètement inhabitées. Il s'imaginait déjà, vieux et fabuleusement riche, comme Quark, racontant à ses nombreux fils et neveux ses souvenirs de DS-Neuf : comment il était resté caché, terrifié, alors que les troupes déchaînées de Cardassiens mettaient en pièces tous les objets de valeur qui leur tombaient sous la main ; et comment lui, Nog, avait réussi à transformer un désastre en une source de profits !

Le plus difficile, pensait-il, serait d'écouler la marchandise sans attirer l'attention des autorités, mais à mesure qu'il visitait les secteurs du cœur inférieur surgissaient de nouveaux obstacles à son plan. Le fait, par exemple, que les régions les plus désertes de la station semblaient être celles où il restait le moins de pièces intactes. De plus, il n'était apparemment pas le premier à avoir eu cette brillante idée. On avait déjà dérobé ou complètement dépouillé la plupart des systèmes qui n'étaient pas démolis, fracassé les blocs de commande et claqué les nœuds de jonction ; on avait même récupéré les rares lumières qui n'étaient pas cassées.

Plusieurs heures plus tard, Nog, las et affamé, n'avait encore amassé que la moitié d'un sac de pièces, sans même savoir combien d'entre elles fonctionnaient. Des nuages venaient d'obscurcir son avenir radieux ; il pouvait presque entendre la voix acrimonieuse de Quark lui sonnant les cloches parce qu'il perdait son temps, et sentir le revers de la main de Rom contre la partie supérieure si sensible de sa conque d'oreille. Il laissa échapper un soupir plaintif. Rien ne marchait jamais ici !

Aussi la découverte d'un synthétiseur presque intact, quand il atteignit les ruines d'une salle de repos des ouvriers, ne lui remonta-t-elle guère le moral. Même sur l'anneau de résidence, les synthétiseurs ne fonctionnaient pas une fois sur deux. Nog n'accorda qu'un coup de pied indifférent au panneau tout cabossé posé sur le sol. Ces stupides synthés...

Soudain, ses yeux s'agrandirent et sa mâchoire se décrocha, à la vue d'une moitié d'un petit pain à la viande roulé, sur le plateau de l'appareil réplicateur : de la viande hachée, épicée, enrobée de pâte — un mets rapide et nutritif dont raffolaient la plupart des Cardassiens. Il n'en avait pas vu sur la station depuis l'arrivée des Bajorans. Mais celui-ci paraissait frais... et dégageait même un arôme... Nog tâta la croûte et un flocon s'en détacha. Il le prit... Le sandwich était encore chaud !

Nog se retourna brusquement, le casse-croûte à la main, mais la salle était déserte. Il posa de nouveau les yeux sur le synthétiseur, exalté par de nouvelles perspectives de fortune. L'appareil marchait ! Il ne restait plus qu'à trouver un moyen de le ramener au Quark's sans se faire remarquer.

Considérant l'article avec frustration, il se mit à réfléchir. À qui appartenait ce petit pain ? Où était-il passé ? Comment un synthétiseur opérationnel avait-il pu échapper à l'attention d'un rôdeur, même dans une zone aussi abandonnée ? Quelqu'un savait qu'il était là, et venait tout juste de programmer un petit pain à la viande. Un amateur de nourriture cardassienne.

Berat se pressa contre le mur des toilettes en retenant son souffle, fuseur au poing, au cas où on défoncerait la porte pour le capturer. Qui était-ce ? La sécurité de la station ? Ou pire : une patrouille cardassienne lancée à ses trousses ?

Il venait de sortir le petit pain chaud du réplicateur quand il avait entendu un bruit de pas dans le couloir. Il s'était aussitôt précipité dans les cabinets, l'endroit le plus proche pour se cacher.

L'ingénieur cardassien se repentait à présent d'avoir stupidement cédé à la panique et de s'être enfermé ici. Son regard chercha désespérément une issue. La conduite de ventilation était trop étroite pour sa carrure. Aucun moyen de fuir, ni de se cacher. D'un moment à l'autre, ils allaient enfoncer la porte...

Tout était calme dans la salle de repos. Il ne pouvait donc s'agir des patrouilles de Marak, qui auraient déjà écrasé les meubles à coups de pieds et démoli la porte des toilettes. Cette pensée le rassura un peu. Ce n'était peut-être même pas la sécurité de la station, et il se pouvait aussi que personne ne soit à sa recherche. Était-il en train de perdre la raison ? Ce n'était peut-être qu'un concierge venu pour l'entretien du local. Berat n'avait qu'à attendre son départ sans faire de bruit.

Tranquillisé, il reprit espoir... Mais se rappela tout à coup que... La panique lui mordit de nouveau les tripes. Le synthétiseur. Le petit pain. *Je l'ai laissé sur le plateau !*

Que faire ? s'interrogeait-il, quand il entendit des pas se rapprocher de la porte et vit la poignée tourner lentement. *Pourquoi ne l'ai-je pas verrouillée ?*

Parce qu'ils auraient alors immédiatement deviné que quelqu'un se trouvait à l'intérieur et seraient venus inspecter.

Sa main se serra sur le fuseur et il cessa de respirer, jusqu'à ce que ses tempes se mettent à battre et que ses poumons manquent d'air. La porte s'ouvrit, tout doucement. Un centimètre de plus et Berat tirait. Même si ce n'était pas la sécurité, il ne pouvait prendre le risque de se faire repérer. S'ils étaient nombreux, il était mort ; mais s'il n'y avait qu'un ou deux hommes, peut-être lui restait-il une chance. Il pouvait décider de combattre ou encore de régler le fuseur à un tir mortel et le tourner contre lui. Plutôt cela que de les laisser le ramener sur le vaisseau et affronter la justice travestie de Marak.

Le mouvement de la porte s'arrêta, un long moment et, tout aussi lentement qu'elle s'était ouverte, se referma.

Berat expira d'un seul coup, incrédule. *Ils s'en vont*. C'était une ruse, ou un piège. Pas de doute. Mais aucun son ne lui parvenait de la salle de repos, rien, pas même un bruit de pas. Au bout d'une longue attente, le doigt sur la gâchette du fuseur, il finit par se dire qu'il ne pouvait pas rester là éternellement.

Il fit glisser la porte avec lenteur, comme l'intrus, son arme en joue. Personne dans la salle de repos. Le petit pain reposait sur le plateau, où il l'avait laissé.

Il songea à l'impossible et un frisson d'effroi lui parcourut l'échine : était-ce un fantôme ? Une station hantée ? L'envie le prit de pousser un cri pour voir si quelqu'un répondrait. Mais pour faire ça, il aurait fallu qu'il soit *vraiment* devenu fou !

Tous les sens en alerte, Nog fit glisser la porte des toilettes. Son instinct lui criait : *Danger, tire-toi !*, mais celui qui avait activé le synthétiseur était peut-être là-dedans. Pourquoi se cachait-il ?

À l'instant où il allait franchir le seuil de la porte et que Berat, derrière, accentuait la pression sur la gâchette du fuseur, Nog eut une hésitation. Il perçut, assez près de lui pour sentir la chaleur du corps qui la dégageait, une odeur familière. Retenant son souffle et baissant les yeux, le Férengi distingua dans l'obscurité la pointe d'une grosse bottine noire. Une bottine cardassienne.

Nog avait grandi entouré de Cardassiens. Il connaissait leur odeur et leurs vêtements, savait ce qu'ils aimaient boire et manger. Et ça, c'était un Cardassien. Qui se cachait de lui. Il aurait fallu qu'il soit sourd et aveugle, avec le branle-bas des derniers jours, pour ignorer qu'on recherchait un déserteur cardassien, armé et dangereux, réfugié quelque part sur la station.

Et qu'on offrait une récompense pour sa capture.

Le déserteur ne se trouvait pas n'importe où sur la station. Il était là. Juste derrière cette porte ! Aucun doute possible. Sans faire de bruit, il la laissa se refermer tranquillement. Il recula en silence, prêt à prendre ses jambes à son cou si le déserteur se jetait sur lui.

Une récompense. Du latinum endoré. La petite âme avaricieuse de Nog en mourait d'envie. Mais on racontait que le déserteur était un meurtrier ! Comment, seul et sans arme, pourrait-il capturer un dangereux assassin ?

À pas de loup, il alla jusqu'au nœud de communication et chuinta un sourd juron en le découvrant bousillé et dépourvu d'unité de transmission. Que faire à présent ?

Il regarda le synthétiseur — *opérationnel* — et le pain de viande encore chaud et croustillant sur le plateau, cuit juste à point.

Nog fit travailler ses méninges. Il évalua ce qu'il retirerait de la vente du synthétiseur. Puis il pensa à la récompense. L'appareil réplicateur valait certainement plus que le déserteur cardassien. Par contre, si le synthé fabriquait des petits pains de viande, c'est que quelqu'un l'avait réparé — et ce ne pouvait être que le Cardassien. Il fut inspiré par l'idée la plus géniale qui lui eût jamais traversé l'esprit : si le déserteur avait retapé un appareil, pourquoi n'en réparerait-il pas d'autres ? Pourquoi ne réparerait-il pas *tous les synthétiseurs de la station ?*

Enivré par les vastes perspectives qui s'ouvraient devant lui et l'audace grandiose de son idée, Nog laissa échapper un léger sifflement, indécis, pesant le gain immédiat et les possibilités de profits supérieurs à long terme — sans oublier les problèmes pratiques suscités par son projet.

Un peu plus loin dans le couloir, on avait défoncé un panneau mural et Nog glissa en vitesse sa courte stature dans le renfoncement. Heureusement, presque toutes les lumières étaient éteintes et il faisait trop noir pour qu'on l'aperçoive là-dedans. Du moins, il l'espérait.

Nog attendit, recroquevillé dans l'espace exigu, assailli par le doute et la crainte. Son idée n'était peut-être pas si bonne... et peut-être aurait-il mieux valu décamper pendant qu'il était encore temps. Mais s'il se retrouvait face à face avec le déserteur, à présent ?

Il pourrait se faire blesser. Peut-être même tuer !

Attention ! Quelqu'un sortait de la salle de repos ! Nog retint son souffle et ferma les yeux, pour que personne ne le voit. Puis il s'obligea à jeter un coup d'œil. Oui, c'était bien un Cardassien. Et il portait une arme, un fuseur qu'il semblait prêt à utiliser. Nog réprima un gémissement, mais le Cardassien ne le vit pas, même après avoir scruté les alentours. Il prit finalement la direction opposée.

Nog respira profondément. Le danger était passé. Mais le déserteur allait filer !

Après un moment d'hésitation, il rampa hors de sa cachette et se lança sur sa trace. Il arriva juste à temps pour voir les pieds du fugitif disparaître dans une trappe d'accès. Le petit Férengi grimaça avec un air indigné : Nog pouvait circuler dans les tunnels et les conduits de la station comme personne — un gros Cardassien n'y arriverait jamais !

Il se faufila rapidement dans l'ouverture à la suite de sa proie.

Il était poursuivi !

Berat entendit le son creux du frottement d'un corps approchant dans le conduit, derrière lui. Il aurait voulu se mettre à courir, mais c'était à peine s'il pouvait ramper. Il avait les coudes et les genoux complètement écorchés et sa ceinture d'outils se coinçait sans cesse dans un joint ou une saillie. Pire, l'espace était trop étroit pour se retourner et faire feu sur son invisible poursuivant.

Il n'y en avait probablement qu'un seul. Cette pensée lui insuffla suffisamment de courage pour continuer. Berat savait maintenant qu'on n'effectuait pas un entretien régulier de ces tunnels. S'il pouvait seulement tenir le coup, il trouverait un endroit assez large pour se tourner et tirer ; s'il le laissait derrière lui, on ne retrouverait pas le cadavre de son poursuivant avant des semaines. Il en conçut tant d'espoir qu'il détacha la ceinture d'outils et l'abandonna, continuant de ramper sans ce poids encombrant. Il reviendrait la récupérer plus tard, s'il réussissait à s'en sortir.

Le Cardassien s'arrêta et entendit l'écho de sa respiration bruyante se réverbérer dans les ténèbres. Un lourd silence plana, chargé d'une présence qui retenait son souffle, elle aussi, à l'affût de ses mouvements. Il regretta d'avoir hésité dans la salle de repos. C'est là que quelqu'un l'avait découvert, en entrebâillant la porte — quelqu'un qui voulait maintenant le rattraper, Berat ignorait pourquoi. Il se demanda si le Gul avait offert une récompense pour sa capture.

Il aurait dû tirer quand il en avait eu l'occasion. Ce n'était pas les patrouilleurs du *Swift Striker*, il en avait la certitude à présent. Aucun Cardassien n'aurait pu se mouvoir dans cet espace confiné si facilement et en faisant si peu de bruit. S'il n'avait pas autant maigri ces derniers temps, Berat en aurait probablement été incapable lui-même.

Le tunnel était long et sombre, l'ingénieur n'aurait su dire quelle distance il avait parcourue. Il avait l'impression de descendre, vers le niveau du réacteur de fusion, mais il aurait déjà dû rencontrer une issue, une trappe lui permettant de sortir. Il commençait à faire chaud, beaucoup trop, et l'air se raréfiait. Respirer devenait de plus en plus difficile.

Il tâtonna devant lui et rencontra quelque chose de dur. Était-ce... un mur ? Ses mains cherchèrent frénétiquement une ouverture, un passage latéral, mais le tunnel s'arrêtait là. Un cul-de-sac ! On avait scellé la section ! Il était fait comme un rat.

Il y avait une torche micro-laser dans sa ceinture, peut-être pourrait-il découper... mais Berat se rappela avoir laissé la trousse derrière lui quand il tendit la main pour le prendre. Il ne lui restait plus que le fuseur.

Sans plus d'espoir, il serra les doigts autour de l'arme et ferma les yeux. Ils ne l'auraient pas vivant...

— *Cardassien !*

Berat resta figé en entendant ce chuchotement dans l'obscurité. La voix chuintante n'était pas celle d'un Cardassien :

— *Cardassien !*

Nog s'arrêta. Son ouïe fine perçut le son des poings du Cardassien frappant la paroi du tunnel et son halètement saccadé. La chance lui souriait. Le déserteur avait abouti dans une des sections condamnées de la zone du réacteur. Il était coincé.

— Cardassien ! murmura-t-il.

Il obtint finalement une réponse : « Que voulez-vous ? »

C'était la voix tremblante de terreur d'un homme désespéré, mais Nog ne devait pas oublier que le déserteur était toujours armé, et dangereux.

— J'ai un marché à vous proposer !

— Un marché ? demanda la voix au bout d'un moment de silence. Quelle sorte de marché ? Qui êtes-vous ?

— Moi, je sais qui *vous* êtes ! Le déserteur cardassien. Votre capitaine, Gul Marak, offre une récompense pour votre capture.

— Vous ne l'empocherez jamais ! Pas s'il me veut vivant !

Il était bel et bien désespéré. Nog se dit qu'il pourrait en tirer parti.

— Je peux vous cacher !

Il y eut un long silence, puis Nog continua, usant de ces accents persuasifs appris sur les genoux de son oncle.

— Je le jure. Personne ne connaît cette station mieux que moi. Je connais toutes les meilleures cachettes, des endroits où le Gul ne vous trouverait jamais même s'il démantelait la station pour vous retrouver.

— Pourquoi feriez-vous ça ? finit par demander le Cardassien.

— Ce sont les outils que vous avez perdus ?

— Et si je répondais oui ?

— C'est vous qui avez réparé le synthétiseur, là-bas ?

— Et alors ?

— Vous êtes un technicien en maintenance ou quelque chose du genre, pas vrai ? Eh bien, si vous êtes capable de réparer les systèmes de cette station, nous pouvons faire un marché. Je vous cacherai et vous réparerez des trucs.

— Vous voulez que... je *répare* des trucs... ?

— Vous avez vu dans quel état est cette station, fit remarquer Nog au Cardassien qui semblait un peu lent à comprendre. Tout a été saccagé et démoli ! Il n'y a plus un seul appareil qui fonctionne normalement depuis que Gul Dukat est parti. Les synthétiseurs de nourriture, en particulier.

— Vous connaissez une cachette ?

— Des dizaines ! répondit Nog d'une voix confiante. Je vous le répète, je connais cette station comme ma poche ! Sinon, comment aurais-je pu vous trouver ? Venez avec moi, je vous trouverai une planque confortable où vous serez parfaitement en sécurité.

Nog s'apprêtait à prodiguer au Cardassien une motivation supplémentaire en abordant le sujet des profits considérables qu'il anticipait, quand il se rappela l'une des Règles d'Acquisition concernant la manière de traiter avec les employés : moins ils en savaient sur les questions d'argent, plus petite était la part qu'ils exigeaient.

Piégé dans le cul-de-sac du tunnel, Berat considéra les maigres choix qui s'offraient à lui. Il pouvait simplement abattre son interlocuteur invisible et prendre la fuite — jusqu'à ce que quelqu'un d'autre le découvre. Il ne serait peut-être pas aussi chanceux, la prochaine fois, et tomberait peut-être sur une patrouille de Marak.

Mais...

— Comment puis-je être certain que vous ne me livrerez pas pour obtenir la récompense ?

— Si c'était mon intention, la sécurité serait déjà ici, mentit Nog sans la moindre hésitation. Je n'ai qu'à faire un simple geste, avec mon communicateur, ici...

— Ça va, dit finalement Berat, en remettant son sort entre les mains de la providence. Je vais vous suivre.

Sa situation se résumait à ceci : il n'avait nulle part où aller, ni personne à qui faire davantage confiance qu'à cette voix inconnue, derrière lui dans les ténèbres.

CHAPITRE 14

Benjamin Sisko n'était pas particulièrement enchanté de participer à cette séance de négociations. Il avait accepté d'y tenir le rôle de médiateur, malgré d'extrêmes réticences, à la suite d'une rencontre mémorable avec l'ambassadrice Hnada et d'autres membres affolés du gouvernement provisoire bajoran qui avaient envahi la station, bien déterminés à le persuader d'intervenir pour convaincre les ambassadeurs klystrons et orions d'appuyer l'adhésion de Bajor à la Fédération.

Sisko fit remarquer à de nombreuses reprises que l'objet des négociations était l'établissement d'accords commerciaux et non l'entrée de Bajor dans la Fédération, mais il pouvait difficilement nier que certains gouvernements fédéraux considéraient les rencontres actuelles comme une sorte d'étape préliminaire à ce processus. Il évita toute allusion à l'irrésolution persistante du gouvernement bajoran, qui n'avait pas encore décidé s'il allait ou non poser sa candidature.

— Tout est la faute des Cardassiens ! accusa Hnada avec véhémence. Ils usent de procédés subversifs ! Pourquoi les laissez-vous continuer ?

Même s'il crevait outrageusement les yeux que l'influence des Cardassiens avait joué dans la décision de certains mondes de se retirer des négociations, Sisko dut répéter qu'il lui était impossible d'intervenir. La Fédération avait officiellement mis fin à la guerre contre les Cardassiens et ceux-ci jouissaient des mêmes droits diplomatiques que les Bajorans. Le commandant ne pouvait pas les empêcher de s'entretenir avec les représentants, ni même de tenter de les corrompre ; pas plus qu'il ne pouvait les obliger à quitter la station pour ce motif.

Mais aucun de ses arguments ne parvenait à satisfaire les Bajorans, entre autres parce qu'ils ne s'entendaient pas sur l'attitude à adopter face à la situation. Quelques tempéraments échauffés suggérèrent de lancer une attaque contre le *Swift Striker* ou le personnel cardassien, ce qui eut pour effet de déchaîner les esprits, les délégués s'accusant mutuellement de terrorisme et de mollesse, tour à tour.

Pris dans la tourmente, Sisko ne savait plus très bien s'il devait agir à titre de médiateur entre Bajor et les autres mondes ou entre les factions bajorannes elles-mêmes. Il s'agitait nerveusement dans son fauteuil.

Un représentant Qismilien s'éleva contre la présence des créateurs dans le trou de ver.

— Notre religion l'ordonne expressément : « Tu n'écouteras pas la voix des dieux païens. » Les entités du trou de ver sont les dieux des Bajorans, n'est-ce pas ? J'exige qu'il leur soit formellement interdit d'entrer en contact avec nos vaisseaux lorsqu'ils se rendront dans le quadrant Gamma.

— Sacrilège envers les Prophètes ! s'écrièrent plusieurs Bajorans, et une polémique théologique mineure éclata dans un coin de la salle.

L'ambassadeur Z'ood se leva d'un bond, si prompt qu'il en oublia sa taille et enfonça ses cornes dans le plafond.

— C'est injuste ! s'exclama le Qismilien. Je proteste ! Le trente-troisième article le stipule en toutes lettres : « Aucun participant n'a le droit de prendre la parole d'une tribune plus haute que les autres ! »

Lorsque l'alerte générale retentit dans son communicateur, ce fut avec un immense soulagement que Sisko sauta sur ses pieds. Il préférait encore affronter Gul Marak plutôt que les ambassadeurs. Au moins, il n'y avait qu'un seul Marak.

— Ambassadeurs, Excellences, veuillez m'excuser. Une urgence sur la station. Je vous en prie, poursuivez sans moi.

Les patrouilleurs de pont cardassiens s'étaient déployés sur la Promenade en groupes de trois et quatre. Ils s'efforçaient de ne rien laisser paraître d'inhabituel, et s'ils arboraient des expressions si sévères, la plupart des passants l'attribuaient au simple fait qu'ils appartenaient à la race cardassienne, et non pas à une autre au caractère plus enjoué.

Ils n'éveillèrent même pas les soupçons du constable Odo quand il les vit déboucher sur la Promenade. Ils n'étaient pas armés, en apparence, et les groupes de permissionnaires qui descendaient du *Swift Striker* depuis maintenant un certain temps causaient même moins de problèmes qu'à l'ordinaire. Malgré sa dévotion à la loi et à l'ordre, Odo était suffisamment intelligent pour comprendre qu'un certain désordre s'avérait inévitable sur une station desservant des voyageurs de tant de races diverses.

La question du déserteur cardassien demeurait une priorité pour le constable : non seulement un meurtrier se trouvait-il sur sa station, mais celui-ci semblait capable de neutraliser son réseau de sécurité. Il était également préoccupé par la présence de la police militaire qui avait écumé les ponts, manifestement à la recherche du fugitif. Elle n'était pas armée et officiellement en permission, comme le reste de l'équipage. Pourvu que les policiers ne fassent pas de grabuge, le commandant Sisko maintenait le statu quo. Odo imputait même le comportement plus décent de l'équipage cardassien à la présence des patrouilles de pont — un avantage inattendu.

La troupe de Cardassiens se sépara. Un groupe se dirigea vers le Quark's, un autre vers la boutique d'un importateur d'articles de luxe, et le dernier vers un commerce d'entreposage. L'attention de Odo s'arrêta sur les écrans où apparaissaient les images des Cardassiens, mais il ne remarqua rien qui augurait des ennuis et continua sa surveillance du reste de la Promenade.

L'importateur d'objets exotiques était un marchand bajoran qui se raidit de peur en voyant trois Cardassiens entrer dans sa boutique. Un sous-officier s'approcha de lui.

— Nous recherchons un criminel qui s'est enfui. Collabore et tu n'auras pas d'ennuis, dit-il en se tournant vers un des siens. Fais voir au Bajoran le genre d'ennuis qu'il n'aura pas s'il collabore.

Sourire aux lèvres, l'autre patrouilleur se pencha sur une tablette de frondes harmoniques. Elles s'écrasèrent sur le plancher dans un fracas discordant.

Quand le commerçant fit instinctivement un pas en avant pour tenter de protéger sa marchandise, le sous-off cardassien le gifla de son gant de maille. Le Bajoran s'abattit sur un comptoir, mais le patrouilleur de pont le remit sur ses pieds.

— O.K. Nous savons qu'il est quelque part dans le coin. Allez, ordonna-t-il à ses hommes, fouillez l'arrière de la boutique. Et tâchez d'ouvrir l'œil. Tu es sûr que tu n'as rien à nous dire ? demanda-t-il au marchand.

— Je ne sais rien ! souffla le Bajoran qui saignait. Absolument rien !

— Évidemment. C'est toujours pareil avec ceux de ta race. Il faut se montrer plus *persuasif*.

Il saisit le commerçant par le bras et le tordit jusqu'à ce que le Bajoran hurle de douleur.

Des scènes identiques avaient lieu ailleurs sur la Promenade, dans le cadre des recherches en cours. Au Quark's, toutefois, les clients se montraient moins empressés à se soumettre. Une tablée de mineurs d'astéroïde de Port Horrtha ne prêta aucune attention à l'ordre malvenu du Glin : « Debout, tas de vauriens ! Alignez-vous contre le mur, mains sur la tête ! »

Les narines frémissantes d'indignation, le Glin s'approcha et réitéra sa demande. Cette fois, les mineurs levèrent un œil méprisant vers l'individu qui les avait distraits de leur jeu. Celui qui était le plus près de l'officier cardassien se leva et lui fracassa un fauteuil sur la tête. Inspiré par le geste du mineur, Jas-qal, le gigantesque doorman B'kaazi, souleva une table de Dabo et la lança sur deux Cardassiens qui se trouvaient près du bar. Quand celle-ci vola en morceaux, d'autres clients entrèrent dans la danse en poussant des cris de joie et s'emparèrent de pièces d'ameublement, prêts à se jeter dans la mêlée.

Un fuseur dissimulé surgit entre les mains du Glin furieux, qui ouvrit le feu sur Jas-qal. Le Cardassien ensanglanté se releva ensuite péniblement, pendant que ses hommes dégainaient à leur tour. Les combattants perdirent subitement toute ardeur au combat et se rangèrent avec docilité contre le mur du casino.

Quark procéda à un bref inventaire de la force de feu des envahisseurs.

— Que se passe-t-il ? demanda-t-il, soulevé par une véritable indignation. Vous êtes dans un établissement respectable ! Nous n'hébergeons pas de criminels ici ! Apprenez que Gul Marak lui-même compte au nombre de mes clients. Je me demande ce qu'il dira quand il apprendra que ses hommes ont fait irruption chez moi en cassant tout et qu'ils ont perturbé mes affaires en malmenant mes clients !

Durant cette semonce, il appuya sur un bouton situé derrière le comptoir pour alerter la sécurité de DS-Neuf. Malgré le peu d'estime que Quark portait, d'une façon générale, aux officiers de sécurité — surtout à cause de leur propension à fourrer leur nez dans ses affaires —, il n'hésitait pas à recourir à leur protection lorsqu'elle s'avérait nécessaire, comme en ce moment.

Le moniteur de Odo clignota dans son bureau et s'alluma sur la scène : des Cardassiens pointant des fuseurs sur les clients de la salle de jeu. Il se rappela les groupes de Cardassiens, soi-disant permissionnaires, se séparant en petits groupes, et il augmenta le statut d'alerte à la plus haute priorité avant de se précipiter dans le couloir principal de la Promenade.

Une voix stridente retentit dans le communicateur de Kira: « Tous les membres de la sécurité disponibles sur la Promenade ! Des intrus cardassiens armés occupent le niveau onze ! »

Gagnée par une colère noire, Kira courut vers l'unité de téléportation la plus proche, fuseur au poing, imaginant les pires scénarios : une invasion de la station, une nouvelle offensive contre Bajor, une autre guerre — même si elle éprouvait une espèce de soulagement qu'il ne s'agît pas d'un nouvel attentat terroriste.

Ce ne fut pas une guerre sans merci qu'elle découvrit sur la Promenade, mais une scène ressemblant à d'autres vécues durant l'occupation de sa planète. Kira se fraya un chemin à travers la foule massée devant une boutique d'importations. Elle trouva le constable Odo, épaulé par deux officiers de sécurité, l'air implacable, face à une bande de Cardassiens armés appartenant à la police militaire. Le sol était jonché de marchandises brisées et le propriétaire bajoran, derrière Odo, tenait un mouchoir taché de sang contre la moitié de son visage.

— Que se passe-t-il ? demanda-t-elle, furieuse.

L'expression du sous-officier cardassien s'altéra légèrement quand il se tourna vers Kira. « Nous recherchons un criminel qui s'est échappé. Je te préviens, la Bajoranne, ne te mêle pas de ça. »

Les doigts de Kira se resserrèrent sur le fuseur. Elle dut faire un effort surhumain pour réprimer son envie presque irrésistible de décharger son arme sur le sous-off, et anéantir l'arrogante expression de son visage. Ce fut Odo qui répondit à sa question :

— Ces Cardassiens sont en état d'arrestation. Ils sont en possession d'armes prohibées. Ils sont également accusés de saccage sur une propriété privée et de voies de fait grave.

— Ils ont fait irruption ici comme des bêtes sauvages, rapporta le marchand bajoran en retirant le mouchoir pour montrer sa blessure. Ils ont renversé cette étagère de frondes, puis ils voulaient fouiller le magasin. Quand j'ai tenté de les arrêter...

D'autres voix se mêlèrent à la sienne :

— Ils sont venus à ma boutique également !

— Ils ont sorti tous mes clients à coups de pieds !

— J'exige un dédommagement !

— C'est une blague ou quoi ? demanda le sous-officier cardassien en éclatant d'un rire plein de mépris. Nous arrêter ? Nous ne nous rendrons pas à des *Bajorans* ! Ou... à cette *chose*, quelle qu'elle soit ! ajouta-t-il en désignant Odo d'un geste de la tête.

— Cette station est un territoire bajoran souverain, déclara Kira en serrant les mâchoires. Si vous ne nous remettez pas vos armes, vous ferez face à des accusations d'entrave à l'autorité légale.

— L'autorité ? Légale ? répéta le Cardassien avec un affreux rictus et levant son fuseur. Dégage, la Bajoranne !

La main de Odo se mut à une vitesse trop rapide pour l'œil humain : son bras s'étira de deux fois sa longueur et ses doigts se refermèrent avec force autour du poignet de sa cible. Le Cardassien poussa un cri à la fois de douleur et de surprise, pendant que Kira lui collait son fuseur contre la tempe.

— Déposez immédiatement vos armes ! ordonna-t-elle aux autres.

Ils se baissèrent lentement pour poser leurs fuseurs sur le plancher. Le personnel de la sécurité les encercla aussitôt.

— Mettez-les au frais, commanda Kira. Et ajoutez l'accusation de résistance à son arrestation pour cet enfant de salaud.

Quand la sécurité les eut emmenés, Kira se tourna vers Odo :

— Est-ce qu'il y en a d'autres ? demanda-t-elle.

— Je crois que le compte y est. Ils sont débarqués une douzaine sur la station. Nous avons eu moins de difficultés avec la bande qui était au Quark's. Dès que l'équipe de sécurité est entrée, les clients en ont profité pour se jeter sur eux. Leur Glin aura besoin de soins médicaux, je crois.

Kira hocha la tête. Quand les mineurs étaient en visite sur la station, une bagarre au casino comptait presque au nombre des distractions obligées — un privilège que Quark aurait pu leur faire payer, s'il y avait songé.

La foule s'écarta. Kira et Odo tournèrent la tête et virent le commandant Sisko qui s'avançait vers eux.

— Qu'est-il arrivé ici ? demanda-t-il avec un regard qui allait du major au constable. Je viens de passer devant le Quark, la place était complètement sens dessus dessous !

— Ce sont des patrouilleurs cardassiens qui cherchent le déserteur. Ils étaient armés, expliqua Odo, la mine réprobatrice. Ils ont été mis en détention pour port d'arme illégal, voies de fait, menace à la sécurité publique, destruction et résistance à leur arrestation.

— Les personnes qui sont réunies ici réclament des indemnités pour les dommages causés à leur propriété et les blessures reçues, ajouta Kira.

Le visage de Sisko s'assombrit comme un ciel d'orage.

— Qu'elles s'adressent à Gul Marak ! jeta-t-il en se tournant vers Odo. Constable, je veux vous voir dans mon bureau aussitôt que possible ! ordonna-t-il en tournant les talons.

— C'est fini, à présent. Rentrez chez vous, dit Kira en commençant à disperser la foule. Ceux qui veulent déposer une plainte pourront le faire demain au bureau des services juridiques.

Elle s'arrêta un moment pour appeler une équipe médicale au chevet du commerçant blessé.

— Dès que j'aurai terminé ici, je descendrai aux cellules pour vous aider à coffrer les prisonniers, indiqua-t-elle à Odo.

Un travail qu'elle exécuterait avec joie — plus attrayant que la perspective d'affronter l'humeur de Sisko. Kira n'aurait pas voulu être à la place de Odo en ce moment.

Dès qu'il eut constaté les dégâts et regagné son bureau, Sisko appela le vaisseau cardassien.

— Qu'est-ce qui vous prend, Marak, d'envoyer des hommes armés sur la station ?

Le Gul attendait cet appel et son visage apparut immédiatement sur l'écran.

— Je vous avais prévenu, Sisko ! Je *veux* ce déserteur, coûte que coûte !

— Je vous avais moi aussi averti, Marak. S'il y a un passager clandestin à bord de DS-Neuf, c'est une affaire qui concerne le service de sécurité de DS-Neuf. Je croyais m'être bien fait comprendre ! Au lieu de quoi vos patrouilleurs passent des armes en fraude sur la station et terrorisent des civils innocents !

— Cela vous donne une idée de ce que je pense de votre sécurité ! Ce traître se cache sur votre station ! Il a été vu près de la Promenade ! J'ai des témoins ! Et votre *sécurité* ne fait rien ! Rien ! J'ai le droit d'arrêter cet homme, Sisko ! Il est à moi !

— Pour l'instant, Marak, les seules personnes qui sont en prison, ce sont les casseurs que vous avez envoyés ici. Leur mise en détention est en cours.

— Vous avez osé arrêter mes patrouilleurs ? s'étonna le Gul, les pupilles dilatées et les narines frémissantes. Pendant qu'ils étaient en fonction ?

— Vos patrouilles de pont n'ont aucune juridiction sur DS-Neuf. Vos hommes font face à de graves accusations. Un citoyen a été blessé.

— Un citoyen ? Vous voulez dire un *Bajoran* ? Vous avez jeté mes patrouilleurs en prison parce qu'ils ont malmené un Bajoran ?

— Plusieurs commerçants exigent des indemnités pour les dommages qu'ils ont subis.

Gul Marak se pencha vers l'écran, ses mains aux jointure blanchies serrées sur les bords de son bureau.

— Vous découvrez enfin votre jeu, pas vrai, Sisko ? L'ami des Bajorans ! Vous et vos petits copains abritez ouvertement un traître recherché par l'État. Un homme coupable des crimes les plus odieux : le meurtre, la mutinerie, le sabotage. *Berat* circule en liberté sur votre station et c'est *ma police militaire* que vous arrêtez, alors qu'elle exécutait l'ordre légitime d'appréhender ce *criminel* !

« Je veux qu'ils soient remis en liberté, Sisko, exigea le Cardassien d'un ton plus menaçant, après une pause pour reprendre son souffle. Je veux qu'ils reviennent ici immédiatement, sans quoi votre station sera réduite en un tas de ferraille dont ne voudront même pas les ramasseurs de déchets !

— Je crains que ce ne soit impossible, Gul, répondit Sisko en fronçant les sourcils. Oh, je sais que vous n'hésiteriez pas à tirer sur quelques centaines de civils sans défense. Je connais trop bien les Cardassiens pour croire qu'ils se soucieraient de la perte de vies innocentes. Oseriez-vous cependant tirer sur vos propres hommes ?

« Et pourquoi pas, après tout. Mais vous exposeriez la vie des ambassadeurs à de graves périls. Votre gouvernement ne serait certainement pas heureux d'apprendre que vous avez déclenché une guerre à la fois contre les Klingons et les Andoriens.

— Vous allez le regretter, Sisko, cracha Marak avec une expression assassine.

— Qui sait. Mais pour le moment, ce sont vos patrouilleurs qui ont des regrets. Si vous voulez les revoir avant une dizaine d'années, je vous suggère de prêter une oreille attentive aux réclamations que vous recevrez demain. En attendant, la station est interdite à tout le personnel cardassien.

— Vous n'avez pas le droit de faire ça, Sisko ! Je vous préviens !

Sisko coupa la communication et se laissa envahir par une douce satisfaction — presque aussi profonde que la fois où il avait administré une correction à cet insupportable et importun Q.

— Vous vouliez me voir, commandant ?

— Ah, vous voilà, constable, l'accueillit Sisko en reprenant ses esprit.

Au cours de sa carrière dans Starfleet, Ben Sisko avait servi aux côtés de nombreuses espèces non humaines différentes, mais il se sentait toujours un peu désorienté quand il communiquait avec le chef de sécurité métamorphe. Le constable avait une singularité indéfinissable — peut-être parce qu'il ne savait pas qui il était.

— Je vous félicite pour votre intervention auprès des brigades cardassiennes. Toutefois... signala Sisko et il prit une grande respiration avant de continuer.

Nous avons toujours ce problème du déserteur que Gul Marak prétend réfugié sur la station. En sommes-nous absolument sûrs ? Marak jure que des témoins l'ont vu dans les environs de la Promenade.

— Commandant, répondit Odo avec un mécontentement évident. J'aimerais pouvoir vous confirmer la présence d'un fugitif sur ma station. Mais... je n'ai malheureusement aucune certitude. Il se passe quelque chose. Quelqu'un a effectivement trafiqué les systèmes de sécurité, et il savait très bien ce qu'il faisait. Le chef O'Brien croit que c'est un technicien cardassien. Mais s'agit-il d'un déserteur ? Ou d'un agent de Gul Marak ? A-t-il quelque chose à voir avec les attaques terroristes ? Ça, je n'en ai pas la moindre idée.

— Et les témoins dont parle Gul Marak ? demanda Sisko en arquant sévèrement les sourcils.

— Les prétendus témoins... Nous avons appris que Gul Marak a offert une récompense pour tout renseignement concernant l'évadé. Je ne serais pas surpris que quelqu'un ait simplement tenter de l'empocher.

Sisko soupira.

— Il n'en reste pas moins, déclara-t-il à contrecœur, que j'ai assuré le Gul que notre sécurité se chargerait de retrouver le fugitif, constable. S'il était sous les verrous en ce moment, rien de tout cela ne serait arrivé. Par contre, si c'est un canular monté par les Cardassiens, quel est leur plan ? Pourquoi Marak a-t-il envoyé des hommes armés sur la station ?

« Nous devons faire toute la lumière sur cette affaire. Il faut mettre la main sur ce satané déserteur, constable. Et s'il a un lien avec notre poseur de bombes, je le renverrai à Marak en petits morceaux.

CHAPITRE
15

Quark quitta le bureau des services juridiques euphorique, après avoir rempli une demande d'indemnité pour un montant dix fois supérieur à la valeur des dommages causés par la descente des Cardassiens dans sa salle de jeu. À ce prix, il était prêt à les laisser dévaster son établissement tous les jours.

La capture de ce déserteur était pour eux d'une importance capitale, songea le Férengi, s'ils le recherchaient si activement, mais quelqu'un les avait de toute évidence tuyautés. Pour toucher la récompense.

Quark fronça les sourcils. Quelque chose clochait dans cette histoire. Pour quelle raison les patrouilleurs de Gul Marak avaient-ils décidé de visiter son établissement ? Quark n'aurait pas été assez fou pour abriter un fugitif cardassien, récompense ou pas. Quel bénéfice aurait-il pu en retirer ?

Peut-être était-il la cible d'un ennemi occulte. Quelqu'un voulait peut-être ruiner son établissement — un Cardassien désireux d'ouvrir son propre casino quand Gul Marak prendrait le contrôle et qui cherchait à écraser toute concurrence.

Dès qu'il fut de retour au Quark's, il s'égosilla en jurant pour appeler Nog, son neveu. Où était encore passé ce gosse infernal ? Les meubles brisés et la verrerie auraient déjà dû être ramassés et remplacés à cette heure-ci.

— Il a parlé du synthétiseur de bière qu'il fallait réparer, l'informa Rom derrière le comptoir.

— Le synthétiseur était brisé ? Depuis quand ? s'exclama Quark, affolé, qui se précipita derrière le bar pour constater par lui-même, avec un cri de rage, la disparition de l'appareil.

Ça, c'était inquiétant. Quark s'imagina une horde de joueurs dépités et assoiffés exigeant à grands renforts de coups de poing sur le bar des pichets de bière qu'il ne pourrait pas leur servir. Les fauteuils et les verres se remplaçaient facilement, mais il était impensable d'ouvrir les portes sans des synthétiseurs de bière fonctionnels, peu importe les indemnités que lui verseraient les Cardassiens. Son vieil appareil réplicateur n'était peut-être pas une merveille, mais il produisait une bière buvable.

— Oui, c'est plutôt curieux, dit Rom en se grattant la tête. Je ne le savais pas non plus. J'avais l'impression qu'il marchait bien. Le gosse m'a demandé : « Est-ce que ça vaut trois cents crédits si je le répare pour ce soir ? » et je lui ai répondu : « Bien sûr, impossible d'ouvrir le bar si on ne peut pas servir de bière », expliqua-t-il à son frère. Dis, tu ne crois quand même pas...

Quark plissa le front. Il ne savait pas quoi penser exactement, mais il était sûr qu'il se passait quelque chose. « Si ce gamin se croit capable de rouler son oncle... » Quark aurait pourtant dû être agréablement surpris de voir Nog prendre enfin une initiative et montrer de l'ambition, mais il trouvait le moment mal choisi pour inaugurer ses activités.

Sa bonne humeur envolée, Quark aida son frère à remettre de l'ordre dans la salle et remplir les rayonnages d'une nouvelle verrerie bon marché, en espérant pouvoir ouvrir ce soir — si Nog ramenait le synthétiseur de bière en bon état.

Sinon, les oreilles du garçon lui chaufferaient pendant un *sacré* bout de temps.

Au bout de plusieurs heures de travail, la salle de jeu avait repris un semblant d'ordre. Le bar était regarni et d'éventuels clients commençaient à jeter des coups d'œil par les portes fermées. « Mais où diable est passé ce garçon ? » demanda Quark pour la centième fois, bouillonnant à la pensée des profits qui partaient en fumée.

Il se retourna en entendant une porte s'ouvrir et vit Nog émerger de la salle arrière, le synthétiseur sous le bras. Il laissa échapper un bruyant soupir de soulagement et arracha l'appareil des mains de son neveu.

— Est-il réparé ? Est-ce qu'il marche ?

— N'oublie pas mon argent, rappela Nog à son père pendant qu'ils s'empressaient de réinstaller l'appareil. Nous avons fait un marché. Tu as dit que tu paierais pour la réparation.

Quark tendit le bras pour saisir le misérable par l'oreille et le tira vers lui.

— Ça, c'est ce que j'appelle faire une bonne affaire, Nog, glapit-il. Se faire payer pour la réparation d'un synthétiseur *qui n'était même pas brisé* !

Pendant qu'on t'attendait, j'ai dû garder l'établissement fermé ! Les clients poireautent à la porte...

— Attends ! se défendit Nog en se tortillant au bout de la poigne implacable de son oncle. Il est réparé ! Essaie-le ! Tu verras !

Quark allait lui répondre vertement quand il fut interrompu par de violents coups contre la porte. « C'est fermé ! » cria-t-il, mais les coups redoublèrent.

— Euh, Quark... C'est le constable Odo, dit Rom nerveusement.

— Qu'est-ce qu'il veut encore celui-là ? demanda Quark en lâchant son neveu. Je n'ai pas assez de problèmes comme ça, peut-être ? se lamenta-t-il en gagnant la porte dans un état de contrariété extrême. Vous ne voyez pas que nous sommes occupés, constable ? Pendant que votre service de sécurité était en train de méditer au temple, ou quelque chose du genre, une bande de Cardassiens a saccagé ma maison, au cas où vous ne le sauriez pas. Nous essayons de la remettre en état pour ouvrir avant que je ne sois obligé de déclarer faillite.

— Auparavant, j'aimerais simplement jeter un petit coup d'œil, le pria Odo avec amabilité en franchissant le seuil. Comme vous le savez peut-être, un fugitif se cache sur la station, et apparemment les Cardassiens ont des raisons de croire qu'il se trouve ici, quelque part sur la Promenade. Je suis sûr que vous ne verrez aucune objection à ce que je fouille votre établissement.

— Je suis sûr que ce ne sera pas nécessaire, objecta Quark en avançant d'un pas pour bloquer le passage au constable.

— Ce fugitif serait armé et dangereux, insista Odo en imitant à peu près un froncement de sourcils. Je présume que la sécurité de vos habitués vous tient à cœur.

Quark eut un rire nerveux, plus véritablement préoccupé par certains articles de contrebande qui se trouvaient dans son magasin. Par principe, il fallait éviter la présence de la police dans les salles arrière de son casino.

— Allons donc, constable ! Vous croyez vraiment qu'un Cardassien pourrait se cacher ici sans que je le sache ? Les patrouilles de pont ont déjà mis mon entrepôt sens dessus dessous pour essayer de retrouver ce déserteur, et Rom et moi y avons passé toute la journée pour remettre de l'ordre. Croyez-moi, je l'aurais déjà livré à la police si je l'avais découvert, et empoché la récompense offerte par Gul Marak, ne serait-ce que pour couvrir les dommages !

— Vous pouvez faire une demande d'indemnisation au bureau des services juridiques de la station.

— On peut bien remplir un formulaire, mais comment être sûr que les Cardassiens vont payer ? répliqua Quark d'un ton léger. En attendant, j'ai un commerce à faire marcher, des clients qui attendent, ce synthétiseur à installer...

— Je dois quand même enquêter sur ces allégations, coupa Odo, inébranlable. On a signalé la présence de ce déserteur...

— Oh, c'était probablement Garak, interrompit Nog qui semblait nerveux.

— Garak ? Pourquoi Garak ? demanda Odo en posant sur le jeune Férengi un regard soupçonneux.

— Parce que... c'est un Cardassien lui aussi. Je l'ai entendu se plaindre que les patrouilleurs n'arrêtaient pas de le harceler. Ils le prennent pour le fugitif. Et il était ici l'autre soir, non ? Je parie que quelqu'un a cru que c'était le déserteur et l'a dénoncé aux Cardassiens... pour la récompense, vous comprenez ? J'aurais fait la même chose à sa place.

Odo considéra l'adolescent sans dissimuler sa répugnance et Quark lui lança un regard sévère. Qu'est-ce que ce garçon avait derrière la tête ?

— D'accord, consentit finalement Odo. J'irai rencontrer Garak pour voir ce qu'il a à dire là-dessus. Mais je vous préviens que j'ai l'intention de retrouver cet homme. Je n'aime pas savoir que des personnes se trouvent sur ma station sans autorisation, avertit le constable en s'éloignant.

Nog regarda le constable avec un soulagement visible.

— Quark ?

— Quoi ? claqua-t-il en réponse à son frère.

— Goûte ça, dit Rom en lui tendant un verre rempli d'une bière foncée, couronnée d'un collet mousseux.

— Ce n'est pas le moment !

— Je crois vraiment que tu devrais goûter, Quark.

— Pourquoi ? C'est quoi, cette mixture ? Tu sais bien que les bières brunes de ce synthétiseur ont toujours eu une saveur infecte.

— Mais oui, je sais. C'est pour ça que tu devrais goûter.

Pris d'un doute subit, Quark trempa les lèvres dans le breuvage, puis en avala une longue rasade, qu'il savoura avec satisfaction.

— Du stout mavarien ! Je n'en ai pas bu depuis... commença-t-il, puis ses yeux s'agrandirent en se posant sur Nog qui croassait avec excitation :

— Tu vois ? Qu'est-ce que je t'avais dit ! Et n'oublie pas que nous avions conclu un marché ! Je peux avoir mes crédits à présent ?

— On parlera de ça plus tard ! fulmina Quark. Je veux savoir ce qui se passe ici, et je veux le savoir tout de suite !

— Rien ! protesta Nog en levant les mains pour protéger ses délicates conques d'oreilles. J'ai dit que je pouvais faire réparer le synthétiseur et je l'ai fait ! Voilà tout !

— Le synthétiseur n'a jamais pu fabriquer un stout mavarien décent depuis que je suis ici, observa Rom en coupant la retraite à son fils.

— Et comment se fait-il que tu arrivais par l'arrière-boutique avec ça ? demanda Quark. Aurais-tu caché un téléporteur, ou... continua-t-il, lorsqu'il comprit soudain. Ou bien un technicien cardassien !

L'expression de Nog équivalait à une confession signée.

— Quoi ? fit Rom, un peu plus lent à comprendre que son frère. Tu veux dire qu'il... cache le déserteur ici ? Et la récompense ?

— Mais... mais *regardez* ! persista Nog. Vous avez vu comment il a réparé le synthétiseur ? C'est un ingénieur ! Il peut rafistoler n'importe quoi sur la station ! Je l'ai vu ! Il a retapé un synthé, mais comme je ne pouvais pas l'emporter tout seul, j'ai...

— Attends ! Pas si vite ! l'arrêta Quark.

Pour une fois, le gosse avait peut-être raison. Si ce Cardassien était un ingénieur, et qu'il pouvait réparer des synthétiseurs...

— Où était-il caché ? demanda-t-il à Nog.

— Près de la zone inférieure, dans une salle de repos abandonnée des soutes. Je suis tombé sur un synthétiseur qui fonctionnait, tu comprends ? Il a très peur de se faire attraper par les Cardassiens et de retourner sur son vaisseau, alors je lui ai proposé un marché. Je lui ai dit que je le cacherais en échange de petites réparations, comme le synthétiseur. Tu vois, il l'a fait.

— Odo affirme qu'il est armé et dangereux, s'inquiéta Rom. Il vaudrait mieux laisser tomber ce petit commerce et l'échanger contre la récompense.

— Pas question ! C'est *moi* qui l'ai trouvé ! protesta Nog.

— Quel genre de marché as-tu fait avec lui ? demanda Quark.

— J'ai lui ai seulement parlé de partager les profits. Mais je n'ai pas dit de quelle manière, précisa Nog avec un petit sourire.

— Comment l'as-tu emmené jusqu'ici ?

— Par les puits d'entretien et les tunnels de marchandises. Il est trop gros pour passer par les conduits de ventilation.

— Mais quelqu'un vous a aperçus tous les deux, c'est bien ça ?

— J'ai été très prudent !

— Pas assez, on dirait. C'est à cause de ça que Gul Marak a lancé sa meute de brutes, avec l'ordre de démolir la Promenade pour le retrouver. On dirait que ton petit projet a causé pas mal d'ennuis, mon cher neveu.

— Mais ç'aurait quand même pu être Garak, gémit Nog. Ils se ressemblent tous.

— Je crois qu'il est temps de rendre visite à ce Cardassien, suggéra Quark sans faire attention à son neveu. Où est-il ?

— En arrière, dans l'entrepôt.

— Ce n'est pas un bon endroit pour garder des biens précieux, nota Quark en grimaçant. Je croyais t'avoir donné une meilleure éducation.

Il fit mine de balancer une taloche à Nog, qui recula en s'esquivant, pas assez vite cependant pour éviter que son oncle ne lui agrippe le bout de l'oreille.

Resserrant sa poigne, il sortit Nog de derrière le bar et le conduisit vers l'arrière-boutique. Rom les suivit en maugréant. Quark agita l'oreille de son neveu : « Appelle-le. »

— Berat ? C'est moi, Nog.

— Qu'est-ce qui ne va pas ? Ça n'a pas marché ? Tu as relié les circuits comme je t'ai montré ? demanda le Cardassien en sortant d'un coin sombre de la pièce.

Apercevant Quark, puis Rom, qui se tenait derrière Nog, il étouffa un cri et tira un fuseur de sa ceinture. Quark se jeta au sol.

— Arrête, Berat ! cria Nog. Il n'y a pas de danger ! C'est mon oncle Quark ! Nous sommes chez lui ici ! Et l'autre, c'est mon père.

— Des Férengis ? demanda le Cardassien soupçonneux, son arme toujours levée.

Quark devait jouer de prudence et ne pas oublier qu'il avait affaire à un Cardassien. Son regard de bête traquée était rempli de désespoir — un sentiment que Quark savait cependant tourner à son avantage.

— Je suis l'oncle de Nog, se présenta-t-il sur un ton rassurant. Vous n'avez pas à vous inquiéter, le garçon ne vous a pas dénoncé. Mais je crains qu'on se soit beaucoup intéressé à vous dernièrement. Les patrouilles de Gul Marak ont fait une rafle dans mon établissement hier. Ils ont laissé pas mal de dégâts. Et le chef de la sécurité de la station vient juste de passer. Il voulait fouiller.

Le fugitif cardassien jeta un regard fou derrière eux et Quark pu voir sa main se crisper sur le fuseur.

— La sécurité est ici ? En ce moment ? s'effraya-t-il.

— Nous sommes heureusement parvenus à l'éloigner. Du moins pour l'instant. Disons qu'il est plutôt du genre tenace. On peut être sûr qu'il reviendra, peut-être ce soir même.

— Ils ne m'auront pas, murmura le Cardassien en serrant son poing sur son arme.

La détresse de Berat était extrême, constata Quark. Et peut-être qu'il n'avait pas toute sa raison.

— Vous avez besoin d'une meilleure cachette, lui expliqua Quark en baissant la voix. Un endroit que la sécurité ne connaît pas. Vous avez de la chance que mon neveu soit venu me trouver. La discrétion de Quark est renommée dans le quadrant entier. Vous n'imaginez pas la quantité de secrets qu'on m'a confiés, ni toutes les marchandises qui ont pu me passer entre les mains. Croyez-moi, vous pouvez vous en remettre à Quark pour votre sécurité.

« Dites-moi, Berat... C'est bien votre nom, n'est-ce pas ? Mon neveu m'a dit que vous étiez ingénieur. Vous avez conclu un marché avec lui ? Nog est un garçon très intelligent, qui sait reconnaître une bonne affaire. J'ai ce synthétiseur depuis des années et je dois avouer qu'il n'a jamais aussi bien fonctionné. Si c'est là un échantillon de votre savoir-faire, je crois que vous pourrons nous entendre. Bon, pour ce qui est de votre pourcentage sur les recettes brutes...

— L'argent ne m'intéresse pas, coupa Berat. Tout ce que je veux, c'est un endroit pour me cacher jusqu'à ce que le vaisseau quitte la station. Ensuite, je veux une traversée pour m'en aller d'ici.

— Une traversée ? Pour aller où ?

— Loin de l'espace cardassien, n'importe où, déclara Berat d'une voix glaciale.

— Eh bien, je crois que ça peut s'arranger, temporisa Quark, qui n'avait nullement l'intention de laisser filer le Cardassien s'il s'avérait rapporter autant de bénéfices que prévu. Nous nous occuperons des détails plus tard. Commençons par vous trouver une cachette où vous serez à l'abri de tout danger.

— C'était *mon deal* ! se mit à geindre Nog, mais Rom le fit taire d'un geste, et ils suivirent Quark et Berat dans une salle secrète sous les holosuites, juste à côté du bureau privé de Quark.

— Vous devrez malheureusement rester enfermé ici, s'excusa Quark pendant que Rom s'empressait de transporter certains articles de valeur ou illégaux dans le local de son frère. Laissez-moi cependant vous assurer que la sécurité ne vous trouvera jamais ici, pas même si elle épluchait la station comme un matushki. Nous vous aménagerons un coin pour dormir et un autre pour travailler. Ce sont vos outils ? Parfait !

« Nog, tu aideras notre invité à s'installer. Vous avez sûrement faim, n'est-ce pas ? Je suis désolé de m'éclipser si hâtivement, mais je dois m'occuper de mon établissement, s'excusa-t-il en adressant à Berat un sourire rassurant. Soyez sans inquiétude. Avec Quark, vous êtes entre bonnes mains.

CHAPITRE 16

— Keiko ? As-tu remarqué quelque chose d'étrange sur la station, ces derniers temps ? Je veux dire, quelque chose de différent ?

— Non... Il me semble que tout fonctionne très bien.

— Justement... commença O'Brien — *... c'est ce que je voulais dire.*

L'ingénieur préféra en rester là et prit congé de sa femme et de sa fille en les embrassant.

— Oh, Miles. Pourrais-tu passer prendre la nouvelle combinaison de Molly à la boutique de Garak ? Il m'a dit qu'elle serait prête aujourd'hui.

— Bien sûr, mais...

— Quoi ? Quelque chose ne va pas ?

— Euh, non. Tout va bien.

O'Brien descendit du turbolift sur la Promenade. C'est ici que l'atmosphère était la plus étrange, surtout à cause de l'animation qui régnait du côté des commerces. Le casino de Quark était bondé, malgré l'heure matinale, et une longue queue s'était formée devant le Réplimat, composée d'une foule plutôt joyeuse, pas du tout irritée d'attendre.

Il entra dans la boutique de Garak. Le visage du tailleur cardassien portait encore les marques de ses blessures.

— Bonjour, Garak. Je vois qu'on a terminé les réparations. Ma femme m'envoie chercher une combinaison d'enfant. Est-elle prête ?

— Certainement, chef, répondit Garak avec un sourire un peu trop familier. Si vous voulez bien m'attendre, je vais la chercher.

— Voilà, dit-il en revenant avec le vêtement. Votre petite fille va l'adorer !

— Mmm. Dites-moi, Garak... Votre coupeur de patrons n'avait-il pas été abîmé par l'explosion ?

— Oui, mais je l'ai fait réparer.

— Réparer ?

— Je ne peux pas travailler sans cette machine, chef. Je suis couturier, vous savez.

— Bien sûr.

En réalité, Garak n'était peut-être pas seulement un couturier, O'Brien le savait très bien. Il trempait, croyait-on communément, dans des affaires d'échanges de renseignements — avec les Cardassiens, bien sûr, mais peut-être aussi avec d'autres gouvernements.

Mais cela était sans rapport avec ce qui préoccupait O'Brien pour le moment.

— Euh... vous permettez que j'y jette un coup d'œil ? demanda-t-il. Simple curiosité professionnelle.

— Ne me dites pas que vous savez réparer un coupeur de patrons, chef ? Si j'avais su...

— En fait, je n'ai jamais eu l'occasion de travailler sur un de ces appareils, dit O'Brien avec un rire contraint. Mais les trucs qu'on ne peut pas réparer sur un vaisseau stellaire ne se réparent pas tout seul, pas vrai ? Et un coupeur de patrons, ça ne doit pas être bien compliqué à retaper, non ?

Garak haussa les sourcils avec surprise, mais il conduisit l'ingénieur vers la pièce d'équipement en question. O'Brien l'examina avec attention. Il put voir les parties qui avaient été brisées, puis réassemblées et soudées avec une grande application — un travail soigné, méticuleux. « Fonctionne-t-il aussi bien qu'avant ? »

— Mieux. L'étalonnage est plus régulier. Les coupes sont plus précises. Vous pourrez remarquer la différence sur la combinaison de votre fille.

— Eh bien, tant mieux.

O'Brien quitta la boutique en se grattant la tête. Aucun doute : il se passait des choses étranges. Très étranges.

Mais il repenserait à tout ça plus tard ; pour l'instant, il avait trop de travail.

— O'Brien à Odo. La réception de l'image est-elle bonne à présent ?

— Très nette.

— C'est ce que je peux faire de mieux, avec les pièces que nous avons en stock.

— Je vous remercie, chef.

Miles O'Brien donna une tape amicale sur l'épaule de son technicien bajoran. « Bon travail, Jattera. C'était le dernier. »

À la demande de Odo, et avec l'appui du commandant Sisko, on avait accordé une priorité absolue à la restauration complète du réseau de senseurs de sécurité de DS-Neuf afin de le rendre parfaitement opérationnel. O'Brien avait fait son possible, en dépit du chapardage qui constituait un de ses plus gros problèmes sur la station — on retirait les pièces encore utilisables sur des unités pour en rafistoler d'autres —, une tentation qu'il comprenait fort bien pour y avoir lui-même souvent cédé.

Son œil averti reconnut cependant sans peine quelques cas de sabotage délibérés des systèmes de sécurité, de surcroît effectués par une main experte, ce qui ne manquait pas d'être passablement inquiétant sur une station abritant un plastiqueur terroriste en cavale — tout particulièrement pour un homme qui y résidait avec sa femme et sa fille.

— Croyez-vous que ce « déserteur » ait quelque chose à voir avec les attentats ? avait-il demandé à Odo. Ce sont peut-être les Cardass qui essaient de saboter la station ?

— Vous le croyez, vous aussi ? avait répondu le chef de sécurité au comble de l'irritation. J'ignore s'il y a oui ou non un déserteur sur la station. Le major Kira se pose la même question, mais n'oubliez pas que le premier attentat a eu lieu avant l'arrivée du vaisseau cardassien dans notre système. Tout ce que je sais, c'est que *quelqu'un* a trafiqué mes systèmes de sécurité !

— J'en ai bien peur, en effet. Hum... Vous vous souvenez de ces « anomalies » dont vous parliez, Odo ?

— Quelles anomalies ?

— Oh, rien. Je disais ça comme ça.

O'Brien décida qu'il valait probablement mieux laisser le personnel de la sécurité se charger des questions de sécurité et lui-même se concentrer plutôt sur la réparation du réseau de senseurs. Mais il se passait quelque chose d'anormal sur la station, c'était certain.

Le technicien Jattera avait ramassé ses outils.

— Si on allait casser la croûte sur la Promenade ? proposa O'Brien.

— D'accord, répondit le Bajoran après un moment de silence.

Une fois attablés au Réplimat, Jattera choisit le premier plat qui se trouvait au menu, un ragoût de boulettes de poisson, et O'Brien commanda des côtelettes d'agneau grillées avec des pomme de terre rôties. « Et deux grosses synthales bien fraîches », ajouta-t-il avec une joie anticipée. Miles O'Brien adorait son épouse, mais il lui arrivait de trouver la cuisine de Keiko... les algues, le plancton...

Enfin, bref, un homme avait parfois besoin de se mettre un bon repas consistant sous la dent.

— Qu'est-ce que je donnerais pour une bonne ale irlandaise ! rêva-t-il tout haut en poussant un soupir.

— Irlandaise ? demanda Jattera avec une ignorance excusable.

— C'est un peuple de la Terre, mon monde natal. Mes ancêtres étaient irlandais. Ah, j'en ai l'eau à la bouche, rien que d'y penser. Une ale irlandaise avec des côtelettes d'agneau...

— Monsieur désire une ale irlandaise ? demanda le garçon qui avait entendu.

— Quoi ? Vous êtes sérieux ? Une vraie ale ? Importée d'Irlande ? De la Terre ?

— Pas importée, non. Mais nos synthétiseurs peuvent fabriquer le type de bière ou d'ale de votre choix, dit le garçon avec fierté.

— C'est ce qu'on va voir, déclara O'Brien, et quand on apporta la boisson, il en scruta la couleur, la texture crémeuse de sa mousse, la taille des bulles qui s'élevaient le long des parois du verre.

Il fronça les sourcils et prit une gorgée. Il ferma les yeux et une expression de félicité se peignit sur son visage.

— Par le ciel ! Je jurerais que c'est de la vraie ! s'exclama-t-il.

Le garçon de table releva le menton avec un air satisfait.

— Et du kanar, vous en avez ? demanda timidement Jattera.

— Tout de suite, monsieur !

— Du kanar ? s'étonna O'Brien. Vous en buvez ?

Il était surpris de voir un Bajoran commander la boisson favorite des Cardassiens.

— C'est l'habitude, vous comprenez, expliqua Jattera en haussant les épaules comme pour s'excuser. Durant... enfin, vous voyez ce que je veux dire. On ne trouve plus de kanar ici depuis longtemps.

Quelques instants plus tard, le serveur apporta les assiettes, accompagnées d'un kanar pour Jattera et d'une autre ale pour O'Brien. Les épaisses côtelettes d'agneau étaient tendres et savoureuses, bordées d'une mince tranche de gras croustillant.

— Oh, gémit-il de plaisir en mastiquant. Oh, ma sainte mère, on dirait qu'elles sortent de ton four !

Le garçon eut une mine réjouie et se hâta d'aller servir une autre table.

— Et toi, c'est bon ? demanda l'ingénieur à Jattera après avoir savouré avec volupté quelques bouchées de plus.

— Excellent. Absolument délicieux, en fait. J'en suis étonné.

O'Brien, la bouche pleine, l'approuva d'un hochement de tête. Tout en trempant une tranche de pomme de terre dans le reste du jus d'agneau, il commençait sérieusement à se demander s'il se trouvait vraiment au Réplimat de DS-Neuf. Cela semblait impossible. Depuis quand les appareils fonctionnaient-ils si bien ici ?

— Tiens, c'est vous, chef ? Quelque chose ne va pas avec la combinaison ? Est-elle mal ajustée ?

— Oh, non. En fait, je n'ai pas encore eu le temps de passer à la maison. Dites-moi, Garak, j'aimerais bien savoir qui a réparé votre appareil de coupe. Ils ont fait du bon travail, fit-il observer en riant. Si ce ne sont pas des gars qui travaillent déjà aux Opérations, je les embaucherais !

Garak pâlit légèrement. Pour éviter le regard de O'Brien, il baissa les yeux et replaça un étalage de tuniques.

— C'est-à-dire que... Je ne sais pas qui a fait le travail. On est venu chercher la machine, puis on me l'a rapportée une fois la réparation terminée.

— Ah bon ? Qui est venu la chercher ?

— Le petit Férengi.

— Nog ?

De plus en plus insensé ! Leur race devait compter d'excellents ingénieurs et techniciens, pensa O'Brien, mais les seuls Férengis qu'il connaissait sur la station étaient Quark et son équipe de spécialistes des tours de passe-passe. Et Nog ne possédait sûrement pas de grandes connaissances techniques, il en était certain ; une grande habileté de pickpocket, peut-être, mais là s'arrêtait le champ de ses compétences. O'Brien avait abondamment entendu parler de l'adolescent férengi par Keiko, qui n'était jamais parvenue à intéresser ni le garçon ni son père aux vertus de l'éducation.

— Si j'ai bien compris, poursuivit Garak, mal à l'aise, le gosse travaille pour quelqu'un qui vient de mettre sur pied un commerce de réparation d'équipement. Ce n'est pas trop tôt, d'ailleurs ; on a laissé se détériorer tellement de choses ici.

O'Brien ne releva pas cette allusion à peine voilée à l'efficacité de son service.

— Quelqu'un ? répéta-t-il.

— C'est exact, répondit évasivement Garak.

— Et quand ont-ils commencé ce petit commerce ?

— Mmm.. Il me semble que cela remonte à trois jours. Je ne pouvais travailler sans ce coupeur de patrons, vous savez. Il a dit que cette réparation passerait en priorité.

— En échange d'un petit supplément, je suppose.

— C'est exact. Mais j'en avais vraiment besoin. Y a-t-il un problème, chef ? demanda le Cardassien en se penchant au-dessus de son comptoir.

— Non ! assura O'Brien sur-le-champ et il s'éloigna. Pas du tout.

C'était seulement diablement étrange.

CHAPITRE 17

Malgré l'interdiction de son père, qui craignait la menace d'attentats terroristes, Jake Sisko était venu flâner sur la Promenade, parmi les foules nombreuses rassemblées autour du Quark's et du Réplimat. Papa semblait n'avoir jamais songé qu'il n'y avait rien d'autre à faire sur la station pour un garçon de son âge, excepté d'aller à l'école — terminée pour aujourd'hui — et faire des devoirs — ce dont Jake n'avait aucune envie. S'il s'y mettait, aussi bien dire que la journée était foutue.

Nog n'était pas obligé d'assister aux cours tous les jours. Jake, qui ne l'avait pas revu depuis l'explosion du commerce de Garak, était presque certain que son copain essayait de l'éviter. Il éprouva une certaine gêne au souvenir de cet incident, persuadé que Nog était retourné à la boutique pour voler les marchandises du Cardassien. Jake se disait parfois que son père avait sans doute raison, à propos du Férengi, mais Nog était le seul camarade possible sur la station !

Il s'arrêta à un étal pour acheter un glopsicle, qu'il suçota un moment avant de le jeter dans le premier recycleur qu'il trouva. Cette friandise, le régal de Nog, ne lui avait jamais plu. Les bâtonnets sucrés n'avaient jamais eu si bon goût que la fois où le Férengi et lui en avaient chipés à un marchand et s'étaient enfuis à toutes jambes.

Il avait mal agi, bien sûr, et son père avait été rudement clair sur cette question à ce moment-là. Mais cela avait été *amusant* aussi. Excitant. Chose certaine, Nog s'y connaissait en matière de sensations fortes... et Jake ne détestait pas ça. Pour une station remplie de diplomates extraterrestres, de terroristes, de contrebandiers, de fugitifs et de soldats cardassiens, DS-Neuf pouvait s'avérer un endroit des plus ennuyant... pour un adolescent.

Pensant à Nog, il se glissa par une porte où il était inscrit : **Réservé au personnel autorisé**, descendit un couloir et se rendit jusqu'à un passage de marchandises situé derrière les boutiques de cette aile de la Promenade. Nog aimait rôder dans ces allées de service, à la recherche de ce qu'il appelait des *occasions*, et que le père de Jake appelait des *ennuis*.

Deux ouvriers le virent et l'un d'eux l'interpella : « Hé, toi, tu n'as pas le droit d'être ici », mais ils ne firent rien pour l'expulser. Jake aperçut alors une courte silhouette familière sortir du laboratoire d'analyse des minéraux. « Nog ! » héla-t-il son ami, dans l'espoir de l'arrêter.

Le jeune Férengi s'arrêta et se retourna pour voir qui l'appelait. Il enfonça le cou dans les épaules.

— Nog ! cria Jake de nouveau. Attends-moi !

Nog pivota lentement sur lui-même. Il transportait un fourre-tout qui paraissait lourd.

— Où étais-tu passé ? demanda Jake avec chaleur. Je t'ai cherché partout ! Que faisais-tu ?

— Je m'occupe d'une affaire importante. Je n'ai pas le temps de *m'amuser*.

Il tenta de s'en aller, mais Jake lui colla aux basques.

— Quel genre d'affaire ? C'est ça que tu as là-dedans ? demanda-t-il en jetant un regard avide sur le sac que le Férengi tenait dans ses bras.

— C'est confidentiel, répondit Nog avec irritation en serrant le colis contre sa poitrine. C'est un secret, tu comprends ?

— Mais tu peux me le dire à moi. Je sais garder un secret, plaida Jake à son ami qui ne semblait pas convaincu. C'est un nouveau programme spécial pour les holosuites de ton oncle ? *Allons*, Nog, dis-le moi !

Jake traversait une étape vulnérable de son adolescence. Il brûlait autant de visionner un autre des programmes de sexe de Quark qu'il redoutait la réaction de son père s'il venait à apprendre que Jake en connaissait même l'existence.

— Ça n'a rien à voir avec ça, répondit le jeune Férengi d'un ton sec. C'est *mon* business, pas celui de Quark ! ajouta-t-il, même si son oncle avait mis la haute main sur ses affaires depuis la visite de Odo à la salle de jeu.

Une injustice inacceptable. C'était Nog qui avait trouvé Berat, et également lui qui avait eu l'idée de ce commerce de réparations. C'était donc lui qui aurait dû empocher les profits ! Au lieu de quoi il restait le simple garçon de course de Quark, bon seulement à faire des livraisons et à abattre tout le sale boulot.

— Et alors, qu'est-ce qu'il y a là-dedans ? redemanda Jake. Je parie que c'est quelque chose que tu as volé, pas vrai ?

Nog allait protester quand un officier de la sécurité de Starfleet se matérialisa dans le couloir devant eux. « Vous deux, pas un geste ! »

Jake resta figé quand elle activa son commbadge.

— Sécurité, ici Occino. Je les ai trouvés, dit-elle, puis elle se tourna vers les garçons. On a signalé la présence de personnes non autorisées dans les passages de fret. Vous n'avez pas le droit d'être ici, vous ne le savez pas ? Ces couloirs sont dangereux, même quand il n'y a pas de terroristes sur la station.

Elle adressa à Nog un regard sévère, manifestement au courant de la réputation du Férengi.

— Et toi, qu'est-ce que tu caches là-dedans ? voulut savoir la policière.

Un bref instant, Nog sembla sur le point de détaler sans demander son reste, mais il se cramponna à son fourre-tout, comme s'il n'avait pas voulu le lâcher pour cavaler à son aise.

— C'est un travail de classe, répondit Jake avec aplomb, inspiré par une illumination subite. C'est notre projet du cours de sciences. Nous le faisons ensemble.

— Es-tu le fils du commandant Sisko ? demanda la femme de la sécurité, indécise.

— Oui, mon nom est Jake Sisko. Nous revenons de l'école.

— Eh bien, ce n'est pas un bon raccourci pour les enfants, fit observer Occino, puis elle les escorta jusqu'à la Promenade en leur suggérant de rentrer directement à la maison et d'éviter les ennuis.

— Pour un humain, tu as pensé vite, le félicita Nog, visiblement soulagé. Une chance que ce n'était pas Odo.

— Ouais. À présent, tu peux me dire ce qu'il y a dans ton sac, insista Jake.

— Mais je te répète que c'est un secret.

— Allons, Nog. Je viens de te sauver la mise. Ça ne compte pas pour toi ?

— Peut-être. Mais tu dois me jurer de garder le silence, exigea Nog qui connaissait les scrupules des humains et des Klingons concernant l'honneur.

— Je ne dirai rien ! Je le jure !

— Pas même à ton père ?

— Ce n'est pas quelque chose d'*illégal* ? hésita Jake.

— Pas selon les lois de la Fédération, assura Nog, bien qu'il n'eût pas une idée très nette des lois fédérales s'appliquant en pareille occasion.

— Dans ce cas, je le jure. Je n'en parlerai à personne.

— Tu le jures sur l'honneur ?

— Je viens de te le dire, non ?

— C'est bon. Suis-moi.

Les deux conspirateurs gagnèrent une autre porte d'accès, celle-là plus près du Quark's. « Ne fais pas de bruit », l'avertit Nog tandis qu'ils se glissaient dans l'allée de service, même si cet avertissement était superflu.

Dans la salle de jeu, pleine à craquer, une foule particulièrement compacte avait pris le bar d'assaut.

Des créatures de plusieurs dizaines d'espèces différentes — à l'exception toutefois de Cardassiens — dissipaient leur or et autres biens de prix dans un joyeux tapage, et les escaliers des holosuites — le site des fantasmes adolescents les plus coupables de Jake — étaient animés d'un va-et-vient continuel.

Nog le conduisit à travers une petite pièce jusqu'à un local que Jake avait toujours pris pour une réserve de matériel remplie de caisses et de boîtes. Une porte au fond s'ouvrait sur une autre salle.

— Il vaudrait mieux que tu ne parles pas de ton père, compris ? dit Nog en se tournant vers lui.

Jake acquiesça, au comble de l'excitation.

Nog appuya sur le mur, à un endroit précis, et une section de la cloison glissa, révélant une chambre secrète.

— Salut, Berat, dit Nog. Je t'ai apporté d'autres trucs à réparer ! En priorité !

Jake braqua le regard sur l'individu assis derrière la table. Un Cardassien !

L'homme, apercevant l'étranger qui accompagnait Nog, tendit nerveusement la main vers un fuseur posé à sa portée sur la table. « Qui est-ce ? » demanda-t-il.

— C'est Jake, un ami à moi. Il ne dira rien. Il l'a juré sur l'honneur.

— Un humain ?

— Jake est un ami. Son père travaille sur la station. Avec les diplomates.

— Un diplomate ? Alors il connaît peut-être quelqu'un qui pourrait me trouver un passage sur un vaisseau ? supposa Berat, la voix vibrant soudain d'espoir.

— Mais oui ! Peut-être. Pas vrai, Jake ? insista le Férengi d'un ton lourd de sous-entendus.

— Euh, ouais. Bien sûr. Peut-être.

— Je dois *absolument* trouver un vaisseau pour partir d'ici, dit Berat avec désespoir, autant pour lui-même que pour les autres.

— Je m'en occupe. Hein, Jake ? Tu vois, Berat ? Mais pour l'instant, il faut réparer cet appareil d'analyse minéralogique du laboratoire de gemmologie. Harilo dit qu'il s'est déréglé voilà deux jours. L'afficheur ne fonctionne plus. Je lui ai dit qu'il passerait en priorité absolue. Tu crois que tu peux faire quelque chose ?

— Tu leur dis tous qu'ils passeront en priorité absolue, Férengi. Tu oublies que je n'ai personne pour m'aider, et ce genre d'appareil n'est pas ma spécialité.

— Je sais. Mais tu peux tout de même jeter un coup d'œil, non ?

— Fais voir, dit Berat avec lassitude en tirant le bloc vers lui.

La table était couverte de monceaux de pièces et de toutes sortes d'appareils intacts. À présent, Jake était presque fiévreux d'excitation. Il n'avait aucun doute : ce Cardassien, nommé Berat, était le déserteur qu'on recherchait partout sur la station. Papa avait piqué une sainte colère quand il avait appris que la police militaire du *Swift Striker* avait écumé la Promenade pour tenter de le retrouver. Et Nog le cachait ici, juste en-dessous des holosuites du

Quark's ! C'était incroyable. On racontait que ce type était recherché pour *meurtre* !

Jake se mordit les lèvres. Après tout, peut-être ferait-il mieux d'en parler à son père... mais il avait fait une promesse à Nog. Il avait juré de garder le silence. De plus, le Cardassien n'avait rien d'un meurtrier, malgré le fuseur qu'il gardait à côté de lui. Il avait l'air d'un Cardassien, évidemment, mais il semblait surtout fatigué et affamé. Nerveux, aussi.

Berat jeta un coup d'œil à l'appareil d'analyse minéralogique.

— Impossible de réparer ça, à moins que tu trouves un nouveau cristal chromatospectral. Celui-là est fissuré le long de l'axe central. J'ai l'impression qu'il a été mal calibré à l'origine, ou bien quelqu'un a essayé de faire des ajustements illégaux. Ce genre de cristal est extrêmement sensible.

— Et les autres appareils ? demanda Nog, déçu, en pointant les équipements empilés à l'autre bout de la table.

— Ces deux-là sont prêts. Celui-là sera peut-être fini demain, *si* tu m'apportes les pièces que je t'ai demandées.

— Je les ai, dit Nog en lui tendant le fourre-tout.

Berat en éparpilla le contenu sur la table et fouilla parmi les morceaux.

— Je crois que ça pourra aller, dit le Cardassien en levant les yeux vers Jake. Comme ça, humain, tu pourrais me trouver un vaisseau pour quitter cette station ?

— Euh... fit Jake, et il vit passer sur le visage de Nog une expression affligée qui voulait lui signifier quelque chose. Quel genre de vaisseau ? demanda-t-il pour gagner du temps. Et où voulez-vous aller ?

— N'importe où ! Loin de l'espace cardassien ! Un cargo ferait l'affaire. Je ne serai pas une charge inutile ! Tu peux leur dire ça. Je suis un ingénieur qualifié. Les moteurs de vaisseaux stellaires ne sont pas ma spécialité et je connais mieux le fonctionnement des stations, mais je suis prêt à faire n'importe quoi. De la maintenance, de l'entretien... n'importe quoi.

— Nous ne pouvons pas agir maintenant, c'est encore trop dangereux, l'interrompit Nog. Je te l'ai dit. Gul Marak n'est pas parti et la police de la station te recherche toujours. Nous avons été arrêtés par la sécurité en venant ici. Pas vrai, Jake ?

— Euh, ouais. En effet.

— Sans Jake, ils auraient découvert tous ces trucs, expliqua Nog en tirant son ami par le bras. Allons, viens, il est temps de partir. Je dois aller chercher le repas de Berat.

Jake n'avait pas envie de s'en aller. Berat le fascinait. C'était la première fois qu'il rencontrait un vrai Cardassien, en uniforme. Il connaissait seulement Garak, le couturier, et il était difficile de l'imaginer en train de faire... toutes ces choses que les Cardassiens étaient censés faire.

— Pourquoi tu ne vas pas le chercher tout seul ? suggéra Jake. Je t'attendrai ici.

— Ce n'est pas une bonne idée, objecta Nog en fronçant les sourcils. Je crois que mon oncle n'aimerait pas ça.

— Mais Nog, tu dis que c'est *ton* business, pas celui de Quark !

— Laisse l'humain rester, Férengi, ajouta Berat. Peut-être que ça te fera revenir plus vite, pour une fois.

Nog finit par céder, de mauvaise grâce, mais il ne les quitta pas sans les avertir :

— Je dois verrouiller la porte, au cas où quelqu'un viendrait pendant que je suis parti.

Quand la porte se referma en glissant, Jake réalisa — un peu tard — qu'il se trouvait maintenant enfermé dans cette pièce avec un éventuel meurtrier. L'envie le prit de crier à Nog de revenir. Nerveux, il posa les yeux sur le désordre de la table, les outils, les pièces d'équipement...

— Vous êtes capable de réparer tous ces machins ?

— La plupart, répondit Berat en haussant les épaules. Si j'ai les pièces nécessaires. Cette station n'a pas été bien entretenue, dit-il en secouant la tête.

— Mon père dit, euh... Il dit que les Cardassiens ont démoli DS-Neuf exprès lorsqu'ils sont partis, juste pour que les Bajorans ne puissent pas en profiter. Je me souviens que presque tout était brisé sur la station quand je suis arrivé, se rappela Jake, puis il se tut et tira quelques objets de ses poches. J'ai trouvé ça...

— Ça, c'est un chronomesureur, dit Berat en prenant les articles et haussant de nouveau les épaules. Il pourrait sûrement marcher si tu avais les bons éléments de la batterie. Ça, c'est un communicateur personnel, continua-t-il en forçant le panneau d'accès du petit appareil.

— Vous pouvez le réparer ?

— Peut-être. Est-ce vrai ? demanda soudain Berat d'une voix désespérée en levant les yeux vers Jake. Ce que dit le Férengi à propos de la sécurité ? Je n'arrive pas à croire que j'ai remis mon sort entre les mains d'un Férengi.

Jake fit oui de la tête, se sentant un peu coupable de cacher une partie de la vérité.

— Ils vous cherchent, c'est sûr. J'ai entendu dire que Marak offre une récompense pour votre capture. Mais personne de Starfleet ne l'accepterait.

— Je suis donc bloqué ici, dit Berat et ses épaules s'affaissèrent.

Il prit un outil et commença à sonder l'intérieur de l'unité de communication.

— Hum... On dit que vous avez déserté le vaisseau cardassien, osa demander Jake. On dit que vous avez... assassiné quelqu'un.

— Je l'ai tué, pas assassiné, déclara Berat en relevant la tête. C'était mon ennemi. Il voulait ma peau. Ce concept fait-il partie de vos lois, humain ?

— Euh, vous voulez dire la légitime défense ? Oui, je suppose, répondit Jake après un moment de réflexion. Mais alors, vous pourriez vous livrer à...

— Non ! s'exclama Berat en empoignant Jake par les bras. Tu ne comprends pas ! Il ne faut pas qu'ils me trouvent ! J'ai été assigné sur le vaisseau de Marak pour qu'ils puissent se débarrasser de moi, me tuer à leur guise et sans témoin. Mon seul espoir est de fuir ! Ils ont tué mon père, deux de mes oncles, et mon frère. Ils ne me lâcheront pas avant d'avoir eu ma peau.

— Ils les ont tués ? Pourquoi ?

— Parce qu'ils étaient du mauvais bord, soupira Berat en le relâchant. Ma famille faisait partie de l'ancien gouvernement. Mon père siégeait au conseil des ministres et savait que la guerre coûtait trop cher à notre monde. Les ressources de Bajor étaient taries, les activités des terroristes devenaient de plus en plus violentes, la Fédération menaçait d'intervenir. Il était insensé de poursuivre l'occupation. Mon père ignorait *totalement* l'existence du trou de ver. Personne ne la connaissait !

« Ils l'ont obligé à faire une fausse confession, puis ils l'ont pendu comme traître, aux côtés de son frère et de son fils. Ils m'ont obligé à assister à toute la scène...

Jake était à la fois horrifié et fasciné. « Ils les ont *pendus* ? »

— Sur la place publique de notre capitale, précisa Berat en frissonnant à ce souvenir. C'étaient des hommes robustes, leur agonie a été longue. Le nouveau gouvernement avait transformé l'événement en spectacle. Ils n'ont commencé à les lapider qu'au bout du troisième jour.

— Les lapider ? Vous voulez dire... qu'ils étaient encore vivants trois jours après leur pendaison ? demanda Jake, frappé de stupeur, et il observa la forte musculature du cou de Berat, ses tendons vigoureux, commençant lentement à comprendre que le rituel de la pendaison différait peut-être chez les Cardassiens.

— J'ai dû rester durant tout ce temps. Et quand la lapidation a commencé... Dans un sens, ç'a été un soulagement. Que tout finisse, acheva-t-il en fermant le panneau avec un bruit sec. Voilà. Il devrait fonctionner à présent.

— Merci, dit Jake avec un air absent.

— Trouve-moi un vaisseau, humain. Un moyen de partir d'ici.

Jake hocha la tête, horriblement gêné par les mensonges de Nog, et de s'en être fait complice. Mais peut-être pourrait-il faire quelque chose. En tout cas, il pouvait essayer.

La porte s'ouvrit derrière eux et Nog entra, un plateau contenant des drolis et un pichet de bière entre les mains. Il leur lança tous les deux un regard soupçonneux.

— Voilà le dîner, dit-il, puis il s'adressa à Jake d'un ton brusque. Tu t'en vas, maintenant ? J'ai beaucoup de travail, tu sais. Et Berat aussi. Nous avons des réparations qui doivent être faites de toute urgence.

— J'ai été heureux de vous rencontrer, dit Jake à Berat en se levant.

Il aurait bien voulu lui serrer la main, mais l'expression glaciale du Cardassien l'arrêta.

« Au revoir », ce fut tout ce qu'il trouva à dire.

CHAPITRE 18

C'était presque l'émeute, à l'extérieur des locaux de la Sécurité, lorsqu'on relâcha finalement les patrouilleurs de pont cardassiens. Les officiers furent forcés de s'interposer entre les ex-prisonniers hargneux et la foule de Bajorans qui les conspuaient, bien résolus à les escorter jusqu'au sas et, s'il le fallait, à les en expulser de la manière forte.

O'Brien réussit à s'introduire à l'intérieur du bureau pour attendre que Odo en ait terminé avec les remises en liberté. Il trouva le major Kira devant un moniteur, surveillant le déroulement de l'opération.

— À ce que je vois, Gul Marak a fini par délier les cordons de sa bourse, observa l'ingénieur.

— Maudits Cardassiens, pesta Kira. Ils descendent sur la station avec leurs armes, se moquent de notre réglementation et maltraitent nos résidants ; et ensuite ils croient qu'ils n'ont qu'à verser une somme d'argent pour s'en tirer.

O'Brien battit les paupières, un peu déconcerté par le ton qu'elle employait.

— Je croyais que c'était le commandant Sisko qui avait décidé d'infliger les amendes, dit-il.

Kira poussa un soupir et se passa la main dans les cheveux.

— Pardonnez mon emportement, chef. La journée a été plutôt difficile.

— Pas une autre bombe ?

— Des affiches, expliqua-t-elle en secouant la tête.

— Des affiches ? Comme celle de la boutique de Garak ?

— Exactement. On les a trouvées dans les turbolifts, à proximité des quartiers d'accueil VIP.

Elle pianota sur son clavier pour lui montrer ce dont il s'agissait. O'Brien lut le message à l'écran :

Sang bajoran, Territoire bajoran.
Où était la Fédération quand nous nous faisions massacrer ?
Hors de Bajor, les étrangers !
Vous êtes prévenus !

— Bon Dieu ! murmura-t-il. Et vous devez trouver qui a fait ça ?

Kira fronça les sourcils à l'accent compassé de la voix de l'ingénieur.

— C'est mon travail, se contenta-t-elle de dire, puis elle jeta un dernier coup d'œil au moniteur avant de se lever. Eh bien, on dirait que le spectacle est terminé. Les Cardassiens sont retournés sur leur vaisseau et les commerçants ont empoché leur fric. Vous vouliez me voir, chef ? demanda-t-elle à O'Brien.

— En fait, c'est à Odo que je voulais parler. Je reviendrai peut-être plus tard.

Ben Sisko attendait un appel du *Swift Striker* depuis le moment où il avait donné l'autorisation de remettre les Cardassiens en liberté.

— Je vous écoute, Gul Marak. Qu'y a-t-il ?

— Sisko ! J'ai aboulé votre sale pognon ! Qu'attendez-vous à présent ?

— Que voulez-vous dire, Marak ? Vos hommes ont été libérés.

— Je veux savoir *quand* les Cardassiens auront le droit de retourner sur DS-Neuf ?

— J'ai l'intention de discuter de cette question avec mes officiers de sécurité plus tard aujourd'hui. Il y a beaucoup de tension dans l'air ici, depuis cet incident. Je veux éviter toute violence.

— Essayez-vous de me dire que je ne pourrai pas me rendre sur la station ? demanda Marak en se penchant vers l'écran, l'air menaçant. Je dois traiter plusieurs affaires légitimes avec de nombreux ambassadeurs, Sisko. Dois-je les informer que le commandant de Starfleet leur *interdit* de me rencontrer ?

— J'aviserai la sécurité que vous et vos assistants avez l'autorisation de monter à bord, soupira Sisko. Quant à votre équipage, nous verrons.

— Parfait ! claqua le commander cardassien. Et le déserteur ? Vous m'avez *assuré* que votre sécurité allait se charger de cette affaire. Alors, où en sont-ils ? Où se trouve-t-il ?

— J'ai confié cette enquête à mon chef de sécurité lui-même. Il n'a rien trouvé. Pas le moindre indice. Vous *prétendez* avoir des témoins qui ont vu le fugitif, mais de qui s'agit-il ? Qu'ont-ils dit exactement ?

— Vous essayez de vous défiler ou quoi ? demanda Marak en découvrant les dents. Peut-être vous faudrait-il un nouveau chef de sécurité ! Peut-être que cette station a besoin d'un nouveau commandant ! Que faites-vous à ces postes si vous n'avez pas encore réussi à retrouver un fugitif clandestin ? Ne croyez surtout pas que je vais simplement laisser tomber cette affaire ! Si vous êtes trop incompétent pour cette besogne, je m'en occuperai moi-même !

— Je vous trouve bien pressé de voir vos hommes monter à bord, Gul. Qu'y a-t-il de si urgent ?

— Mais par tous les diables de l'enfer sidéral, que voulez-vous insinuer, Sisko ?

— Vous cherchez peut-être simplement une bonne excuse pour envoyer vos hommes sur DS-Neuf. Pour une raison que j'ignore.

Marak abattit son poing sur sa console avec une telle force que Sisko entendit distinctement le bruit des composantes fracassées. La mine patibulaire du Cardassien prit une teinte inquiétante et les veines de son cou palpitèrent d'une rage visible.

— Je vous ai pourtant *dit*... que cet homme est un *traître* ! Si c'est vous qui avez manigancé tout ça...

— Je n'ai rien manigancé du tout, Marak !

— Voulez-vous voir le cadavre de l'officier qu'il a tué ? Ou la sentinelle qu'il a attaquée ? Seriez-vous satisfait ? Écoutez-moi bien, Sisko, je vous préviens pour la dernière fois...

— Pas de menaces, Marak !

Les deux commandants échangèrent des regards brillants de fureur. Ce fut Sisko qui céda cette fois.

— D'accord. Je fais tout mon possible pour retrouver votre fugitif. Après tout, je ne veux pas d'un meurtrier en cavale sur ma station. Mais si vous tenez vraiment à ce que je le capture, vous pourriez peut-être nous fournir quelques renseignements supplémentaires.

— Quel genre de renseignements ?

— À propos des témoins, entre autres.

— Il s'agit d'un rapport confidentiel.

— Plus de détails concernant ce déserteur, aussi. Ses antécédents. Bon sang, nous ne savons même pas de quoi il a l'air ! Envoyez-nous son dossier personnel et nous aurons peut-être quelque chose pour nous mettre sur la piste !

— L'accès au fichier de service cardassien est interdit.

— Autrement dit, vous refusez de collaborer. Et vous continuez de penser que nous allons vous croire ?

— Vous n'avez qu'à laisser mes hommes fouiller la station. Je peux vous garantir que nous allons trouver cette fripouille.

— C'est hors de question, refusa Sisko tout net. Si c'est tout ce que...

L'image de Marak disparut abruptement de l'écran.

Sisko se laissa tomber dans son fauteuil. « Merde », dit-il simplement.

— Bien le bonjour, chef O'Brien ! Vous sentez-vous la main heureuse aujourd'hui ?

— Merci, Quark, refusa poliment l'ingénieur en prenant place au bar. J'ai seulement le gosier sec. Une synthale fraîche, ça suffira.

— Une préférence ? demanda le Férengi avec un brin de fatuité. Nommez votre poison favori, chef !

— Une ale irlandaise ?

— Une ale irlandaise, tout de suite ! Directement de cette vieille Irlande, sur la Terre... ou presque ! Vous ne verrez pas la différence !

O'Brien prit une petite gorgée de la bière que Quark lui apporta et en loua la qualité. Elle était aussi bonne que celle du Réplimat. Une autre preuve... il ne savait pas exactement de quoi.

— Votre neveu ne travaille pas ici, aujourd'hui ?

— Nog ? Ah, non. Il est occupé ailleurs. Pourquoi ?

— Oh, j'aurais seulement voulu lui dire un mot.

— Je ne sais pas où il est, chef, dit Quark sans enthousiasme. Je ne l'ai pas vu depuis quelques heures. Vous savez comment sont les gosses, ajouta-t-il en laissant échapper un rire qui sonnait faux.

— Bien sûr. Mais j'ai promis à ma femme d'essayer de le convaincre de retourner à l'école.

— Ah oui, l'école... Voilà une institution qui est certainement bénéfique pour vos enfants, chef, mais Nog a beaucoup de choses à apprendre ici.

— Possible, admit O'Brien du bout des lèvres. Mais j'ai fait une promesse à Keiko.

— Ah, Keiko... une femme charmante, murmura Quark, l'œil brillant de lubricité — une lueur qui s'éteignit dès qu'il aperçut le regard furieux de son mari. Et une institutrice hors pair, j'en suis persuadé.

Exactement ce qu'il faut à Nog. Je lui glisserai un mot de ce que vous m'avez dit quand je le verrai, d'accord ?

O'Brien continua de siroter sa bière. Le gosse était impliqué dans les événements en cours, quels qu'ils fussent. Et Quark cachait quelque chose. O'Brien en avait la certitude. Mais... que se passait-il au juste ?

CHAPITRE 19

Levant les yeux de son bureau, Odo vit le chef des opérations entrer dans les locaux de la Sécurité.

— Chef O'Brien. Le major Kira m'a dit que vous désiriez me voir.

— En effet. Constable, ce ne sont peut-être pas mes affaires, mais je crois avoir découvert quelques nouvelles *anomalies*.

— Que voulez-vous dire ? demanda Odo qui dressa aussitôt l'oreille.

— Vous vous souvenez des senseurs restaurés que nous avons trouvés sur le pylône six, n'est-ce pas ? Et des alarmes trafiquées, dans le sas ? Je vous ai dit à moment-là que celui qui avait fait ça s'y connaissait et qu'il s'agissait probablement d'un technicien. Il semblerait maintenant que quelqu'un ait réparé un tas d'appareils sur la Promenade. Et il fait un sacré bon travail. Alors j'ai voulu me renseigner, en posant quelques questions, vous comprenez.

— Oui ? Et alors ?

— Eh bien, je crois que Nog, le petit Férengi, trempe dans cette histoire. Je sais que ça paraît invraisemblable, mais on raconte que le gamin a monté un business de réparation d'appareils, quelque part sur la station. Il ramasse le matériel et le rapporte aux clients... en parfait état de marche. Si quelqu'un sur la station était capable de faire ça, il me semble que je le saurais. À moins...

— À moins que notre déserteur ait quelque chose à voir là-dedans, termina Odo.

— Presque tous les appareils en question sont de fabrication cardassienne, ajouta O'Brien.

— Merci, chef, dit sèchement Odo. Je crois qu'il y a anguille sous roche. Essayons de voir ce qui se passe, suggéra-t-il en se tournant vers sa console. Ordinateur, mettez-moi en liaison avec Gul Marak, du *Swift Striker*.

Le visage d'un Cardassien apparut à l'écran. « Gul Marak ne peut pas vous parler en ce moment, il est occupé. »

— Ça ne m'étonne pas, marmonna O'Brien.

Le chef ingénieur se rappela la mine déconfite des Cardassiens quand ils avaient regagné leur vaisseau. Il n'aurait pas voulu être du nombre et devoir affronter l'humeur de Gul Marak.

— Je suis le chef de sécurité de DS-Neuf, précisa Odo en s'adressant à l'écran. Mon appel concerne le déserteur cardassien.

— Je... vais voir si le Gul est disponible, bredouilla le visage à l'écran.

— Ça y est ? Vous l'avez capturé ? demanda Marak un instant plus tard.

— J'ai une piste. Une piste possible.

— Vous m'appelez parce que vous avez... une *piste* ?

— Gul, on m'a dit que vous vouliez voir cette affaire progresser. Cela sera peut-être possible si vous me communiquez quelques renseignements. Quelles fonctions occupait ce déserteur sur votre vaisseau au juste ? Possède-t-il des compétences techniques particulières ?

— Berat ? Il était préposé à l'entretien. Au dernier échelon. Il nettoyait les planchers, récurait les toilettes.

— Il n'était donc pas spécialement versé en matière de réparation ou de maintenance des systèmes d'opérations ? Nous avons certaines raisons de croire que notre suspect est un technicien.

— On pourrait dire que c'en est un, fut forcé d'admettre Marak. Il a déjà fait partie d'une équipe d'entretien des systèmes d'opérations sur une de nos stations spatiales. Il a été rétrogradé pour négligence criminelle et incompétence.

— Je vois. Il me serait utile de jeter un coup d'œil à son dossier personnel.

— J'ai déjà dit à Sisko que ces rapports sont confidentiels !

— Dommage. Mais ces maigres informations nous permettront peut-être de faire quelques progrès.

— Ne le laissez pas filer, lança le Gul d'un ton rageur, et il coupa la communication.

— Vous aurez peut-être du mal à me croire, soupira Odo en se tournant vers O'Brien, mais des moments comme ceux-là me font regretter Gul Dukat. C'était un félon achevé, mais au moins on pouvait tenir une conversation avec lui.

— À dire vrai, je vous comprends tout à fait, répondit O'Brien en fixant l'écran éteint.

— Vous êtes de retour, chef ?

— Je ne fais que passer, Quark. Juste le temps d'avaler une de vos ales irlandaises !

— Eh bien, la voilà ! s'empressa Quark, qui s'adressa au synthétiseur : Une ale irlandaise pour le chef O'Brien !

— Ça, c'est du vrai de vrai ! s'émut le chef des opérations en engloutissant une gorgée du breuvage. Dites-moi, Quark, que se passe-t-il ? Vous avez fait installer un nouveau synthétiseur ?

— Ne me dites pas que vous avez l'intention d'ouvrir votre propre commerce, chef ? Je ne peux quand même pas confier tous mes secrets à un éventuel concurrent !

— Bien sûr que non. En tout cas, je ne sais pas comment vous vous y êtes pris, mais le résultat me plaît, confia-t-il en prenant une autre gorgée. Hum, je suppose que vous n'avez pas vu Nog ?

— Euh, non, je ne crois pas, répondit le Férengi qui plissa les yeux et lança des regards furtifs dans la salle. Il faudra que je parle à ce garçon. Il n'arrête pas de courir à droite et à gauche sur la Promenade.

— Mmm, fit O'Brien en levant son verre.

Il tourna son attention vers son drink et Quark se dirigea vers un autre client. L'ingénieur sirota tranquillement son ale, attentif au va-et-vient du casino. Maintenant que les quarts de travail prenaient fin, la place commençait à se remplir d'employés en mal de divertissement. Quark fut bientôt trop occupé pour faire attention à O'Brien, qui ne manquait rien de ce qui se passait dans le bar.

Comme prévu, il repéra bientôt la courte silhouette de Nog qui sortait discrètement d'une arrière-salle. « Hé, Nog ! » l'appela O'Brien en se levant, mais le garçon se raidit légèrement, tourna la tête, puis retourna d'où il était venu.

O'Brien se fraya un chemin à travers la foule agglutinée autour des tables de jeu pour suivre le jeune Férengi.

Nog regagna l'allée de service qu'il venait juste de quitter en scrutant les alentours comme s'il avait craint d'être suivi. Il ne remarqua pas, le long du mur, une des caisses qui ne s'y trouvait pas quelques instants plus tôt.

La caisse en question n'était autre que le constable Odo, qui avait mené sa propre enquête sur la Promenade et en était venu à la même conclusion que O'Brien : les Férengis étaient impliqués dans les mystérieuses réparations des équipements. Ce n'était un secret pour personne que le chef de sécurité réprouvait la présence des Férengis sur DS-Neuf, et il n'avait jamais tout à fait accepté le plan du commandant de garder Quark sur la station. Odo, lui, aurait embarqué le joueur et sa parenté sur le premier cargo en partance hors de l'espace bajoran.

Le problème des chambres secrètes de Quark situées sous les holosuites taraudait le constable depuis belle lurette. À son avis, si quelqu'un avait besoin d'une telle intimité, ce ne pouvait être que pour se soustraire à la loi. Il avait enfin l'excuse qu'il cherchait depuis longtemps pour découvrir ce qui se passait là derrière.

Même si les locaux secrets étaient remarquablement bien dissimulés, cela ne décourageait nullement

Odo. Il fallait qu'il y ait une ventilation quelconque, et donc une voie d'accès pour lui, qui pouvait se glisser dans la plus infime fissure. Il s'apprêtait à sonder les murs quand Nog revint de la salle principale du casino.

Le jeune Férengi regarda encore une fois derrière lui, visiblement nerveux — et, d'après Odo, animé d'un sentiment coupable —, puis se glissa le long d'un mur qui ressemblait à tous les autres. Il jeta un dernier coup d'œil aux alentours et pressa la paume contre un des panneaux. Quand la porte glissa, il appela à voix basse : « Berat ! Cardassien ! »

C'est tout ce que Odo avait besoin d'entendre. En un instant, son corps s'était fluidifié et avait repris sa forme humanoïde habituelle. Il entra dans la pièce à la suite de Nog.

— Vous êtes en état d'arrestation pour entrée illégale sur cette station ! annonça-t-il au Cardassien ahuri assis derrière sa table de travail.

À la vue du constable, Berat réagit violemment. Il saisit son fuseur d'une main et passa l'autre bras autour du cou de Nog, qu'il traîna jusqu'à un bout de la table. Le Férengi se débattit furieusement, couinant de terreur, mais le Cardassien appuya son arme contre sa tempe et le plaqua devant lui comme un bouclier. « Je le tuerai plutôt que de retourner là-bas ! » menaça-t-il.

Odo hésita, sensible au profond désespoir du fugitif. *Armé et dangereux*, avait dit Gul Marak : il semblait bien que le commander cardassien ne mentait pas. Nog respirait avec peine et gémissait de douleur sous la poigne du déserteur. Il avait beau être un Férengi, un tricheur et un voleur, il ne méritait pas une telle mort. Ce Cardassien était un tueur, selon toute apparence. Odo devrait calculer ses mouvements avec une extrême précision.

Berat s'éloigna de lui en serrant son otage qui se démenait comme un forcené, recula vers le mur et se dirigea vers la porte. Le constable fit mine de lui bloquer la retraite, mais Berat poussa brutalement le garçon sur lui. Nog se cramponna aux jambes du constable en hurlant et Odo perdit l'équilibre.

Berat les contourna et fonça vers la porte. Une fois dans le couloir, il chercha avec affolement un moyen de fuir. Après plusieurs jours de confinement dans cette pièce, il ne savait plus très bien où il était, ni comment s'orienter pour sortir de là. Une rumeur lui parvenait, mêlée d'éclats de rire et de jurons lancés avec bonne humeur : *Foutredieu ! Encore le rouge ! Pas moyen de gagner ce soir !*

Il se trouvait juste derrière le casino. C'était la seule issue possible.

Berat allait y entrer quand un type portant l'uniforme Starfleet surgit dans le couloir et le fixa avec attention, puis fit le geste de saisir une arme... mais en était-ce bien une ? Berat n'avait pas plus le temps de se poser la question que de trouver la réponse : l'homme lui barrait le chemin et lui bloquait la porte du bar, son unique chance de fuir.

Il activa son fuseur.

Une convulsion parcourut l'officier de Starfleet, il tomba au sol. Berat bondit par-dessus le corps inerte et pénétra dans la salle principale du casino. À moitié aveuglé par l'éclat éblouissant des jeux de lumière, il vacilla ; la foule était si nombreuse, le bruit tellement assourdissant. Les lumières lui blessaient la vue. Comment sortait-on d'ici ? Où se trouvait la sortie ? Une foule avançait vers lui en l'invectivant, mais il braqua le fuseur et tous les clients s'écartèrent aussitôt.

Berat courut en direction de la porte.

Nog poussait des hurlements stridents et il fallut un certain temps à Odo pour se dégager de son étreinte. Il arriva dans le couloir juste au moment où O'Brien s'effondrait, pendant que le Cardassien fuyait par le casino. Il s'élança à sa poursuite. « Équipe médicale, sécurité, sur la Promenade ! Au Quark's ! Le fugitif est armé et dangereux ! » cria-t-il dans son badge.

Berat courut jusqu'à la porte et déboucha dans le vaste espace du rez-de-chaussée de la Promenade. Les alarmes de la station lançaient leur plainte et une foule déchaînée tentait de le rattraper. Un officier de sécurité se matérialisa juste devant lui, puis un autre à sa gauche, tous deux armés et pointant leurs fuseurs vers lui. Berat pivota sur lui-même, désorienté, isolé au milieu de la place publique, coincé entre les murs de deux étages et la foule grandissante. Ils étaient trop nombreux. Et cette fois, personne ne se trouvait à sa portée pour qu'il puisse s'en servir comme otage.

— Stop ! cria une voix. Déposez votre arme !

Berat haletait. Il était encerclé. Pris au piège. Aucune fuite possible.

Sa main se serra sur le fuseur. Jamais. Ils ne le prendraient jamais. Pas vivant.

Il en arrivait là, finalement. À cette ultime option. Il n'avait plus le choix.

Lentement, il leva son arme, et la régla au niveau mortel ; puis il l'appuya sur sa tempe. « Non ! » cria quelqu'un, mais il était trop tard. Trop tard. C'était le seul moyen de s'en sortir, à présent. Berat ferma les yeux.

Il pressa la gâchette. Le choc foudroyant fouetta violemment son système nerveux et les ténèbres l'enveloppèrent. Il laissa échapper un dernier soupir. Puis il ne sentit plus rien — rien.

Odo courut vers lui, se frayant un chemin parmi la foule que les officiers de sécurité tentaient d'écarter. Il stoppa net à la vue du corps sans vie du Cardassien affalé sur le pont. Une femme de Starfleet, à genoux, était penchée sur lui et tentait de le réanimer en lui pressant la poitrine. Elle leva les yeux vers Odo.

— Je lui ai envoyé un tir paralysant, mais je crois qu'il était trop tard. Il avait déjà fait feu. Niveau mortel.

Odo frissonna. Les armes lui faisaient horreur. Ces espèces étaient si frêles, et mouraient si facilement...

— Équipe médicale, sur la Promenade ! D'urgence ! Faites vite !

CHAPITRE 20

Le visage furieux de Gul Marak déchira l'écran.

— J'ai demandé à parler à *Sisko*, ou à cette chose que vous nommez votre constable de sécurité.

Kira le fusilla à son tour du regard, mais sa voix demeura froide et sans expression :

— Le commandant Sisko est en réunion hors de la station. Le constable Odo n'est pas disponible.

Le chef de la Sécurité se régénérait, après une journée de dur labeur et reposait dans son état liquide primitif. Au bout d'un moment, Marak explosa d'impatience :

— Au diable ! J'ai cru comprendre que vous avez arrêté mon déserteur. Est-ce exact ?

— Nous détenons un suspect.

— Un suspect ! En détention ! Écoutez-moi, major la Bajoranne, vos excuses vaseuses ne m'intéressent pas. Ce traître est à moi ! Je le veux !

Kira serra les mâchoires. Elle dut déployer des efforts surhumains pour se retenir de répondre à Marak sur le même ton et lui suggérer de venir chercher son déserteur ; qu'ils se livrent ensemble aux actes les plus monstrueux, ce que faisaient les Cardassiens entre eux ne la regardait nullement. Ils pouvaient bien s'entre-tuer, c'était tant mieux pour les Bajorans. Mais Marak avait un côté insupportable qui réveillait l'intransigeance de Kira.

— Nous complétons présentement notre enquête sur le suspect.

— Quelle enquête ? demanda Marak. Maintenant que vous l'avez capturé, remettez-le moi !

— Il existe certaines procédures sur cette station, Gul, répliqua-t-elle d'un ton sec. Nous ne livrons pas des prisonniers comme ça. L'identité de cet individu doit être établie, ce qui est impossible pour l'instant puisqu'il est inconscient et reçoit des soins médicaux. En outre, nous porterons peut-être nos propres accusations contre lui : entrée illégale sur un territoire bajoran, voies de fait contre un officier de Starfleet, sabotage des installations de la station. Ces accusations devront être soumises à examen avant qu'une décision soit prise sur le sort du prisonnier.

— Si vous ne me le remettez pas *immédiatement...*

— Si vous voulez que le prisonnier vous soit livré, Gul, coupa Kira, je vous suggère de recourir à la procédure habituelle et de soumettre une demande d'extradition en bonne et due forme. En commençant par un dossier d'identité. Depuis le temps que vous demandez la remise de cet homme, vous ne nous avez toujours pas communiqué son dossier, ce qui nous permettrait d'établir son identité.

— Nous ne divulguons pas les dossiers personnels des Cardassiens ! Surtout pas à des *Bajorans* !

— Eh bien, dans ce cas, Gul, n'espérez pas voir votre demande considérée par une station *bajoranne* !

Nous ne vous remettrons pas un individu sur votre seule parole qu'il a déserté votre vaisseau.

Au grand soulagement de Kira, Marak coupa la communication, au moment même où elle allait flancher. Il est vrai que traiter avec Gul Marak aurait suffi à faire perdre son self-control à n'importe qui. Étrangement, Kira se surprit à regretter la présence de Gul Dukat. De l'avis populaire, tous les Cardassiens s'équivalaient, mais Kira savait que certains étaient pires que d'autres — et Marak faisait sans le moindre doute partie de ceux-là.

Chose certaine, cette fois Sisko serait content. Elle s'était entretenue avec Marak sans laisser échapper une seule remarque provocatrice. Dans le plus strict respect des règles de l'art. Enfin, presque.

C'était facile pour Sisko. Toujours sûr de lui-même. Capable de s'en remettre à cette panoplie de règlements en toutes circonstances. C'est peut-être à l'Académie de Starfleet qu'il avait appris ça.

Ou peut-être était-ce sa faute à elle, pensa-t-elle. Un déclic se produisait chaque fois qu'elle voyait un Cardassien.

Kira poussa un soupir. Il y avait plus d'un prisonnier en détention, qu'il faudrait remettre aux autorités planétaires. Le gouvernement provisoire bajoran avait adressé une demande officielle annonçant son intention de porter des accusations de conspiration et d'appartenance à une organisation terroriste contre Gélia Torly. Kira savait qu'elle serait appelée à témoigner. Sa parole allait envoyer une combattante de la liberté en prison. Et pour quelle raison ? Pour loyauté à sa cause et à son organisation. À ses camarades.

Kira ferma les yeux et chercha son équilibre intérieur. Le technicien aux communications l'interrompit :

— Major, le vaisseau cardassien vient de nous transmettre un dossier.

Kira secoua la tête. C'était toujours ça. Elle commanda les données à l'écran : le dossier personnel de technicien en maintenance cardassien nommé Berat. Elle le parcourut sans grand intérêt mais avec la satisfaction particulière d'avoir fait céder Marak.

— Avisez la sécurité. Prévenez Odo que nous avons finalement reçu la fiche identifiant le déserteur cardassien.

* * *

Ben Sisko lâcha les commandes du runabout *Rio Grande* pour poser une main sur l'épaule de Jake. Il était peiné pour son fils, qui avait insisté pour visiter la planète bajoranne malgré ses mises en garde réitérées. Sa déception était inévitable, présumait le commandant. Une extrême désolation régnait sur la plus grande partie de la surface de Bajor. Sisko devait maîtriser la violente indignation qu'il ressentait chaque fois que ce spectacle s'offrait à sa vue, et réprimer le désir brûlant de voir les Cardassiens punis pour leur crime. Démolir DS-Neuf était une chose — après tout, c'était les Cardassiens eux-mêmes qui avaient construit la station. Mais Bajor avait été un monde plein de vie, le foyer d'une civilisation avancée. De quel *droit* s'étaient-ils permis de tout détruire ?

Ce survol lui permit de mieux comprendre les motivations des Bajorans — et dont eux-mêmes avaient parfaitement conscience, soupçonnait-il, puisque le secrétaire général de Bajor avait réclamé que cette rencontre plutôt routinière se tienne à la surface de la planète.

— Content de revenir à la station, fiston ?

Jake hocha la tête, l'air lugubre. « Papa ? Les Cardassiens... sont-ils vraiment *tous* méchants ? » finit-il par demander.

Sisko fut surpris d'entendre la voix de son fils se faire l'écho de ses pensées. Il secoua la tête.

— Non, Jake, je ne pense pas. C'est ce qu'on pourrait croire en voyant la dévastation de Bajor. Mais n'oublie pas que nous n'avons jamais vu le monde des Cardassiens. Il ne faut pas juger les autres peuples.

— J'imagine que non.

Jake paraissait troublé. Sisko s'en inquiétait, mais peut-être était-ce simplement qu'il grandissait ? Pas facile d'être un parent. On voudrait protéger son enfant contre toute la cruauté de l'univers, mais lorsqu'on doit l'élever sur un vaisseau de la Fédération — ou sur DS-Neuf — c'est une tâche impossible.

Sisko serra le bras de son fils puis se concentra sur son approche imminente de la station. Lorsqu'il demanda l'autorisation de se poser, il se fit un silence avant que l'officier en poste ne s'exclame : « Commandant Sisko ! »

Des bruits confus lui parvinrent. Était-ce la voix de Kira ? Que se passait-il encore ?

— Ici Sisko, dit-il d'une voix cassante. Qu'y a-t-il ?

Il y eut une autre pause, puis une voix féminine s'éleva du communicateur.

— Ici Dax, commandant. Nous avons un petit problème ici, sur Ops. Gul Marak vient de se téléporter sur la station. Il est plutôt agité et insiste pour vous parler immédiatement, à propos de l'individu qui a déserté son vaisseau.

Sisko se sentit soulagé. Il pouvait compter sur Dax pour garder son sang-froid en toutes circonstances. Même sur DS-Neuf.

— Dites à Gul Marak que je serai sur le pont d'envol dans dix minutes, répondit-il d'une voix artificiellement calme. Si j'obtiens l'autorisation de me poser, évidemment.

— Autorisation de vous poser sur la rampe deux, *Rio Grande*, s'exécuta Dax avec une froide efficacité.

— Je veux que tu te rendes directement à nos quartiers dès que nous serons à quai, ordonna Sisko en se tournant vers Jake, l'air sévère. Je dois m'occuper de cette affaire.

— Mais papa, je...

— Pas de discussion. Cette histoire pourrait mal tourner, et même devenir violente. Tu risquerais d'être blessé.

Il reporta son attention sur les commandes du runabout, abordant le pont d'envol à la vitesse maximale permise par le règlement.

Quelques minutes plus tard, il descendait du quai de téléportation sur Ops. Un Gul Marak furieux se tenait planté face au major Kira, qui arborait une expression non moins hostile, tous deux encadrés par des agents de sécurité. Dax, debout entre eux, accueillit son arrivée avec un soulagement manifeste.

Marak était en rage, des plaques sombres s'étaient formées sur sa peau calleuse.

— Commandant, cette *femme* refuse de libérer mon prisonnier !

Sisko détestait se retrouver dans ce genre de situation où il ne savait pas exactement ce qui se passait et où les deux camps l'exhortaient à grands cris de dispenser une justice immédiate — chacun selon sa propre idée de la justice. Au ton venimeux de Marak, Sisko devina que la femme en question était Kira, mais de quel prisonnier s'agissait-il ? Le déserteur cardassien ? Il jeta un bref coup d'œil vers son major, cantonnée dans une attitude sévère et défiante. Mauvais signe.

— Major ?

— J'ai mis ce *Cardassien* en état d'arrestation pour s'en être pris au personnel de la station, expliqua-t-elle d'un ton catégorique.

Sisko sentit palpiter un des vaisseaux sanguins derrière ses yeux. Il ne passait qu'un seul jour hors de DS-Neuf...

— Le Gul s'est téléporté sur la station pour vous rencontrer, afin de discuter le cas du présumé déserteur que nous détenons présentement, expliqua Dax avec calme et diplomatie. Lorsqu'il a appris que vous reveniez de Bajor, il a tenté de prendre le contrôle de nos équipements de communication pour vous contacter personnellement.

Ainsi renseigné, Sisko put se faire une idée assez juste de ce qui s'était passé. La mine amochée du technicien aux communications confirma ses soupçons.

Mais une vulgaire peccadille comme celle d'avoir assailli un Bajoran ne préoccupait guère Marak, et seules ses propres doléances lui importaient :

— Cette *femme* prétend diriger cette station et se croit autorisée à donner des ordres à *mon équipage* ! Elle a refusé de me laisser contacter les véritables autorités de la Fédération — ou n'importe quel fonctionnaire qui n'est pas *bajoran* !

Sisko se devait de soutenir l'autorité de Kira — ici, tout de suite, publiquement —, peu importe ce qu'elle avait fait. Plus tard, dans son bureau, ce serait une autre affaire.

— Le major Kira occupe le poste d'officier en second sur DS-Neuf. Lorsque je suis absent de la station, c'est *elle* qui en assure le commandement. Et elle a certainement le droit d'arrêter quiconque tente d'interférer avec les opérations de la station et s'attaque au personnel.

« Je vous suggère donc de regagner votre vaisseau, Gul. Nous discuterons de cette affaire plus tard, quand j'aurai été mis au courant de la situation.

— Je ne m'en irai pas sans... commença Marak, dont le teint s'assombrit encore.

— Gul Marak, ou bien vous décidez de vous téléporter sur votre vaisseau, ou bien mes hommes vous escorteront de force jusqu'au sas.

Les deux commandants restèrent un moment face à face, mais les effectifs de sécurité n'attendaient qu'un ordre de Sisko. Dans un rugissement de fureur, Marak contacta son vaisseau et un instant plus tard il s'était transporté loin de la passerelle de Ops, laissant derrière lui un immense soupir de soulagement.

— Il me fait presque regretter le temps de Gul Dukat, confessa Dax.

Sisko expira avec force et se tourna vers Kira. « Dans mon bureau. Tout de suite », ordonna-t-il d'un ton sec.

— Papa ?

— Jake ? s'étonna Sisko en pivotant sur lui-même. Que fais-tu ici ? Je t'avais demandé de rentrer à la maison. La situation est urgente. Je te verrai plus tard.

— Mais papa...

La voix haut perchée de Jake révélait son trouble, mais il devait comprendre que ce n'était pas le moment de le déranger.

— Jake !

Le seul ton de la voix de Sisko était un ordre. Jake quitta Ops à regret, en jetant derrière lui un regard qui faillit décider son père à le rappeler pour lui demander ce qui n'allait pas. Mais Kira l'attendait dans son bureau et Gul Marak, furibond, patientait sur le *Swift Striker*. Ce n'était pas le moment, bon sang !

Peu de temps après, Kira se présentait devant son officier supérieur.

— Allons-y, major. Dites-moi ce qui est arrivé. D'ailleurs, où est passé Odo ? C'est lui qui est chargé de cette affaire. Je vous ai pourtant dit que ces confrontations avec Gul Marak sont exactement ce que j'essaie d'éviter.

Kira prit une grande respiration. Les faits parlaient d'eux-mêmes. Tous les gestes qu'elle avait posés étaient parfaitement justifiés et la question ne méritait pas qu'on en fasse un plat, de toute façon. Sauf pour Gul Marak.

— Marak s'est téléporté sur Ops, exigeant qu'on réponde à ses demandes. Je l'avais déjà prévenu que vous étiez absent de la station et que Odo n'était pas disponible. Il se repose en ce moment.

— Oh. Je vois. Alors, que s'est-il passé ensuite ?

— Marak ne veut pas traiter avec un Bajoran. C'est aussi simple que ça. Comme nous ne pouvions pas joindre Odo, il a tenté de vous contacter sur le runabout. Mais il a refusé l'entremise du technicien *bajoran.*

— Ça va, je comprends, dit Sisko en secouant la tête, dégoûté. Et ce satané fugitif ? Il a vraiment déserté, je suppose ?

— Odo et le chef O'Brien l'ont retrouvé caché au Quark's. Le Cardassien était armé, il a ouvert le feu sur O'Brien...

— Est-il blessé ? l'interrompit aussitôt Sisko.

— Le chef a seulement été paralysé. Mais le Cardassien a tourné son fuseur contre lui-même. À un réglage mortel. Occino dit qu'elle lui a décoché un tir paralysant au moment même où il tirait.

La tentative de suicide du déserteur n'avait nullement surpris Kira. On connaissait la férocité des châtiments des Cardassiens et Gul Marak n'avait pas la réputation d'un commander clément.

— Il est donc toujours vivant. Où est-il en ce moment ?

— À l'infirmerie. Il est inconscient et sous surveillance armée. Il n'ira nulle part, Marak n'a pas à s'inquiéter.

— Si notre déserteur a été arrêté, où est le problème ?

— Marak n'a aucun respect pour nos procédures, lâcha Kira en sentant un muscle de sa joue se tendre. Ses demandes sont déraisonnables.

— Major, dit Sisko en durcissant les traits de son visage, je sais que vous n'êtes pas en très bons termes avec Gul Marak. Moi non plus d'ailleurs, pas plus que personne sur la station. Mais cela n'a rien à voir avec la question qui nous occupe. Pourquoi prétend-il que vous refusez de lui remettre le prisonnier ?

— Commandant, vous pouvez visionner l'entretien vous-même, répondit Kira en redressant le dos. Tout est enregistré dans le carnet de bord. Quand Marak a appelé pour exiger la restitution du prisonnier, nous n'avions pas complété notre enquête sur lui. Nous n'avions aucun dossier d'identité et il nécessitait toujours des soins médicaux.

— Voulez-vous dire que vous avez refusé de livrer le prisonnier pour des raisons médicales ?

Sisko aurait pu le croire, pensa Kira. Il était dans les habitudes de Starfleet d'agir de la sorte et de se comporter avec humanité envers leurs ennemis eux-mêmes. Starfleet pouvait se permettre une telle attitude. Pas Bajor.

Mais les choses ne s'étaient pas passées ainsi.

— Non. Je n'ai pas formellement refusé de lui remettre le prisonnier. J'ai simplement suggéré au Gul d'utiliser la procédure habituelle pour présenter sa requête et de fournir une fiche d'identité complète. Je l'ai également averti que nous porterions peut-être certaines accusations contre le prévenu — voies de fait contre un officier, le chef O'Brien, par exemple.

— Major, dit Sisko en regardant Kira droit dans les yeux, je présume que l'expression « réponse évasive » ne vous est pas familière ?

— En effet... répondit Kira qui cligna des yeux sans comprendre.

— Bon, passons. Écoutez, Kira, avons-nous encore une raison de douter de l'identité de l'homme que nous détenons ?

— Non, fut-elle obligée d'admettre. Marak nous a finalement communiqué le dossier personnel du déserteur. Il s'agit du même individu.

— Vous n'avez donc plus aucun motif *valable* de rejeter la demande du Gul ?

— Vous voulez dire à part le fait que le Cardassien ait attaqué un officier de Starfleet et tout probablement saboté notre réseau de sécurité ?

— À part ça, oui.

— Dois-je comprendre que vous me donnez l'ordre de déférer le prisonnier à l'autorité de Marak ? demanda-t-elle froidement.

— Non, répondit Sisko en se frottant les tempes. Je m'en occuperai moi-même. Ce sera tout, major.

Il continua de se masser les tempes, sentant sous ses doigts les palpitations d'une migraine naissante. Comment pourrait-il diriger cette station s'il ne pouvait faire confiance à son officier en second ? Fondamentalement, il ne doutait pas de sa loyauté. Mais Kira avait combattu les Cardassiens si longtemps... Pouvait-on espérer qu'elle réagisse avec objectivité, sans parti pris ? Il était impossible à Sisko de soutenir l'autorité de son poste et lui ordonner en même temps de ne pas traiter avec eux. De plus, sur DS-Neuf, ils devaient travailler de concert avec les Cardassiens, sans quoi la paix ne tiendrait pas.

Non qu'il condamnât les sentiments de son major. Il la comprenait parfaitement, surtout après sa récente visite à la surface de Bajor. Seulement...

Un bruit à la porte lui fit ouvrir les yeux.

— Papa ?

— *Jake ?* s'étonna Sisko en se levant à moitié. Je t'avais demandé...

— Papa, c'est *urgent* ! Est-ce que Berat... L'ont-ils arrêté ? Vas-tu le renvoyer là-bas ? Il ne faut pas !

— Mais qu'est-ce que tu racontes, Jake ? Qui est Berat ? Qu'est-ce que c'est que cette histoire ?

— Berat ! Le Cardassien... Celui qui a déserté le vaisseau. Tu ne peux pas le renvoyer là-bas ! Tu n'imagines pas ce qu'ils vont lui faire !

Sisko en resta presque muet de surprise.

— Tu... tu connais ce Cardassien, Jake ?

Son fils était au bord des larmes, mais une lueur d'appréhension apparut dans son regard.

— Je... je lui ai parlé. Une fois. Il m'a tout raconté. Comment ils l'ont traité. Ce qu'ils ont fait à sa famille.

Sisko fit soudain le lien entre Jake, le Cardassien et ce que Kira lui avait dit à propos du déserteur caché au Quark's.

— Nog ! s'écria-t-il. C'est lui qui est derrière tout ça !

Jake en avait trop dit à présent pour faire marche arrière.

— J'ai promis de me taire. Je l'ai juré ! J'ai donné ma parole, papa !

Sisko garda le silence et Jake continua :

— Berat réparait des appareils pour Nog. Il se cachait des Cardassiens. Ils veulent le tuer, papa ! Si tu le renvoies là-bas, ils vont le faire ! Ils vont le *pendre*, et... haleta Jake, puis il éclata en sanglots.

— Assieds-toi, mon garçon. Calme-toi, dit Sisko en lui passant un bras autour des épaules et en le conduisant jusqu'à un fauteuil. La réalité est parfois cruelle. Mais la Fédération n'intervient jamais dans les affaires internes des autres mondes. C'est notre Prime Directive, tu le sais. De très lourdes charges pèsent contre cet homme. Il est accusé de meurtre.

— Berat m'en a parlé, protesta Jake en secouant la tête. Il m'a dit qu'ils voulaient le tuer. Ils l'ont assigné à ce vaisseau pour pouvoir s'en débarrasser sans que personne ne le sache. Il était en état de légitime défense. Ils ont déjà tué son père et toute sa famille. Ils les ont *pendus*... Ils l'ont forcé à tout regarder...

— T'a-t-il dit pourquoi ? demanda Sisko en joignant les sourcils.

— Ils les avaient tous accusés de trahison. Pour avoir cédé Bajor.

Sisko se redressa. Il se rappela les rapports du nouveau gouvernement, les exécutions. Les confessions qu'il avait lues. C'était donc bien une affaire politique ! Voilà qui changeait tout !

— Tu as bien fait de venir me parler, Jake. J'aurais aimé être prévenu plus tôt. Ma seule déception est que tu n'aies pas eu confiance en moi, avoua-t-il après un silence.

— J'ai fait une promesse à Berat, se défendit Jake, penaud. Il avait peur...

— Je peux le comprendre, mais regarde ce qui arrive maintenant. Au lieu de demander l'asile, ton ami cardassien a essayé de s'enlever la vie. Il a presque réussi. Et il a tiré sur le chef O'Brien en tentant de s'échapper. Tu savais qu'il possédait une arme ?

Jake hocha de nouveau la tête, l'air misérable.

— Nous devrons avoir un entretien là-dessus, dit Sisko en poussant un long soupir.

— Qu'est-ce que tu vas faire ? Pourras-tu aider Berat ?

— Si ton ami cardassien dit la vérité, il peut demander l'asile politique.

— J'aurais dû tout te raconter avant. Je suis désolé, s'excusa Jake en fixant le bout de ses pieds.

— Pourquoi ne pas rentrer à la maison à présent ? Je vais faire tout ce que je peux, Jake.

— Merci, papa. Je suis vraiment désolé.
— Je sais, fiston.

CHAPITRE 21

Sisko se rendit directement aux quartiers de Miles O'Brien en quittant son bureau.

— Comment va-t-il ? s'enquit-il auprès de Keiko quand la porte s'ouvrit.

— Le docteur Bashir dit qu'il doit se reposer.

— C'est vous commandant ? demanda la voix du chef ingénieur.

— Donnez-vous la peine d'entrer, l'invita Keiko, sans chaleur.

— Je ne resterai pas longtemps et je promets de ne pas le déranger.

O'Brien était allongé dans un fauteuil, enveloppé dans un plaid, les pieds posés sur un pouf. Il gémit faiblement en se redressant trop vite pour accueillir Sisko.

— Aie ! Ce n'est rien. Un petit élancement. Je me suis cogné la tête en tombant. Votre visite me fait plaisir, commandant. Une tasse de thé ?

Sisko respira les vapeurs aromatiques qui montaient de la théière posée sur la table près de O'Brien. Les battements lancinants de sa propre migraine le faisaient légèrement souffrir. « Volontiers », accepta-t-il.

Keiko apporta une tasse et la remplit. Sisko trempa les lèvres dans la boisson brûlante.

— Ah, c'est délicieux !

— C'est une infusion à base d'herbes, dit O'Brien en prenant une gorgée à son tour. Keiko prétend que ça guérit.

Quelque chose dans la voix de son chef des opérations laissa croire à Sisko que O'Brien aurait préféré recourir aux vertus médicinales d'une synthale bien fraîche, mais il n'en pipa mot. Le thé était excellent.

— Je suis heureux de voir que vos blessures sont sans gravité.

— J'ai seulement été un peu sonné. Bashir m'a fait une petite mise au point très efficace.

— Je me demande ce qui lui a pris de se lancer à la poursuite d'un criminel, murmura Keiko. Miles n'était même pas armé.

— C'est ce que je suis curieux de savoir aussi, avoua Sisko. Pourquoi pensiez-vous trouver le déserteur au Quark's, chef ?

— C'est arrivé drôlement, commença O'Brien en étouffant un petit rire. Tout se mettait soudainement à trop bien fonctionner sur la Promenade. Quelqu'un réparait les appareils. Je me suis alors souvenu du fugitif qui avait trafiqué les senseurs. Pour faire ça dès son arrivée, il fallait qu'il connaisse bien les systèmes de la station. J'ai donc mené ma petite enquête et découvert que le Férengi était derrière un racket de réparations. Le bruit courait qu'on pouvait faire réparer n'importe quel appareil défectueux... en y mettant le prix, évidemment.

— Évidemment, acquiesça Sisko, qui connaissait fort bien les Férengis.

— Nog semblait servir d'intermédiaire. Il s'occupait de la collecte du matériel et c'est lui qui le rapportait, une fois réparé. J'ai fini par le retrouver au casino. Il a essayé de filer par la porte d'une arrière-salle, je l'ai suivi... expliqua-t-il avec un faible sourire. Je suis tombé nez à nez avec le Cardassien. Je n'avais aucune chance.

— Encore heureux qu'il ne se soit pas fait tuer, ajouta Keiko d'un air sombre. On dit que le Cardassien est un meurtrier.

— Nous nous réjouissons tous que votre mari soit sain et sauf, dit Sisko, sincère.

Il posa sa tasse vide. Le commandant aurait bien pris d'autre thé, mais il ne voulait pas abuser de l'hospitalité de Keiko, ni troubler le repos dont O'Brien avait besoin.

— Quelque chose m'échappe, chef. Selon le dossier personnel du Cardassien, Berat a été rétrogradé pour incompétence. On lui a collé une douzaine de rapports, entre autres pour avoir négligé son travail.

— Je dirais qu'il ne s'agit pas du même homme, déclara O'Brien en secouant gravement la tête. Celui qui a réparé les appareils de la station est un technicien hors pair. Ça ne me dérangerait pas du tout de travailler avec lui, je vous l'avoue.

— Avec un Cardassien ? s'étonna Sisko en haussant les sourcils, lui qui connaissait bien l'histoire de O'Brien, témoin du massacre de Setlik III.

— Ce sont les Cardassiens qui ont construit cette station, fit observer l'ingénieur, l'air pensif. Je sais qu'il nous arrive souvent de critiquer leur technologie, mais... J'ai réfléchi à tout ça... Leurs méthodes ne nous sont pas familières, mais peut-être qu'ils pourraient nous en montrer sur le fonctionnement de la station. Il est trop tard à présent, dit-il après un silence. Je présume que vous allez le remettre à Marak.

— Je vais justement m'occuper de ça à l'instant, dit Sisko en se levant. Reposez-vous, maintenant.

Il remercia Keiko avant de prendre congé.

En route vers l'infirmerie, Sisko demanda à l'ordinateur de repasser le dossier personnel du Cardassien sur son bloc-notes électronique. Il comportait une liste presque ininterrompue de sanctions relatives à un large éventail d'infractions : incompétence, ouvrage bâclé, manquement à la procédure, incapacité de compléter le travail à temps, insubordination — cette dernière faute revenait constamment. Ou bien Berat était le pire membre d'équipage de toute l'histoire de la force spatiale cardassienne, ou bien le récit de Jake était fondé et l'homme était persécuté — ce qui légitimait une demande d'asile. Il s'agissait d'un réfugié politique, et non pas d'un meurtrier.

Ç'aurait été tellement plus simple si Berat avait été un assassin. Le commandant éprouva une certaine honte à cette pensée, mais c'était pourtant la vérité. Pourquoi ne pas tout bonnement livrer le déserteur à Gul Marak et oublier toute cette affaire ? Après tout, Berat avait ouvert le feu sur O'Brien, et probablement commis plusieurs autres délits durant son séjour clandestin sur la station — le vol, entre autres. Et le sabotage. De plus, meurtrier ou pas, le déserteur s'était montré capable de violence. Sans compter qu'il était cardassien.

C'est un réfugié politique. Il martela les mots en lui-même. Tu *dois* lui accorder l'asile.

S'il a vraiment déserté.

Le docteur Bashir était seul dans le bureau de sa clinique.

— Le chef O'Brien s'en remettra donc sans trop de mal ? demanda Sisko.

— Il ne gardera pas de séquelles. Le choc l'a ébranlé, mais le scan ne détecte aucune lésion permanente.

— Et le Cardassien ?

Bashir prit un air grave et alluma un moniteur. Une silhouette étendue sur un biolit apparut, immobilisée par des entraves magnétiques.

— Il s'en est moins bien tiré. Son fuseur était réglé pour tuer. Le faisceau a dévié, heureusement, mais il faut tenir compte des dommages causés par le tir paralysant. Il pourrait subsister un affaiblissement neurologique permanent. Mais c'est un Cardassien, leur résistance est supérieure à la nôtre. Je crois que les brûlures ont causé des séquelles moins graves qu'elles n'en auraient laissé à un humain.

— Il est en contention ? remarqua Sisko en arquant un sourcil interrogateur. Est-il conscient ?

Apparemment, il ne l'était pas. Bashir semblait mal à l'aise.

— C'était nécessaire. Le patient s'est montré violent à son arrivée. Il a presque réussi à arracher un instrument tranchant à une technicienne. Une Bajoranne. La situation est devenue... difficile à maîtriser.

Sisko n'eut aucune peine à le croire.

— Peut-on l'interroger ?

— Vous pouvez essayer. Quant à savoir s'il vous répondra, c'est autre chose. Il ne s'est pas montré très coopératif quand je l'ai moi-même questionné. J'ai bien tenté de le faire parler... mais vous voyez le résultat, dit-il en faisant un geste vers le patient paralysé par les brides magnétiques.

— Vous êtes médecin, lieutenant, pas interrogateur, nota Sisko en lui adressant un regard sévère. Et ne vous en plaignez pas, je vous prie. Je vais le voir, à présent.

— Un garde est posté devant la porte, au cas où la situation échapperait encore à notre contrôle.

Le garde redressa légèrement le dos lorsqu'il aperçut le commandant. Il faisait partie des troupes de renfort dépêchées par Starfleet et n'était pas bajoran — ce qui, dans les circonstances, n'était pas une mauvaise idée, jugea Sisko.

— Comment va le prisonnier ?

— Pour le moment, il est calme, commandant, répondit le garde après avoir jeté un coup d'œil à l'intérieur du box.

— Hmm, fit Sisko en pénétrant dans la petite salle.

Le Cardassien gardait le regard fixé au plafond. Il n'eut aucune réaction à l'entrée de quelqu'un dans la pièce, même ses yeux restèrent immobiles, mais Sisko put voir ses biceps se contracter sous les entraves énergétiques qui le maintenaient plaqué au biolit, et il devina l'accélération de la respiration du Cardassien aux mouvements plus rapides de sa poitrine.

Pas de doute, Berat était éveillé et parfaitement conscient de ce qui l'entourait. Et il savait qu'il était prisonnier. Sisko inspira profondément.

— Je suis Benjamin Sisko, le commandant de cette station. Vous vous nommez Berat, si je ne me trompe pas.

Le Cardassien continua de fixer le plafond en silence.

— Je crois que vous avez parlé à mon fils Jake.

Les paupières de Berat battirent. Il tourna brièvement le regard vers Sisko ; la ressemblance entre le père et le fils était évidente.

— C'est donc ainsi qu'ils m'ont trouvé.

— Non ! coupa Sisko. Vous faites erreur. Jake est venu me parler *après* l'annonce de votre arrestation. Peut-être a-t-il fait une erreur de jugement, mais son honneur n'est pas en cause. Il a tenu parole et n'a parlé de vous à personne.

L'attention de Berat ainsi obtenue, Sisko passa à la question centrale :

— Monsieur Berat, Gul Marak prétend que vous avez déserté le *Swift Striker*. Il exige que vous lui soyez livré, afin de répondre d'une longue liste d'accusations, incluant le meurtre. Mais d'après ce que mon fils m'a confié, ces accusations s'expliqueraient par des motifs politiques.

Le regard de Berat se perdit de nouveau au plafond.

— Le règlement de la Fédération ne permet pas d'intervenir dans les affaires internes des autres mondes, poursuivit Sisko sans se décourager. Même quand leurs châtiments nous apparaissent cruels ou injustes. La Fédération, par contre, reçoit les demandes d'asile. Vous me comprenez ?

Pour la première fois, Berat tourna la tête directement vers Sisko et celui-ci réalisa soudain que le Cardassien était très jeune. La situation avait dû lui sembler absolument désespérée.

— L'asile ?

— Monsieur Berat, j'ai pris connaissance de votre dossier personnel. D'après les renseignements qu'il contient, vous possédez tout juste la compétence nécessaire pour occuper les plus basses fonctions de technicien. Mon chef des opérations m'assure pourtant que vos aptitudes techniques sont impressionnantes. Selon Gul Marak, vous êtes un meurtrier. Le récit de mon fils est tout autre. Lequel dit la vérité ?

Berat poussa un long soupir. Il sembla tout à coup empressé d'être cru par Sisko.

— Mon père était membre du conseil des ministres dans le gouvernement précédent. Il était en faveur du traité de paix avec la Fédération, et pour le retrait de Bajor. Le parti de la Revanche, après la découverte du trou de ver, nous a accusés de... trahison. Mon père a été pendu. Mes oncles... la plupart des membres de ma famille... ils ont tous été pendus. Je n'étais qu'un simple technicien, les nouveaux dirigeants ne pouvaient pas m'accuser ; je n'étais même jamais allé dans l'espace bajoran. Mais ils voulaient se débarrasser de nous tous. Ils m'ont rétrogradé, puis embarqué sur le vaisseau de Marak, sous ses ordres.

— Vous admettez avoir tué un homme ?

— J'ignorais qu'il était mort. Mais ils... Halek... il voulait me tuer. Depuis le début. Lorsqu'il m'a frappé, il savait... expliqua Berat en reprenant son souffle. Frapper un officier supérieur est un délit passible de la pendaison. Peu importe la provocation... Combien de fois... Ce n'était qu'une question de temps. Je...

Il s'arrêta, frustré d'être incapable d'exprimer sa pensée avec cohérence.

— Je vois, dit Sisko. Monsieur Berat, demandez-vous l'asile politique à la Fédération ?

Berat cligna vivement les paupières, comme frappé d'incrédulité. Il n'avait qu'à dire un mot, c'était tout ?

— Je... oui. Je demande l'asile.

— Dans ce cas, j'ai l'intention de vous l'accorder.

— Vous... vous ne me renverrez pas là-bas ?

— Non. Vous serez en sécurité ici, le rassura Sisko en baissant le regard vers les entraves. Si je vous enlève ça, userez-vous encore de violence, envers vous-même ou un membre du personnel de la station ?

Berat secoua la tête en silence et Sisko désactiva le champ de contention. Avec grand effort, le Cardassien se redressa.

— Le docteur Bashir m'a prévenu que l'effet du fuseur vous laisserait peut-être certaines séquelles neurologiques, l'informa Sisko. Pour cette raison, je vous consigne à l'infirmerie. Est-ce bien clair ? Un officier montera la garde à votre porte en permanence. Je vous accorde l'asile, mais pas la permission de circuler sur la station à votre guise — c'est également pour votre propre protection. Je doute que Gul Marak sera enchanté d'apprendre cette nouvelle.

Un nuage d'appréhension passa sur le visage de Berat.

— J'en doute également.

La voix de Kira monta du commbadge de Sisko :

— Commandant, les patrouilleurs de pont sont montés à bord pour prendre livraison du prisonnier. Dois-je les envoyer à l'infirmerie ?

En entendant ces paroles, Berat se raidit et regarda autour de lui comme s'il cherchait un moyen de s'enfuir.

— Ce n'est pas la peine, major, dit Sisko. Dites-leur de regagner leur vaisseau. J'ai accordé l'asile politique au prisonnier.

— *L'asile politique ?* À un meurtrier cardassien ?

— Y a-t-il un problème, major Kira ? demanda Sisko en plissant le front.

— Je...

— Si vous vouliez remettre le déserteur à Gul Marak, major, vous avez eu amplement l'occasion de le faire avant qu'il ne demande l'asile, ironisa Sisko. Il me semble me rappeler que c'est vous qui insistiez pour qu'on respecte la procédure et qu'une identification complète soit effectuée.

Il y eut un silence.

— J'en informerai les Cardassiens, dit la voix sans expression de Kira.

CHAPITRE 22

— Nog ! Hé, Nog ! Tu as appris la nouvelle ?

Jake se fraya un chemin parmi les joueurs qui entraient au Quark's. Posté devant la porte, Nog distribuait des jetons de faveur aux nouveaux clients. La voix de Jake lui fit lever la tête. Il grimaça un sourire.

Jake s'arrêta devant lui, haletant, agité par une grande émotion :

— Tu as entendu ? Au sujet de Berat ? Mon père lui accorde l'asile ! C'est formidable, non ? Il n'a plus à craindre les Cardassiens, maintenant ! Ils ne pourront pas le pendre ! exulta-t-il, surpris de voir Nog sans réaction. Tu ne trouves pas ça formidable ?

— Formidable ! Formidable, ça tu peux le dire, ragea-t-il.

— Quoi ? Qu'est-ce qui ne va pas ?

— Mon business est *foutu*, voilà ce qui ne va pas ! Ils ont emmené le Cardassien !

— Je sais, mais il est en sécurité à présent. Il a reçu l'asile politique ! Il n'a plus besoin de se cacher !

— Et par la faute de qui, hein ? l'accusa Nog en lui adressant un regard assassin.

— Que veux-tu insinuer ?

— Tu étais le seul à connaître sa planque ! Qui d'autre pouvait guider la sécurité jusqu'à la salle où il était caché ?

— Qu'est-ce que... Hé, je n'ai rien dit du tout ! J'avais donné ma parole !

Nog lança un jeton — une pièce de moindre valeur — en direction de Jake, avec un sourire méprisant :

— Ta *parole* ! À présent, je sais ce que vaut la parole d'un humain !

— Ça suffit ! s'indigna Jake en sentant ses joues s'empourprer. Je n'ai rien dit à personne ! Ni à Odo, ni à mon père ! Tu veux savoir comment ils ont trouvé Berat ? Eh bien, c'est à cause de *toi* ! Parce que tu criais sur tous les toits que tu pouvais réparer les appareils ! Le chef O'Brien savait que Berat était ingénieur ! Tout ce qu'il a eu à faire, c'est de te suivre !

— Je n'ai jamais été suivi ! nia Nog en secouant la tête énergiquement. Jamais avant que tu n'apprennes où il se cachait !

Jake recula d'un pas. Nog lui apparaissait sous un nouveau jour.

— Tu sais ce que je pense ? Tu te fiches complètement de Berat ! La seule chose qui t'intéresse, c'est l'argent qu'il peut te rapporter. Je suis surpris que tu ne l'aies pas dénoncé pour toucher la récompense !

— Au moins je ne l'aurais pas dénoncé pour rien, comme un stupide humain !

— Je ne l'ai *pas*...

Les dénégations de Jake furent abruptement interrompues par le clignotement rouge des lumières d'urgence et le hululement strident des sirènes d'alerte. Instantanément, un vieux réflexe de peur s'empara de lui et fit renaître les ponts enflammés du

Saratoga, la fumée et le fracas des alarmes, tout... sa mère écrasée par les débris, morte.

Que se passait-il ? Un nouvel attentat terroriste ? Une attaque des Cardassiens ? Peut-être était-ce la réponse de Gul Marak à son père pour avoir accordé l'asile à Berat.

« *Équipe médicale, rendez-vous au pylône quatre. Tous les civils, mettez-vous à l'abri* », lança l'intercom public.

Cela cesserait-il jamais ?

Le docker parlait à Sisko avec de grands gestes :

— J'ai tout vu voler en pièces ! Sans mentir, c'était... Le sas a été littéralement soufflé ! Il y a eu une espèce de rugissement... ensuite les flammes ont jailli dans un grondement de tonnerre ! Le sas a été complètement grillé ! J'ai senti la chaleur jusqu'à l'autre bout du quai ! J'ai cru que c'était une ligne d'alimentation pressurisée qui s'était rompue, ou quelque chose comme ça. Je n'ai jamais rien vu de pareil, pas même durant la guerre.

Sisko allait poursuivre son interrogatoire quand une Rigellienne se jeta sur lui en hurlant :

— Faites-les cesser ! Pourquoi est-ce que vous ne faites rien ? Comment pouvez-vous tolérer qu'ils continuent ? lança-t-elle en se mettant à le frapper sauvagement.

Affligé par la vue de ses bras meurtris par les brûlures, Sisko tenta de la retenir, afin qu'elle ne blesse pas davantage ses mains rougies et boursouflées de cloques. Derrière lui, Kira assistait à la scène, impuissante, quand un technicien médical intervint et tenta doucement d'écarter la Rigellienne blessée.

Lorsqu'elle vit l'infirmier bajoran, la victime se dégagea brusquement de son étreinte.

— Ne me touchez pas ! lui cria-t-elle et elle se tourna vers Sisko. Ce sont tous des fanatiques ! Ils vont tuer tout le monde ! Vous nous aviez affirmé que nous serions en sécurité ! Vous disiez qu'ils n'étaient pas des terroristes !

Les yeux de la Rigellienne s'agrandirent démesurément lorsqu'elle aperçut Kira dans son uniforme bajoran et elle devint hystérique, mais l'infirmier avait déjà sorti un vaporisateur hypo ; un instant plus tard, elle tombait endormie dans ses bras. Sisko aida le technicien à étendre la pauvre femme sur une civière.

L'air sombre, les officiers de la station restèrent jusqu'à ce qu'on ait retiré les derniers cadavres du sas. Bashir sortit ensuite, les mains tachées de sang.

— Docteur ? l'arrêta Sisko.

— Peut-être pourrai-je sauver l'attaché de l'ambassadeur, l'informa le jeune médecin. Trois membres d'équipage sont morts. Six blessés.

Le commandant le laissa partir. À ceux qui restaient, il se contenta de dire : « Je veux qu'on arrête ceux qui ont fait ça. »

Les Rigelliens avaient été parmi les premiers à conclure un accord commercial avec les Bajorans et on considérait leur vote pour l'adhésion de Bajor à la Fédération comme presque certain. Jusqu'à l'incident qui venait de se produire.

Une colère sourde mêlée d'une honte extrême agitait Kira. La honte d'être bajoranne. Durant la résistance à l'occupation, les siens avaient trop bien appris leurs leçons du terrorisme. Ils savaient obtenir un maximum de destruction quand ils frappaient l'ennemi, puis disparaître sans laisser de traces.

Les mots de l'affiche lui revinrent en mémoire, ironiques : *Vous êtes prévenus.*

Combien de fois n'avait-elle pas elle-même livré de semblables avertissements aux tyrans cardassiens ! Mais les ambassadeurs n'étaient pas des Cardassiens ! Ils étaient même des alliés potentiels, et non des oppresseurs — du moins jusqu'à maintenant. Jusqu'à cette nouvelle attaque des terroristes.

Comment osaient-ils faire une chose pareille ? Détruire ainsi l'avenir de leur propre peuple ? Ne comprenaient-ils pas que la Fédération constituait leur unique défense contre une nouvelle agression cardassienne ?

— Est-ce le dernier cadavre ? demanda Sisko.

Un technicien médical lui fit signe que oui en passant devant lui, au bout d'une civière recouverte d'un drap.

Odo et Kira s'avancèrent pour commencer des fouilles méticuleuses, à la recherche d'indices susceptibles de leur faire remonter la piste jusqu'aux auteurs de ces crimes. Avant qu'il ne soit trop tard.

L'affiche étalée sur le bureau de Sisko était une autre bombe. Les officiers qui assistaient au briefing ne la lâchait pas des yeux et gardaient les bras serrés le long du corps, comme si elle allait exploser d'un moment à l'autre. Les caractères grossièrement tracés stipulaient :

Fini les d'avertissements !
Dehors, les étrangers ! Quittez l'espace bajoran !
Vous avez soixante-douze heures !

Sisko en détourna les yeux avec une expression de profond dégoût. Il avait l'air hagard de quelqu'un qui n'a pas dormi.

— Avez-vous découvert quelque chose ? demanda-t-il à Kira et Odo.

Kira secoua lourdement la tête. Comme d'habitude, le plastiqueur n'avait laissé aucun indice derrière lui. Un professionnel, de toute évidence.

— Le problème est qu'il y a trop de suspects, dit-elle. À peu près n'importe qui sur la station aurait pu commettre les attentats. Tous les Bajorans âgés de plus de dix ans ont des contacts avec un groupe que la Fédération qualifie de « terroriste ». En fait, je suis moi-même suspecte, selon ses critères. Si... précisa-t-elle en adressant un regard sévère aux officiers rassemblés, si on présume que le poseur de bombes est un Bajoran.

— Vous avez une autre théorie, major ?

— J'ai déjà donné mon avis sur cette question, rappela-t-elle en hochant la tête. Bajor ne peut tirer aucun bénéfice de cette violence. À qui peut-elle profiter ? Qui essaie ouvertement de soudoyer les délégués ? Qui ne cesse de répéter que ces attaques prouvent que Bajor n'est pas encore prête à s'associer à la Fédération, ni à d'autres mondes ?

— Et ça, qu'en faites-vous ? demanda Sisko en désignant l'affiche sur son bureau. C'est signé par le Kohn Ma, qui en revendique la responsabilité.

— J'ai procédé à quelques vérifications. À part Gélia, je n'ai pu relier aucune de ces affiches à un membre reconnu du Kohn Ma. Leurs leaders nient catégoriquement toute implication dans les attentats. Gélia est enfermée dans une cellule sur Bajor, elle ne *peut* pas être dans le coup. Je crois que ces... bricoles ne sont qu'une fausse piste. Ce sont les *Cardassiens* qui ont le plus à perdre si Bajor signe des accords commerciaux avec les autres mondes.

— Les Bajorans ne partagent pas tous votre avis, dit Sisko. Vous ne pouvez pas nier que le Kohn Ma s'oppose à l'entrée de Bajor dans la Fédération, et il n'a pas renoncé à la violence. Vous devez en tenir compte.

— Ce sont des suspects trop évidents. Beaucoup trop.

— Gélia travaillait pour les Cardassiens ? demanda Odo. Vous pouvez croire ça ?

Kira ne répondit pas. Gélia Torly aurait pu poser une bombe, aucun doute là-dessus. Mais jamais pour les Cardassiens.

— À mon avis, le problème reste de savoir qui a posé la première bombe, continua Odo. Aucun Cardassien n'était sur la station quand elle a explosé.

— Faux. Il y en avait un.

— Garak ? Le couturier ? La deuxième explosion a presque détruit sa boutique !

— Exact ! Mais c'est à peine s'il a été blessé ! Il s'en est tiré avec quelques égratignures ! Juste assez pour écarter les soupçons en passant pour une victime. Peut-être se sentait-il en danger parce que notre enquête se rapprochait de lui. Nous savons tous qu'il a travaillé pour les services secrets cardassiens.

— Avez-vous des preuves de son implication directe, major ? demanda Sisko.

— Non. Pas encore. Mais je le considère toujours suspect, au même titre que n'importe quel Bajoran.

— Je n'y vois aucun mal, soupira Sisko. Avec ce que nous avons pu apprendre jusqu'à maintenant, ce pourrait être lui aussi bien qu'un autre.

Il secoua la tête, incapable d'exprimer toute l'étendue de sa frustration.

— J'ai renforcé la garde de tous les délégués restants. Mais ceci... dit-il en fixant l'affiche au milieu de la table, pourrait bien vouloir dire que le temps va nous manquer. C'est notre dernier avertissement. Un ultimatum, quoi. Soixante-douze heures. Trois jours. Que se passera-t-il alors ?

— Vous croyez qu'ils veulent faire sauter la station ? demanda O'Brien.

— Nous devons compter avec cette éventualité. Ces attentats sont de nature politique, comme l'a observé le major Kira, et non des attaques militaires. Des menaces. Du terrorisme pur et dur. Mais le niveau de violence a augmenté chaque fois.

— De là à détruire la station ! Ce serait du suicide !

— Les commandos kamikazes n'étaient pas inconnus durant la résistance bajoranne, n'est-ce pas, major ? argua Sisko, et Kira fut forcée de le concéder.

— Je n'écarterais pas la possibilité de tactiques cardassiennes, glissa Dax, ne simplifiant en rien l'affaire. L'absence de scrupules est un trait de leur nature.

— Avons-nous le droit de mettre la vie de personnes innocentes en péril, voilà la question que nous devons nous poser, dit Sisko. Celle des civils, des membres des délégations commerciales ? J'ai suggéré aux ministres bajorans de reloger les négociations sur la planète. La sécurité sur DS-Neuf a soulevé quelques inquiétudes durant nos discussions. Malheureusement, le lieu de réunion pourrait s'avérer un sujet de controverse. Les Rigelliens quittent la station et abrogent toutes leurs ententes. J'ai contacté trois délégations depuis ce matin et elles se retirent toutes des négociations. Personne ne s'est montré intéressé à poursuivre les discussions à la surface de la planète.

— Vous êtes en train de dire qu'il est trop tard. Nous avons perdu, comprit Kira qui secoua la tête pour rejeter cette conclusion.

— À la lumière de ces développements, poursuivit Sisko, j'ai décidé de mettre fin aux négociations et de demander aux délégations de quitter DS-Neuf le plus rapidement possible. Peut-être faudrait-il ordonner une évacuation générale de tous les civils.

— N'est-ce pas justement jouer le jeu de nos ennemis ? demanda Kira.

— Peut-être qu'ils bluffent, renchérit O'Brien.

— Possible, admit Sisko. Mais c'est un risque que nous ne pouvons pas courir. Trop de vies sont en jeu. De toute façon, le gouvernement bajoran appuie cette décision. Ses membres sont d'avis qu'ils ne peuvent se permettre le risque diplomatique de voir une douzaine de délégations importantes réduites en miettes durant les pourparlers.

« Ceux qui nous ont fait parvenir ce message nous ont donné une échéance, dit-il en se levant. Soixante-douze heures. C'est le temps que nous avons pour les arrêter.

CHAPITRE 23

Soixante-douze heures. Soixante-douze heures pour trouver qui se cachait derrière les attentats.

Soixante-douze heures sans dormir pour tout l'équipage de DS-Neuf.

La rumeur s'était propagée dans la station entière : soixante-douze heures à vivre. Les autres bombes n'étaient que des avertissements. Les files s'allongeaient devant les comptoirs de voyage et les compagnies de transport, tous les occupants espérant obtenir un passage sur un vaisseau en partance, peu importait la destination. Les chefs des délégations toujours à bord, venus présenter leurs excuses, avaient défilé un à un dans le bureau de Sisko — tous assurés que le commandant conviendrait qu'il était impossible de poursuivre les négociations dans ce climat instable.

Sisko se troublait à la vue de son fils unique, ou du visage ravagé par l'inquiétude de O'Brien, dont la femme et la fille vivaient avec lui sur la station : en une fraction de seconde, toute sa famille pouvait disparaître. *Envoie-les quelque part où ils seront en sécurité*, telle avait été la première réaction du commandant. Mais alors, comment aurait-il pu demander aux autres de rester ?

Lorsqu'il sentit la secousse ébranler la station, Sisko sut immédiatement ce qui arrivait, avant même que les sirènes ne retentissent et l'annonce de la nouvelle par l'intercom. Une autre bombe.

— *Urgence ! Tout le personnel de sécurité et les équipes médicales au niveau vingt-deux, quai d'amarrage cinq !*

Le quai cinq. La plate-forme de stationnement du vaisseau qismilien. « *Les salauds* ! » cracha-t-il en s'élançant vers le puits du turbolift le plus proche. « *Les salauds* ! »

Il maudit en silence les terroristes, la lenteur du lift et les Cardassiens qui l'avaient construit. Il aurait dû se téléporter directement sur l'anneau d'amarrage.

Un officier de sécurité l'arrêta quand il sortit de l'ascenseur :

— Désolé, commandant. Le sas a été fissuré et nous avons dû fermer cette section. Ordre du major Kira.

— Y a-t-il des combinaisons atmosphériques ?

— Désolé, commandant. Priorité accordée à l'équipe médicale et aux techniciens d'opérations.

Simple respect de la procédure, évidemment, mais qui laissait le commandant de la station enragé d'impuissance, pendant que ses officiers et son personnel s'affairaient à colmater la brèche et à sortir les blessés. Il ne s'était jamais senti aussi inutile de toute sa vie.

— Ici Sisko, dit-il en frappant son commbadge. Quelqu'un peut-il m'informer de la situation sur le quai cinq ?

Un moment plus tard, il entendit une voix exténuée, au timbre caverneux indiquant que l'interlocutrice de Sisko portait une combinaison atmosphérique.

— Ici Kira. Ça va mal. Le vaisseau qismilien s'apprêtait à décoller quand la bombe a explosé. Les propulseurs étaient allumés. Le pilote a perdu le contrôle...

— ... et il s'est écrasé sur l'anneau d'amarrage, termina Sisko, sans avoir besoin d'entendre le reste ; il avait senti le choc qui avait secoué la station.

— Y a-t-il des victimes ?

— L'équipe médicale les traite sur place, en attendant que la brèche soit scellée et qu'on puisse les transporter.

— Réussiront-ils à la colmater, major ?

— Je crois que oui. Le chef O'Brien et son équipe se sont mis au travail immédiatement. J'ai ordonné à la sécurité de ne laisser entrer que les équipes médicales et techniques.

— Bien. Si je puis vous être utile à quoi que ce soit, faites-moi signe. Sisko hors liaison.

« Ici le commandant Sisko, continua-t-il dans son commbadge. Jusqu'à nouvel ordre, l'accès à tous les sites d'embarquement est interdit. Aucun vaisseau ne doit quitter la station. Sécurité, je veux qu'on vérifie tous les quais et tous les sas, pour s'assurer qu'il ne s'y trouve aucun engin explosif. Priorité absolue à cette opération. »

Dès qu'il eut transmis ses ordres, son communicateur bipa :

— Commandant Sisko, je crois que vous feriez bien de parler à l'ambassadeur andorien. Il veut savoir qui lui refuse l'accès à son vaisseau.

Sisko ferma les yeux un bref instant. La ronde commençait déjà. « Passez-le moi. »

C'est un Sisko à la mine grise qui faisait face à son équipe d'officiers supérieurs, dans le bureau du commandant. Il avait dû entrer sur Ops par une porte dérobée afin d'éviter la multitude de résidants paniqués qui l'attendaient devant le lift pour l'assaillir de questions au sujet de l'évacuation.

— On nous a donné une échéance, dit-il en posant le regard tout à tour sur chacun de ses officiers. Soixante-douze heures avant la destruction de la station. Ma question est celle-ci : s'agissait-il de l'explosion finale ou n'était-ce qu'un nouvel avertissement ?

— J'ai complété l'analyse informatique, dit Dax. Elle indique que la force de la dernière explosion ne dépassait pas celle des précédentes. Elle ne pouvait causer que des dommages mineurs à la station. Je doute que les terroristes aient prévu que le vaisseau qismilien allait percuter l'anneau d'amarrage. Seulement trois sections ont dû être scellées.

— L'ultimatum tient donc toujours ?

Personne ne répondit. Chacun savait que le temps restant se comptait en heures.

— Major ? dit Sisko en se tournant vers Kira.

— La surveillance de Garak n'a donné aucun résultat. Il n'a pas posé cette bombe — du moins pas durant la période où nous l'avons surveillé —, mais je continue de penser qu'il est impliqué d'une manière ou d'une autre dans cette affaire. Si vous n'y voyez pas d'objection, commandant, j'ai l'intention de l'interroger.

— Faites tout ce qui vous semble nécessaire, acquiesça Sisko d'un ton sinistre. Y a-t-il du nouveau du côté du gouvernement bajoran ?

— Ils ont emprisonné tous les membres du Kohn Ma de Bajor, signala Kira. Et ils ont procédé à un nouvel interrogatoire de Gélia. Elle soutient qu'elle a dit tout ce qu'elle savait.

— Croyez-vous qu'elle dise la vérité ? demanda Sisko.

Kira hocha la tête. Une extrême fatigue creusait les traits de son visage.

— Nos interrogateurs ont été formés à la bonne école. Gélia a été victime d'une supercherie. Ils se sont simplement servi d'elle, sans lui fournir aucun renseignement. Je concentre pour l'instant mon enquête sur les dockers. À part l'explosion du commerce de Garak, tous les attentats étaient dirigés contre les installations de débarquement.

— Et visaient les délégations commerciales, ajouta Sisko.

— Il faut chercher de ce côté, dit Kira en se levant. J'ai une longue liste de personnes qui attendent d'être interrogées aux locaux de la Sécurité. Si vous n'avez plus besoin de moi...

Sisko allait rajouter quelque chose, mais il se contenta d'un bref signe de la tête. Kira savait ce qu'il allait dire : « Il ne reste plus beaucoup de temps » —

tout le monde sur la station le savait. Le temps fuyait, d'heure en heure.

Une douce mélopée parvint aux oreilles de Kira, en route vers le bureau de Sécurité, puis elle aperçut une procession, composée de moines et d'une longue file de civils à leur suite. Une part d'elle-même aurait désiré se joindre à eux, tandis qu'une autre avait envie de leur crier : « Pourquoi perdre votre temps ? Faites plutôt quelque chose ! »

Éternelle énigme des Bajorans, unifiés par la seule bannière de la religion — et la religion elle-même ne suffisait pas toujours.

Peut-être que le terroriste se trouvait parmi les processionnaires, mêlant sa voix à celle des autres. Il cherchait son équilibre intérieur en préparation des gestes qu'il s'apprêtait à poser. Un comportement typiquement bajoran : prier, méditer, et se mettre ensuite en campagne pour aller tuer. Kira l'avait elle-même déjà fait.

À l'exception de la procession, la Promenade était vide. Personne n'avait de temps à consacrer aux affaires courantes ni aux divertissements, trop occupés à trouver un moyen de survivre. Les moines franchirent la place publique désertée et Kira reconnut, dans l'entrée de sa boutique, la silhouette cardassienne de Garak qui observait les adorateurs. L'espace d'un éclair, ils échangèrent des regards chargés d'une méfiance mutuelle.

Kira détourna la tête la première. Si Garak était réellement un espion en service, il n'ignorait pas qu'on le surveillait. Kira savait très bien ce que Sisko pensait : qu'elle était incapable d'objectivité dès qu'il était question de Cardassiens. Aucune preuve tangible ne permettait de relier Garak aux événements actuels.

Peut-être le commandant avait-il raison. Comment pouvait-on imaginer Garak travaillant avec Gélia, ou qu'un lien quelconque pût exister entre les Cardassiens et le Kohn Ma ? Peu importe, elle avait l'intention de l'interroger. Ils ne pouvaient se permettre de négliger la moindre piste.

Le bruit des chants s'éteignit doucement et les adorateurs commencèrent à se disperser. Kira aperçut un individu vêtu d'une tunique, qui se dirigeait vers elle. Leiris. Il lui palpa délicatement l'oreille.

— Nerys, j'ai remarqué que tu regardais la procession. Tu sembles perturbée. Viens avec moi. Allons méditer tous les deux.

Elle dégagea son bras avec une certaine répugnance.

— Je n'ai pas le temps. Tu devrais le savoir.

Un sourire énigmatique, commun à tous les moines et qui suggérait une compréhension secrète des choses, flotta sur les lèvres de Leiris.

— Si les Prophètes le souhaitent, tu auras le temps qu'il faut.

Sur le coup, Kira s'irrita du sourire de Leiris, qui lui parût méprisant.

— Si les Prophètes veulent me porter secours, qu'ils m'aident plutôt à trouver celui qui se prépare à faire sauter la station.

Toujours souriant, Leiris esquissa un geste de bénédiction et reprit le chemin du temple, mais Kira l'appela :

— Attends ! cria-t-elle et le moine s'arrêta. Leiris, je n'ai pas oublié ce que tu m'as dit, l'autre jour... mais si quelqu'un est venu te voir, si tu sais *quoi que ce soit...*

— Tu sais que je suis tenu au silence, dit-il en secouant la tête avec tristesse. Tout autant que je ne puis partager tes pensées les plus profondes, Nerys.

— La vie de centaines de personnes est en jeu. Des victimes innocentes, des Bajorans. Si seulement je *savais* !

— Ta douleur me fait mal. Mais, pour la paix de ton âme, je peux te dire que personne n'est venu se confesser à moi d'être compromis dans cette affaire.

Kira prit la main du moine et la pressa contre sa tempe. « Merci, Leiris. »

Soit le terroriste n'avait aucun remords de conscience, soit il n'avait pu se résoudre à s'en confesser, conclut-elle en s'éloignant du temple. Ou bien... Elle jeta un regard en direction de la boutique de Garak, mais le couturier avait disparu.

Aucun des témoins qui attendaient dans les locaux de la Sécurité ne cachait son mécontentement. Kira prit leurs dépositions une à une, leur demanda à chacun s'ils avaient vu ou entendu quoi que ce soit de suspect aux abords des pylônes et des quais où les explosions avaient eu lieu. C'était une procédure fastidieuse. Elle devait chaque fois rassurer les interpellés et leur répéter qu'aucune charge ne pesait contre eux.

— Je n'ai même jamais été dans la résistance ! insistait un manutentionnaire. Pas plus qu'un autre ! Vous n'avez aucune raison de me soupçonner ! Ni de me poser ces questions !

— Nous ne vous soupçonnons pas, répéta Kira avec lassitude. Nous essayons seulement de déterminer quelle quantité d'explosifs on a pu transporter sur la station. Par les voies courantes ou autrement. Maintenant Bojja, répondez-moi. Est-ce bien votre manifeste de cargaison ? Y a-t-il autre chose que vous n'auriez pas déclaré ? Un colis quelconque, si inoffensif qu'il ait pu paraître ? Essayez de vous rappeler, je vous en prie.

Pendant que le Bajoran mécontent parcourait la liste de marchandises, le commbadge de Kira tinta :

— O'Brien à la sécurité ! Je l'ai trouvée ! J'ai trouvé la bombe !

Kira sauta sur ses pieds. Le manutentionnaire de fret, qui leva les yeux, la vit se précipiter hors du bureau. « Est-ce que je peux m'en aller ? »

— Oui ! Non ! Attendez. Répondez d'abord à ces questions. Vous pourrez partir ensuite.

Un lourd silence, inquiet, pesait sur les officiers rassemblés devant le moniteur de la salle de contrôle du groupe moteur de la station. L'image d'un fuseau de confinement antimatière apparaissait sur l'écran, sur lequel était fixé un curieux objet métallique, plus petit que la main de O'Brien. Même à distance, personne n'osait remuer ni émettre le moindre son inutile. Ce fut Sisko qui brisa finalement le silence :

— Vous êtes sûr que c'est une bombe ?

— Absolument, affirma O'Brien, catégorique. L'ordinateur le confirme. Tout indique qu'il s'agit du même type d'appareil utilisé depuis le début des attentats. Ses composantes se seraient désintégrées au moment de l'explosion et n'auraient laissé aucune trace. Si ce fuseau explose, il ne restera pas non plus la moindre trace de nous, ajouta-t-il avec un rire amer. Nous avons de la chance de l'avoir trouvée, même si on ne sait pas qui est le salopard qui l'a posée là.

Sisko prit une grande respiration, comme s'il avait été lui aussi sur le point d'exploser.

— Mais bon sang, comment ont-ils réussi à s'introduire dans cette salle ? N'est-elle pas surveillée en permanence ? Qui a fait ça ? Est-ce qu'il est invisible ? Possède-t-il un dispositif de camouflage personnel ?

À ces mots, le technicien bajoran en poste recula jusqu'au mur et se fit le plus petit possible, mais l'attention du commandant se fixa sur Odo.

— Je veux des résultats ! Les terroristes circulent sur la station comme bon leur semble. Avec des réacteurs surveillés comme ça... c'est un miracle qu'ils n'aient pas encore tout fait sauter !

— Par les Prophètes ! jura tout à coup Kira et elle frappa son badge. Sécurité, ici le major Kira ! Le docker du nom de Bojja, Bojja Riyn, est-il toujours dans les bureaux de la sécurité ? Il était détenu pour interrogatoire, aujourd'hui.

— Il vient de partir à l'instant, major, répondit une voix.

— Rattrapez-le ! Tout de suite ! C'est urgent. Ramenez-le et mettez-le en détention. Isolez-le.

— Sous quelles charges, major ?

— Fraude, contrebande, peu importe. Mais dépêchez-vous et ne le laissez parler à personne ! Est-ce clair, Amran ?

— Oui, major. En détention. Et en isolement.

Sisko et tous les autres la dévisageaient, persuadés que le stress excessif lui avait fait perdre la raison.

— Bojja a entendu O'Brien quand il m'a appelée, expliqua Kira. Pensez-y : celui qui a posé la bombe, qui que ce soit, ne sait pas que nous l'avons découverte. Il croit toujours qu'elle explosera dans trente-deux heures !

— C'est juste ! s'exclama Sisko. Si nous voulons mettre la main sur celui qui est derrière tout ça, personne ne doit apprendre notre découverte ! Constable, pouvez-vous assurer une surveillance discrète de cette salle ?

— Je m'en occupe personnellement, obtempéra Odo.

— Et cette bombe, chef ? demanda Sisko en tournant le regard vers le moniteur. Quel danger représente-t-elle exactement ?

— Pour commencer, le système des réacteurs est instable, déclara O'Brien. Si ce truc saute... il ne restera plus une parcelle de la station.

L'ingénieur gardait le regard rivé sur l'écran.

— Il y a un autre problème. Je ne sais pas si on peut la désamorcer.

CHAPITRE 24

Depuis son arrestation, Berat avait repris des forces, après plusieurs jours sans sommeil. Il avait eu de la chance, selon le médecin de Starfleet. Les atteintes au système nerveux n'étaient que de quatre à six pour cent et se résorberaient probablement d'elles-mêmes par guérison naturelle au cours des prochains mois. « Dormez et reposez-vous », avait conseillé Bashir. « C'est ce que vous avez de mieux à faire pour l'instant. »

Au reste, il ne pouvait rien faire d'autre, ici, en détention. Berat ne s'en plaignait pas. Le chef de sécurité à la drôle de bouille l'avait prévenu qu'il serait peut-être accusé de délits graves par les autorités de la station — mais les peines encourues n'atteindraient jamais la rigueur de celles de Gul Marak.

Berat se redressa, légèrement craintif, en entendant des pas se rapprocher de sa cellule. Son instinct de fugitif ne l'avait pas encore tout à fait abandonné.

Il se leva nerveusement quand il aperçut le commandant de Starfleet à la peau sombre, accompagné d'un officier au teint beaucoup plus pâle et qui sembla vaguement familier à Berat. Il gardait un souvenir confus et fragmenté de sa capture... *un couloir étrange, un visage surpris surgissant comme un éclair, une main qui se posait... sur une arme ?*

La main de Berat s'ouvrit et se referma, sans trouver le fuseur qu'elle cherchait. C'était l'homme sur qui il avait tiré.

Berat recula quand Sisko et O'Brien s'arrêtèrent devant sa cellule.

Les deux officiers de la Fédération avaient un air soucieux, et même sinistre. Berat sentit la morsure de la panique. Venaient-ils pour l'accuser d'avoir tiré sur l'officier ? Allaient-ils lui retirer son statut de réfugié ? Et le livrer finalement à Gul Marak ?

— Monsieur Berat, je suis ici pour une affaire urgente, déclara Sisko sans détour. Voici mon chef des opérations, Miles O'Brien. Vous vous souvenez peut-être de lui.

Le ton gravement ironique du commandant aida Berat à retrouver son équilibre intérieur. « Je... », commença-t-il en s'obligeant à regarder O'Brien droit dans les yeux. L'humain ne semblait pas animé par un désir de vengeance ; il paraissait seulement préoccupé, et complètement exténué.

— Je suis... désolé d'avoir tiré sur vous, bégaya Berat. J'étais... Tout ce que j'ai vu, c'est que quelqu'un me barrait le passage...

— Monsieur Berat, je crois que vous étiez ingénieur sur une station spatiale, coupa court Sisko. O'Brien m'affirme que vous connaissez bien votre métier. Je veux savoir si vous accepteriez de nous aider.

— Vous aider ? répéta Berat, l'air indécis.

— Je crois que vous êtes au courant de la situation sur la station. Nous faisons face à une grave menace d'attentat. Nous avons localisé l'appareil explosif. Il est fixé sur un des réacteurs de fusion. Je n'ai pas besoin de vous faire un dessin : il reste encore des centaines de personnes sur la station. Je veux savoir si vous pouvez nous aider à désamorcer la bombe.

— Est-ce une bombe bajoranne ? Qui l'a posée ?

— En toute franchise, nous ne savons pas qui a fomenté ces attentats, répondit Sisko. Peut-être des terroristes bajorans. Mais peut-être aussi, je ne vous le cacherai pas, un agent cardassien. Je sais que nous ne pouvons pas vous obliger à nous aider. Mais si le pire devait arriver, ce sont des enfants et de simples civils qui seraient tués, pas des combattants. Je vous prie d'en tenir compte.

— Je dois réfléchir, dit Berat en portant les mains à la tête.

On l'avait accusé de traîtrise, d'être l'ami des Bajorans, mais il savait que c'était faux. Jamais il n'avait trahi son peuple. Et la guerre était terminée, ces gens n'étaient plus leurs ennemis.

— Où se trouve la bombe exactement ? demanda-t-il en relevant la tête.

— Sur le fuseau de confinement d'antimatière du réacteur B, répondit Sisko d'un ton glacial.

— Par mes aïeux !

— Ça, vous pouvez le dire, abonda O'Brien. Si ce truc éclate, on va tous aller les rejoindre bientôt.

O'Brien tendit sa trousse d'outils à Berat.

— On a retrouvé ça pour vous, dit-il avec un sourire en coin.

— Combien avez-vous payé les Férengis, demanda le Cardassien qui ne plaisantait qu'à moitié.

Berat avait eu le temps de comprendre que le Férengi savait depuis le début que le Cardassien n'avait qu'à déposer une demande pour obtenir l'asile. Il en restait ulcéré.

— Le constable Odo leur a fait une offre impossible à refuser s'ils ne voulaient pas croupir dans une cellule pendant que tout le monde évacuait la station.

Berat resta silencieux tout le temps qu'ils attendirent le lift qui les conduirait aux niveaux inférieurs du cœur de la station.

— Vous avez dit à votre commandant que j'étais un bon ingénieur ? Pourtant... vous ne me connaissez pas.

— J'ai examiné ce que vous avez bricolé un peu partout sur la station. C'est amplement suffisant.

Berat hocha la tête en silence. Ce qu'ils partageaient dépassait les notions de race, humaine ou cardassienne. Une pompe d'alimentation reste une pompe d'alimentation, peu importe sa conception. Et l'antimatière aussi, hélas.

Berat regarda autour de lui en descendant du lift, niveau trente-deux.

— Je me suis caché ici. En arrivant sur la station, je me suis dit que ce qu'on racontait à propos des Bajorans devait être vrai. Tout était dévasté. Je me suis rendu compte plus tard qu'il s'agissait d'un saccage délibéré.

— Si vous aviez vu ça quand j'ai débarqué sur la station...

Berat n'eut aucun mal à imaginer la scène, au seul ton de la voix de O'Brien.

— Ça n'a pas été facile pour nous de quitter l'espace bajoran, confia Berat après un moment d'hésitation. Nous avons dû investir beaucoup de ressources irrécupérables pour construire cette station. L'abandonner ensuite et leur céder...

— Vous leur avez aussi *enlevé* beaucoup de ressources, nota O'Brien.

C'était indéniable, et Berat n'avait pas desserré les lèvres quand O'Brien lui fit franchir le seuil de la salle de contrôle du groupe moteur. Le visage du Cardassien s'illumina comme celui d'un homme qui rentre au bercail au bout d'un long voyage. Ici, on n'avait touché à rien.

Le moniteur présentait une image de la bombe, toujours en place, discrète et d'aspect inoffensif, parmi les rangées d'appareils, à moins d'en connaître la fonction.

— Comment avez-vous réussi à la trouver ? demanda Berat.

— Ç'a été long, avoua O'Brien. Toutes les bombes qui ont explosé jusqu'à maintenant étaient trop petites pour causer des dégâts sérieux à la station. J'ai donc commencé à me demander où j'en poserais une si je voulais faire sauter la station au complet. En envisageant la question sous cet angle, la réponse allait de soi. Les réacteurs menacent d'exploser à tout moment, depuis que nous sommes arrivés ici. Tout ce qu'il faudrait, c'est un petit coup de pouce.

— Je n'arrive pas à comprendre qu'on ait réussi à fixer une bombe là-dessus, s'étonna Berat en secouant la tête d'incrédulité. Même aussi petite. La sécurité doit pourtant bien...

— Les services de sécurité ont été passablement réduits ces derniers jours, répliqua O'Brien d'un ton sec, ce à quoi Berat ne trouva rien à redire non plus.

En enfilant les combinaisons anti-radiations, un geste aussi naturel pour Berat que de passer un scaphandre extravéhiculaire, le Cardassien se surprit d'entendre O'Brien ronchonner. Mais la présence d'un technicien bajoran qui les observait le préoccupait davantage ; Berat aurait voulu se tourner vers lui et lui expliquer : « Je n'ai jamais rien fait contre votre peuple, c'est la première fois que je mets les pieds dans l'espace bajoran » — mais il se tut, détournant le visage.

Deux portes blindées conduisaient au réacteur lui-même. Les deux ingénieurs traversèrent la grille de stockage d'alimentation massive, bouillonnant de sodium radioactif, et gagnèrent l'enceinte de confinement magnétique de l'antimatière — de loin plus redoutable. Si l'enceinte était endommagée, si le magma d'antideutérium entrait en contact avec la matière ordinaire, la réaction qui en résulterait vaporiserait instantanément la station. La protection offerte par leurs combinaisons anti-radiations serait alors dérisoire.

— Je n'ai jamais fait confiance à ce système, dit O'Brien en secouant la tête.

— Pourquoi ? demanda Berat en tournant vivement la tête. C'est notre générateur le plus perfectionné. Évidemment, nous n'avons pas à notre disposition les ressources illimitées de Starfleet.

— Désolé. C'est peut-être simplement que je ne suis pas habitué à ce genre d'équipement, s'excusa O'Brien, sans toutefois se départir de sa méfiance et ne quittant pas des yeux la grille qui les ceignait.

Ils commencèrent à plancher sérieusement sur le problème. La bombe était un modèle d'une redoutable simplicité. Un déclencheur s'était activé lorsqu'on l'avait installée sur le tube de réaction de telle manière qu'elle exploserait à la moindre tentative pour la soulever ou la retirer.

— Je ne vois aucune minuterie, dit O'Brien. La bombe doit contenir une commande à distance.

— À moins que la minuterie ne soit à l'intérieur du boîtier, rectifia Berat.

— Je n'ai pas pris le risque de la scanner, expliqua O'Brien, contrarié par le rappel de ce détail. On ne peut pas savoir comment elle peut être déclenchée.

Berat partageait son avis. En l'absence d'indications sur le contenu du boîtier et le fonctionnement du détonateur, impossible d'effectuer un scan sans danger. La plupart des appareils qu'il connaissait étaient sensibles aux rayons X, aux sondes soniques et radio, à toute fluctuation du champ électromagnétique — on ne pouvait pas savoir dans ce cas-ci. Pas plus que de prédire ce qui arriverait si on coupait un des fils qui maintenaient la bombe en place.

Après avoir longuement considéré toutes les solutions possibles et les avoir écartées successivement, Berat déclara à contrecœur :

— Le mieux serait de fermer complètement le réacteur. Ce serait le moyen le plus sûr. Mais cela prendrait... évalua-t-il en consultant son chronomesureur. Combien de temps avez-vous dit qu'il reste ?

O'Brien fit un signe de tête négatif, la mine sombre.

— Dans ce cas, la seule solution est d'isoler le problème. Il faut retirer le tube de réaction et la bombe en même temps. D'un seul bloc.

— C'est bien ce que je craignais, dit O'Brien. Mais si on enlève tout... la bombe ne va pas sauter ?

— Je ne sais pas... murmura Berat en fronçant les sourcils. Le mécanisme est conçu de manière à se déclencher si on ôte la bombe, pas si on détache toute l'unité — à moins qu'il ne soit doté d'un appareil de détection gyroscopique. Je n'en ai jamais vu, mais cela doit exister. Peu importe, il faut d'abord vider l'enceinte de son antimatière.

— Avons-nous vraiment le choix ?

Tous les deux essayèrent une dernière fois de trouver une autre solution.

— Vous connaissez bien ce système, n'est-ce pas ? finit par demander O'Brien.

— Avant d'être rétrogradé, j'ai occupé durant deux ans le poste d'officier au contrôle des systèmes de la station Farside. Toutes nos stations sont conçues selon le même plan de base.

— C'est pour ça que vous saviez comment tromper nos systèmes de défense ?

— Et aussi quels tunnels d'entretien emprunter pour me cacher. Seulement, je n'avais pas prévu que cette section du réacteur serait scellée, déplora-t-il.

— Les réacteurs A et C sont contaminés. Ils ont été intentionnellement sabotés, nous n'avions pas le choix. Je ne sais pas si on pourra un jour les remettre en marche. Heureusement, nous n'en dépendons pas pour nos besoins en énergie.

Ils retournèrent dans la salle de contrôle.

— Comment devrait-on procéder, d'après vous ? demanda O'Brien.

— Ça... dit Berat qui s'avança vers la console de commande en retirant son casque et ses gants de protection ; il jeta un regard hésitant derrière lui.

— Allez-y, l'engagea O'Brien.

Berat s'assit en faisant jouer ses doigts au-dessus du tableau. Il commanda les diagrammes du réseau de puissance à l'écran et agita faiblement les lèvres en parcourant les affichages.

— Le niveau de fluctuation de ce champ d'endiguement est extrêmement élevé, le saviez-vous ?

O'Brien était au courant. Les fluctuations magnétiques erratiques des champs d'endiguement du réacteur lui avaient fait passer bien des nuits blanches, depuis son arrivée sur DS-Neuf.

Berat tourna de nouveau la tête vers O'Brien, le technicien bajoran dont la méfiance ne se relâchait pas toujours à ses côtés.

— Je vais devoir déverser l'antimatière de cette enceinte *quelque part*, dit-il. Inutile de songer à utiliser les sections A et C, je suppose ?

— Elles sont hermétiquement scellées, dit O'Brien en appuyant sur chaque syllabe. On en a même retiré les tubes de réaction. Ouf ! Ç'a été une sale besogne !

— Je vois, dit Berat en vérifiant de nouveau les affichages. Je vais donc prendre le réacteur D. C'est celui qui présente la plus grande capacité.

— Nous avons fermé ce système-là aussi, mentionna O'Brien avec inquiétude.

— Mais les générateurs d'endiguement sont toujours opérationnels, non ?

— En principe, oui, répondit le technicien.

Berat commanda les données à l'écran de la console. « Ils fonctionnent », confirma-t-il.

— Procédez, dit O'Brien et Berat se mordit la lèvre en comparant les diagrammes des deux systèmes.

— La station peut-elle fonctionner avec un seul réacteur ? demanda-t-il.

— À la limite, oui.

— Mmm, fit Berat, préoccupé par les affichages du générateur de champs d'endiguement magnétique du réacteur D.

Il marmonna une série de renseignements sur les fluctuations et procéda à de légers ajustements sur les deux générateurs. « Donnez-moi deux pour cent de plus. Moins vite. Cette oscillation ne me plaît pas. Voilà. C'est mieux. » Il leva les yeux vers O'Brien :

— D'où viennent vos réserves d'antihydrogène ? De Starfleet ?

O'Brien fit oui de la tête.

— Coordonnées ?

Pour toute réponse, le chef ingénieur commanda toute une série de relevés à l'écran. Berat les étudia un moment puis programma quelques ajustements supplémentaires aux générateurs d'endiguement.

— C'est bon, se satisfit-il en poussant un soupir. J'active le système de vidage magnétique.

De nouveaux relevés apparurent sur les afficheurs. Un diagramme indiqua la diminution du volume de magma d'antideutérium de l'enceinte du réacteur B, qui passait dans l'enceinte D à travers les conduites magnétiques. L'ordinateur lança bientôt un avertissement : « Le niveau de fluctuation est en hausse de dix pour cent. Surcharge possible du générateur. Réduction du volume de pompage conseillée. »

— Bon Dieu ! On n'a pas le temps... jura O'Brien, mais Berat avait déjà effectué de nouvelles corrections, sans détacher un seul instant son regard du moniteur.

Ses lèvres muettes suivaient les relevés : *Neuf point sept, neuf point six, neuf point cinq*... Le niveau des fluctuations diminuait lentement, pendant que le volume de pompage demeurait égal.

O'Brien laissa échapper un soupir. Berat ne relâchait pas sa vigilance à la console, mais de temps à autre il devait serrer ses poings ensemble pour les faire cesser de trembler. Il finit par lever les yeux vers O'Brien en lui montrant ses mains tremblantes.

— Je dois passer en commande vocale. C'est à cause des lésions neurologiques, expliqua-t-il avec tristesse, mais sa voix dénotait aussi son épuisement. À moins que vous ne vouliez prendre ma place.

— Vous pouvez invalider les protocoles automatiques par commande vocale, assura O'Brien.

— Ah oui ? fit Berat, surpris. Pourtant, l'ordinateur...

— Je crois que vous allez remarquer un léger changement d'attitude de sa part, ironisa O'Brien. Il m'a fallu résoudre ce petit problème.

— Nos procédures ne permettent pas de modifier les protocoles.

— Eh bien, heureusement que les codes de Starfleet ne protègent pas les protocoles des équipements cardassiens. Nous en avons, disons... adapté quelques-uns.

Une expression d'envie passa brièvement sur le visage de Berat avant qu'il ne reporte son attention sur la console. « Attention ! Le niveau de fluctuation s'est élevé de douze pour cent. Les oscillations s'accentuent. Réduction du système de pompage activ... » lança justement l'ordinateur un instant plus tard.

— Annulez ! Augmentez le champ de refroidissement à huit-deux. Réduisez l'énergie du générateur dans une mesure de un sur zéro point deux. O.K. Maintenez les coordonnées.

— Hum... interrompit l'ingénieur chef. Le condensateur...

— Activez le système auxiliaire, ordonna Berat sur-le-champ, et le technicien se rendit au contrôle de secours pour effectuer les opérations nécessaires. Dès que le système auxiliaire se mit en marche, l'oscillation recommença à se stabiliser.

— C'est bon, dit Berat. Ça devrait suffire pour l'instant.

Il était impossible d'accélérer l'opération sans risquer le feu d'artifice qu'ils tentaient précisément d'éviter. Les trois hommes, dans la salle de contrôle, regardaient avec fébrilité s'égrener les secondes.

Personne ne savait à quel moment la bombe allait sauter. Soixante-douze heures, disait l'affiche terroriste ; plus de la moitié de ce laps de temps s'était irrévocablement écoulé maintenant — mais personne ne connaissait l'heure exacte de l'explosion.

Berat se laissa enfin retomber au fond de son siège. Les images du moniteur indiquaient que l'enceinte de confinement était vidée et le transfert d'antimatière complété. Il ne mit cependant fin à l'opération de transvasement qu'après plusieurs minutes, pour s'assurer que le dernier atome d'antihydrogène avait été expulsé du réservoir.

— Niveaux d'antimatière épuisés, annonça l'ordinateur. Capacité du réacteur réduite de quatre-vingt pour cent.

— Compris, dit O'Brien. On peut retourner là-dedans et retirer le fuseau de réaction.

Berat remit son casque et O'Brien allait l'imiter, mais le technicien bajoran les arrêta.

— Et moi, que dois-je faire ? Avez-vous besoin de mon aide ?

— Restez à la console. Surveillez le champ d'endiguement du réacteur D, lui dit Berat. Il n'a sûrement pas l'habitude de tels niveaux de stress.

Le technicien prit la place du Cardassien à la console et les deux hommes regagnèrent la chambre pour entreprendre ce que O'Brien qualifiait de « simple opération de plomberie », à présent que l'enceinte était exempte d'antimatière.

Le plus gros du travail physique de détacher le tube de réaction fut accompli par O'Brien. Berat resta à ses côtés, se sentant aussi inutile que coupable, ses mains gantées encore toutes tremblantes. Le médecin de Starfleet ne pouvait pas préciser quelle régénération de ses nerfs il pouvait espérer.

— Dernier branchement, murmura O'Brien.

Retenant son souffle, il saisit le tube de réaction de près d'un mètre de long et libéra la dernière valve. Avait-il bougé ? Oui, et sans leur exploser au visage. Les deux hommes soupirèrent en même temps de soulagement. Avec une extrême lenteur, O'Brien retira complètement l'appareil. Enfin, il était dégagé. La lourde masse du tube n'était plus supportée que par le ber de transfert, la bombe intacte et toujours connectée.

— Vous avez réussi ! haleta Berat.

— *Nous* avons réussi, le corrigea O'Brien.

— Nous l'avons eu !

Ils étaient contents comme deux enfants.

CHAPITRE 25

Aucun danger de destruction imminente ne pesait plus sur DS-Neuf. La bombe, toujours rivée au fuseau de réaction vide, reposait en sécurité sous un dôme de confinement, où elle ne causerait pas de dommages en cas de déflagration. L'image trompeusement inoffensive de l'engin de mort apparaissait à l'écran du moniteur.

Berat se sentait un brin nerveux, au milieu de tous ces officiers de Starfleet et — pire — de ces Bajorans. La femme major, à l'expression presque hostile, était la seule à ne pas l'avoir félicité pour l'opération de démontage de la bombe. Et comment oublier qu'il était prisonnier de ceux-là mêmes qui avaient été les ennemis de son peuple plusieurs générations durant ?

— Le temps reste notre préoccupation majeure, disait le major Kira. Ceux qui ont réglé cette bombe s'attendent toujours à la voir exploser à l'heure prévue. C'est le temps que nous avons pour les arrêter.

— En attendant, nous devons travailler là-dessus, fit observer Dax en désignant d'un coup d'œil la bombe à l'écran. C'est une preuve. Je veux la scanner pour une analyse ADN. Nous la comparerons avec celles des fragments récupérés des autres explosions.

Si nous parvenons à déterminer leur provenance, nous pourrons partir de là.

— Il faut donc la désamorcer, dit Odo.

— Monsieur O'Brien, désamorcez la bombe si vous en êtes capable, mais ne la débranchez pas à moins d'y être forcé, ordonna le commandant Sisko ; il se tourna vers le Cardassien. Monsieur Berat ? Êtes-vous toujours prêt à nous aider ?

— Je connais bien ce genre de dispositifs, proposa Kira.

— Excellent. Vous pourrez seconder Berat et O'Brien.

Kira fronça les sourcils. Ce n'était pas tout à fait la réponse qu'elle attendait.

Berat ne disait rien. Il avait commencé à croire, plus tôt au cours de son séjour sur DS-Neuf, que le terrorisme bajoran n'était qu'un mythe créé de toutes pièces par la propagande cardassienne. Mais voilà que Kira, ici même, avouait « bien connaître ce genre de dispositif. » Facile de deviner où elle avait acquis son expérience, et sur quelles cibles elle avait pratiqué.

O'Brien sentait la tension dans l'air. Quand Sisko et les autres eurent quitté la salle de surveillance, il se tourna vers Berat, puis vers Kira, comme pour susciter un effort de bonne volonté entre eux.

— Bon, commençons par scanner ce satané truc pour voir ce que raconte l'ordinateur.

— Si le scan ne le fait pas exploser, prévint Berat, pessimiste, mais l'image du balayage laser commença à se dessiner sur l'écran.

— Pas de minuterie, nota O'Brien. Il y a donc une commande à distance.

— Là, un récepteur radio, dit Berat en pointant le visualiseur.

Maintenant qu'il examinait l'engin de plus près, il lui paraissait plutôt familier — presque trop.

— Ceux qui s'apprêtent à faire exploser la bombe n'ont donc pas quitté la station ! dit Kira en fixant l'écran d'un air farouche. Ils doivent rester ici, pour émettre le signal. Il n'est pas trop tard !

Une fois le scan complété, Berat indiqua l'endroit le moins risqué pour percer le boîtier de la bombe et y introduire une tige qui bloquerait le percuteur. Une opération simple, bien que délicate, qu'on pouvait réaliser à l'aide des pinces de manutention, téléguidées par ordinateur. Berat, debout derrière O'Brien, l'observa manier la sonde ; de temps à autre, il faisait jouer les muscles de ses doigts et tentait d'en réprimer les tremblements.

— Voilà, c'est fait ! s'exclama finalement O'Brien en se laissant retomber dans son fauteuil avec un soupir de soulagement.

La tige était en place et le percuteur neutralisé, incapable désormais de provoquer l'explosion de la bombe.

— Vous avez certainement déjà fait ça, constata O'Brien en toisant le Cardassien.

— C'est exact, répondit Berat. À l'école d'ingénierie de combat. C'est... c'est une bombe d'un modèle cardassien.

— Vous en êtes certain ? lui demanda Sisko.

— Absolument, dit Berat après une brève hésitation. Il s'agit d'un appareil cardassien. C'est un modèle que je ne connais pas et le numéro de série a été effacé, mais la conception de base est... cardassienne.

— Les raids sur les arsenaux cardassiens nous permettaient de nous ravitailler en matériel et en pièces d'armement, dut confesser Kira. La provenance de la bombe ne prouve pas que le terroriste est cardassien. Je l'aurais espéré, mais... nous ne pouvons pas nous permettre la moindre erreur.

— Monsieur Berat ?

L'ingénieur cardassien se trouvait en délicate posture. Jusqu'où devaient aller ses divulgations ? Allait-il trahir son monde natal ? L'avait-il déjà fait, en désamorçant la bombe ? En identifiant son origine ?

Mais s'il existait un complot pour détruire DS-Neuf et rompre la paix entre la Cardassie et la Fédération, alors il en connaissait l'artisan : Marak. Marak et le parti de la Revanche, les responsables de l'exécution de son père, pour trahison. Tout cela faisait partie d'un même plan.

— Nous ne voulons pas vous forcer à révéler des renseignements que vous ne désirez pas nous transmettre, mais découvrir qui sont nos attaquants est le seul moyen de protéger la station. Et les arrêter avant qu'ils ne recommencent.

— Je crois... commença Berat d'une voix lente, que je n'ai pas reconnu ce modèle tout de suite parce qu'il est récent. On a mis au point de nouvelles séries depuis ma sortie de l'école — après notre retrait de l'espace bajoran. Je ne vois pas comment... des Bajorans auraient pu s'en procurer des échantillons.

Les officiers échangèrent des regard surpris.

— Je vous remercie, monsieur Berat, dit Sisko. Nous n'avons pas besoin d'en savoir plus. L'officier de sécurité vous reconduira aux quartiers de détention. Vous comprendrez que je vous y assigne pour votre propre sécurité, tant que le *Swift Striker* sera stationné sur DS-Neuf. Gul Marak a fait... certaines déclarations menaçantes.

« Mais je veux que vous sachiez que nous apprécions tous ce que vous avez fait aujourd'hui.

Ils attendirent que Berat ait quitté la salle.

— Je ne sais pas si on peut lui faire confiance, se défia Kira.

— Il a risqué sa peau dans le réacteur, réagit O'Brien, fâché par ce doute.

— Ou bien il ment, ou bien il trahit son peuple, n'en démordit pas Kira.

— Je n'en suis pas si sûr déclara Sisko. Ce n'est peut-être pas aussi simple. Mais ce n'est pas notre préoccupation majeure pour l'instant. Vous aviez raison, major, ce sont les Cardassiens qui ont organisé les attentats. Ils voulaient faire porter le blâme de la destruction de la station sur les terroristes bajorans, une fois DS-Neuf anéantie.

— Et Gul Marak aurait été en position de revendiquer le trou de ver, ajouta Kira.

— De toute façon, dit Odo, pour Gul Marak — et tous ceux qui sont au courant — l'explosion est toujours prévue dans... vingt et une heures, précisa-t-il après vérification à son chrono.

— Ou encore au moment où ils décideront de la déclencher, rectifia Sisko. Tout ce que nous avons, c'est une affiche mentionnant le chiffre de soixante-douze heures.

— Ils ne feront pas sauter la bombe tant que leur vaisseau sera ici, observa O'Brien. Ils ne veulent certainement pas sauter avec la station. Il nous reste donc au moins jusqu'au départ du *Swift Striker*.

— S'il s'agit bien des Cardassiens, rappela Dax, dont les résultats des scans ADN s'avéraient jusqu'à présent peu concluants.

Kira la regarda d'un air troublé que personne ne remarqua.

— Et si l'explosion n'a pas lieu ? Comment réagiront-ils ? demanda Odo.

— Bonne question, applaudit Sisko. Il faut y réfléchir. Hélas, même sans détruire la station, cette conspiration a déjà causé beaucoup de tort à Bajor. Les négociations commerciales sont définitivement rompues. Aucun de ces mondes ne voudra plus accepter Bajor dans la Fédération, après ce qu'ils croient être arrivé. Ils sont persuadés que les Bajorans sont tous des terroristes fanatiques.

— Mais nous avons des preuves ! protesta O'Brien.

— Un *élément* de preuve, corrigea Sisko. Sans rien qui établisse la certitude que nous ne l'avons pas posée nous-mêmes, afin d'en accuser ensuite les Cardassiens.

— Berat a reconnu la provenance de la bombe.

— Les Cardassiens s'empresseront de faire remarquer qu'il est un traître notoire, à qui la Fédération a accordé l'asile. Non, les Cardassiens doivent se discréditer eux-mêmes. Publiquement. Devant le plus grand nombre de témoins possible. Et pour ça, continua Sisko en arrêtant son regard tour à tour sur chacun de ses officiers, il faut leur laisser l'illusion que leur plan fonctionne. Nous devons continuer d'agir comme si nous n'avions pas découvert la bombe.

— Et l'évacuation ? demanda Odo. Le niveau de panique sur la station...

— Nous ne pouvons pas forcer les occupants à rester. En fait, nous ne disposons pas des effectifs de sécurité suffisants pour empêcher tous les vaisseaux de quitter la station. Impossible également de révéler que nous avons neutralisé la bombe. Et il nous faut des témoins. Autant d'observateurs impartiaux que possible.

— Nous ne pouvons pas ordonner aux délégués de rester, mais nous ne serons pas en mesure d'assurer leur sécurité s'ils essaient de partir, résuma Dax.

— Exactement, approuva Sisko. Après les deux derniers incidents, c'est une menace qu'ils devront considérer. Je m'entretiendrai avec tous les ambassadeurs et les délégations commerciales toujours à bord.

« Major, il reste des détails à débrouiller dans cette affaire. En supposant qu'il s'agisse d'un complot cardassien, il leur a fallu recourir à la complicité d'un agent sur la station, avant l'arrivée du *Swift Striker*. Je *veux* qu'on le capture. Et je veux savoir comment ils ont réussi à déjouer la sécurité pour poser cet engin sur l'enceinte d'endiguement.

Sisko jeta un coup d'œil sur la bombe, à l'écran du moniteur.

— Je me méfie de notre ami cardassien, Gul Marak. Odo posait la bonne question tantôt : Comment réagira-t-il quand il verra que la bombe n'explose pas ? Que fera-t-il ? S'il se préparait à faire sauter la station, il n'hésitera sûrement pas à utiliser un cuirassé de classe Galor pour parvenir à ses fins.

— Et ce sont les terroristes bajorans qui en porteraient le blâme, grinça Kira, les mâchoires serrées.

— Tous ceux qui connaissent la vérité seraient morts, dit Odo.

— Exactement. Voilà ce que nous devons empêcher, déclara Sisko qui fixa O'Brien, puis la bombe. Et nous allons nous servir de *ça* pour y parvenir.

CHAPITRE 26

— J'avoue avoir du mal à vous suivre, major, dit Odo.

— Que voulez-vous dire ? s'étonna Kira en levant les yeux de sa console.

— Voyez-vous, major, malgré mon apparence humanoïde, mes sentiments ne sont pas les mêmes que les vôtres. Je ne peux pas vraiment comprendre le désir de vengeance. Vous avez été la première à penser que les attentats étaient l'œuvre des Cardassiens. Vous disiez que les Bajorans ne détruiraient pas leur propre station. Nous détenons à présent la preuve que vous aviez raison.

« Mais regardez la liste de noms sur votre écran, toutes ces personnes que vous détenez pour les interroger. Ce sont tous des Bajorans ! Tous sauf Garak ! Maintenant que tout le monde convient de l'implication des Cardassiens, c'est vous qui semblez en douter.

Kira se passa la main dans les cheveux. C'était un véritable fouillis. Aussi bien tout déballer.

— Ça ne colle pas. Certains détails restent sans explication, confia Kira. Que devient Gélia dans tout ça ? Elle appartenait bien au Kohn Ma. Elle a bel et bien posé cette affiche sur un mur, près de la boutique de Garak. Quelqu'un lui en a donné l'ordre — et je dois absolument savoir *qui*. Ce ne peut pas être un Cardassien, je ne peux pas le croire. Un Cardassien qui connaîtrait les codes de reconnaissance du Kohn Ma ?

— Ce n'est pas complètement impossible, vous savez, dit Odo. Plusieurs terroristes ont été interrogés. Torturés. Les Cardassiens excellent dans cet art, vous le savez comme moi. Quelqu'un a pu parler, sous la contrainte, sous l'effet de drogues. Impossible de savoir.

— Mais je *dois* savoir ! Et ce n'est pas tout. Sisko a raison. Si c'est un Cardassien qui a posé la bombe, comment a-t-il réussi à s'introduire dans la chambre du réacteur sans être intercepté ? Elle est gardée en permanence par le technicien en poste, dit Kira en secouant la tête. Il manque une pièce du puzzle. Nous oublions quelque chose... et j'ignore quoi.

— Vous n'interrogerez donc pas Garak ?

— Oh que si ! répliqua vivement Kira en se levant. C'est même ce que je vais faire de ce pas !

Le couturier cardassien se leva, l'air d'un homme blessé dans sa dignité.

— Vous voilà, major. Ce n'est pas trop tôt. Je présume que je vais enfin savoir pourquoi on me garde ici.

— Vous êtes détenu pour interrogatoire, monsieur Garak.

— Un interrogatoire ? En ce moment ? Vous n'êtes peut-être pas au courant, major, mais la station va exploser dans exactement seize heures.

— Oh ? Vous connaissez donc les détails de l'horaire prévu pour cette explosion, à ce que je vois ?

Garak fronça les sourcils, contrarié, et baissa les yeux sur les ongles polis de sa main.

— Ne me jouez pas la comédie, major. Les rumeurs mentent rarement. Tout le monde évacue DS-Neuf ! Je veux monter sur mon vaisseau avant qu'il ne soit trop tard.

— Et quel est ce vaisseau ? Le *Swift Striker* peut-être ? Vous avez convenu d'un arrangement avec Gul Marak ?

— En tant que citoyen cardassien, je me suis naturellement adressé au Gul quand j'ai pris la décision de quitter la station, répliqua le couturier d'un ton sec. Au cas où vous seriez trop occupée à interroger des innocents pour le remarquer, major, sachez que les places disponibles pour les passagers en partance se font rares, par les temps qui courent.

— Le sont-elles toujours autant ? Mais peut-être que vous n'êtes pas au courant : l'ordre d'évacuation a été annulé.

— Cela n'empêchera pas les vaisseaux de partir. Vous ne pourrez pas les arrêter. Pas un cuirassé, en tout cas.

— Nous pouvons tout de même essayer. Mais dites-moi, Garak : *à quel moment* le *Swift Striker* décollera-t-il, au juste ?

— Vous devriez poser cette question à Gul Marak, major, répondit le Cardassien. Pas à moi. Je ne suis qu'un civil, propriétaire d'une boutique de mode.

— Ce cher Garak. Vous avez raison. Vous savez, je me suis toujours demandé pourquoi vous étiez resté sur la station après le départ des forces d'occupation. Pensiez-vous que la présence quotidienne d'un visage cardassien allait nous manquer ?

— Nous avons déjà abordé cette question, major, répondit-il, toujours aussi froid. Je n'ai jamais fait partie de la force d'occupation. Je suis un civil, un homme d'affaires. J'ai investi beaucoup d'argent sur cette station. Pourquoi y renoncerais-je ?

— Vous avez pourtant l'intention de l'abandonner bientôt.

— Votre bande de fanatiques bajorans va tout faire sauter ! Ai-je vraiment le choix ?

— Je crois que vous en avez un : celui de répondre à mes questions ou de moisir dans cette cellule jusqu'à ce que nous sachions tous deux si cette rumeur de bombe est fondée ou non.

— Vous n'avez pas le droit de me retenir ici, protesta Garak, les nerfs à vif.

— Ah ? C'est ce que vous croyez ? rétorqua Kira avec un sourire en coin.

— C'est bon ! dit le Cardassien en se tordant les mains. Allez-y ! Posez-les, vos questions !

Kira se leva et fit quelques pas.

— Je n'ai jamais accepté de croire qu'un Bajoran ose faire sauter la station, dit-elle, le dos tourné à Garak. Pas même le Kohn Ma. Mais il y a *quelqu'un* derrière ces explosions. Alors je me suis demandé qui avait le plus à perdre dans cette affaire, et qui en profitait le plus. Savez-vous à quelle conclusion j'en suis venue ? Que les Cardassiens ont tout à y gagner.

Garak ne desserra pas les lèvres.

— Mais s'ils ont monté ce complot, il leur fallait un agent à bord de la station. Devinez qui se trouve en tête de ma liste des occupants susceptibles d'être des agents cardassiens ?

Elle se retourna en même temps que Garak s'exclamait d'un ton aigu :

— Vous croyez que j'ai fait sauter les bombes, *moi* ? Vous l'avez peut-être oublié, mais j'ai moi-même été *victime* du terrorisme ! On a attaqué ma boutique et endommagé mon équipement. J'ai été *mutilé* ! J'aurais pu être tué ! plaida-t-il en portant la main à une cicatrice presque guérie sur son visage.

— Excellente façon de détourner les soupçons : passer pour une victime. Il ne vous reste plus qu'à coller une affiche pas trop loin de votre boutique pour lancer la sécurité sur une fausse piste, et le tour est joué : tout le monde croira à l'œuvre d'un banal terroriste bajoran, jetant son dévolu sur un civil cardassien innocent.

« Ou bien avez-vous fait une erreur, en activant la bombe ? Était-ce un accident ? Peut-être avez-vous imaginé le reste de cette mise en scène dans le seul but d'effacer vos traces.

— Vous faites erreur, major, dit calmement Garak, qui se tenait immobile en face de Kira.

— C'est possible. Peut-être aussi que vous vous déciderez à me dire la vérité. Réfléchissez, Garak. Je reviendrai dans... disons dix-huit heures.

Pour la seconde fois, elle lui tourna le dos et s'éloigna. Garak recommença à se tordre les mains et se mordit la lèvre inférieure, tiraillé par l'indécision.

« Major ! » cria-t-il et Kira s'arrêta. « D'accord », laissa-t-il tomber.

Elle se retourna lentement pour lui faire face de nouveau.

— Je n'ai rien à voir dans ces explosions. Absolument rien. Je ne sais pas pourquoi on a pris ma boutique pour cible. Votre explication est peut-être la bonne, je l'ignore. On ne m'a rien dit. Je ne sais qu'une chose : il y a une bombe réglée pour faire sauter DS-Neuf. On m'a conseillé d'avoir quitté la station... dans seize heures exactement, dit-il après avoir consulté son chrono.

— *On* vous a conseillé...

— C'est exact.

— Et d'où provenait ce conseil ?

Garak garda le silence.

— Vous n'avez pas songé à en faire part aux autorités de la station ? Vous pensiez peut-être que votre seule vie méritait d'être sauvée, pas celle des autres ?

— Qu'aurais-je pu leur apprendre qu'elles ne savaient déjà ? Il n'y a pas une seule personne sur la station qui n'a pas entendu les rumeurs. Tout ce qui empêche les occupants de fuir le danger, c'est votre service de sécurité!

— Compris, monsieur Garak. Attendons maintenant de voir si on peut se fier à votre source d'information anonyme.

— Attendez ! Vous n'allez pas me laisser ici ! Major ! Je vous ai dit tout ce que je sais ! C'est la vérité ! Vous n'avez pas le droit de me retenir ici ! Major Kira !

Mais Kira ne se retourna pas cette fois.

Odo observait le prisonnier nerveux qui arpentait sa cellule, assis à la console du bureau de sécurité.

— Beau travail. Major, félicita-t-il Kira. Voilà une autre preuve que les Cardassiens sont derrière ce complot.

— Mais pas une preuve définitive. Je crois tout de même que Garak dit la vérité. Il n'était impliqué dans aucun attentat. Autrement dit, nous ignorons *toujours* qui est l'agent cardassien. Et c'est lui qu'il me faut.

Odo continuait de fixer le moniteur :

— Il croit qu'il va être tué par une bombe cardassienne. N'est-ce pas là une forme de justice ?

— Laissons-le le croire, suggéra Kira, peu charitable. Peut-être que l'approche de l'échéance lui rafraîchira la mémoire et qu'il se souviendra de renseignements supplémentaires. Pour l'instant, il est en sécurité dans cette cellule.

— Autant que nous tous, rectifia Odo.

Kira ne rajouta rien.

Jake détestait les disputes avec son père. À peine s'étaient-ils croisés, ces derniers jours, et ils n'avaient pas eu le temps de discuter.

Jake avait la trouille. Tout le monde assurait que DS-Neuf allait exploser. Tout le monde voulait s'en aller, mais des explosions avaient eu lieu sur des vaisseaux qui tentaient d'appareiller. Quelques personnes avaient perdu la vie.

Il n'était encore qu'un enfant quand le vaisseau du Borg avait ouvert le feu sur le *Saratoga*, et tué maman. Ses souvenirs remontaient à la surface — les flammes et la fumée, le cri aigu des sirènes, les cloisons tordues du vaisseau en ruine. C'était difficile de parler de ça avec papa.

Il était rongé par la peur de l'inconnu. Qu'allait-il se passer ? Son père lui avait dit qu'ils ne quitteraient pas la station. Tout le personnel de DS-Neuf resterait à bord — même Keiko et la petite Molly.

— Mais papa, ils vont tout faire sauter dans quelques heures ! avait-il protesté.

— Ne te fie pas aux bruits qui courent sur la Promenade, Jake.

— Ah non ? Alors pourquoi est-ce que tout le monde essaie de déguerpir ? Pourquoi ne leur donnes-tu pas l'ordre de rester ?

— Les vaisseaux qui tentent de quitter les quais explosent et les gens veulent partir quand même. Je ne pourrais pas les en empêcher longtemps. Si on forçait les occupants à demeurer ici, ce serait la panique générale. Ce sont des civils, ils sont libres d'aller et de venir. Mais mon devoir est de rester.

— Et moi là-dedans ? Je dois rester ici et me faire tuer parce que ton travail est de diriger cette stupide station ?

Jake regretta aussitôt ses paroles en voyant la mine éplorée de son père. « Je suis désolé, papa. Je ne voulais pas dire ça. » Ils se serrèrent l'un contre l'autre.

— Tu veux vraiment t'en aller ? lui demanda Sisko. Où irais-tu ? Avec qui partirais-tu ?

— Je ne sais pas. Nog, peut-être.

Mais il s'était querellé avec l'ado férengi, et Jake n'était pas certain de vouloir vivre avec Nog et son oncle Quark. Il en était même sûr — cette perspective ne lui souriait pas du tout.

En vérité, il ne savait plus très bien ce qu'il voulait.

— Écoute, Jake. Me feras-tu confiance si je t'assure que j'ai de bonnes raisons de croire que la station n'est pas en danger ?

— C'est vrai ?

— Oui. Crois-moi, Jake, je ne te garderais pas ici si j'avais le moindre doute. La menace de danger a été... écartée. Mais c'est une information secrète. Il ne faut en parler à personne. Ni à Nog ni à *personne*. C'est d'une importance capitale. La sécurité de tout le monde sur DS-Neuf en dépend. Tu me le jures ?

— Je le jure, papa, je ne dirai rien à personne, promit Jake.

Garder un si lourd secret s'avéra toutefois plus difficile qu'il ne l'avait cru. Quand son père fut parti, Jake erra tristement dans les couloirs de la station. Partout, les gens avaient ramassé leurs affaires et cherchaient désespérément à fuir la station.

Ayant grandi dans Starfleet, Jake était passé maître dans l'art de plier bagage en vitesse, sans préavis. Il remarqua qu'il en était de même pour les Bajorans. Ils ne possédaient pas grand-chose. Ils avaient dû apprendre à ne s'attacher ni aux biens matériels ni aux lieux dans les camps de réfugiés, présuma-t-il.

Mais ils étaient tellement nombreux à tout abandonner : commerces, biens, foyers. Certains pleuraient. Jake se sentait horriblement mal de les voir s'agiter ainsi — sachant ce qu'il savait.

Une foule faisait la queue devant un sas, dans l'espoir de monter sur un vaisseau. Jake entendit des éclats de voix. Il s'approcha.

— Non, vous ne pouvez pas emporter tout ça sur le vaisseau ! criait un commissaire de bord. Dix kilos par personne ! C'est la limite permise !

Un type entouré de paniers et de boîtes lui répondit sur un ton hystérique. Jake put comprendre qu'il s'agissait d'œuvres d'art exotiques, et aussi qu'il n'était pas question de les laisser sur un vaisseau qui allait sauter, d'autant plus qu'elles n'étaient pas assurées !

Quelqu'un cria qu'il empêchait les autres d'avancer. Jake reconnut la voix et se dirigea de ce côté. Un petit groupe de Férengis, parmi lesquels se trouvait Nog, attendait dans la file.

— Nog ! Tu t'en vas ? s'étonna Jake.

— Tu es encore là ? s'étonna le jeune Férengi.

— Ouais, répondit Jake d'un ton maussade, se rappelant sa promesse. Mon père ne veut pas me laisser partir. Il prétend que c'est son devoir de rester. Alors je dois rester moi aussi et me faire zigouiller, juste parce qu'il est le commandant de cette stupide station.

— Tu peux venir avec nous, vint lui chuchoter Nog à l'oreille. Nous aurions besoin de quelqu'un d'autre.

— Pour quoi faire ? demanda Jake, soupçonneux.

Pour toute réponse, Nog lui prit la main et la pressa contre son ventre. Jake sentit quelque chose de dur. « Il y a une limite de poids », expliqua le Férengi.

Jake comprit. Les Férengis portaient tous des ceintures bourrées d'argent, probablement du latinum endoré volé sur la station. Ils voulaient se servir de lui comme passeur. Quand même, Nog lui offrait de l'accompagner — malgré le profit qu'il en tirait.

— Je te remercie, répondit le fils du commandant. Tu n'as pas peur ? Si votre vaisseau sautait, lui aussi ?

— Tout est arrangé, chuchota Nog d'un air secret.

— Comment ça ?

— Le capitaine a conclu une entente avec les terroristes. Le vaisseau n'aura aucun problème en quittant la station.

— Le capitaine connaît les terroristes ? demanda Jake d'un air soupçonneux.

— Chuut ! chuinta Nog, qui semblait mal à son aise — et pas seulement à cause du poids du latinum dissimulé. Je me souviendrai de toi, humain. Salut, Jake.

Le fils du commandant s'empressa de s'éloigner, avant de dire quelque chose de trop.

CHAPITRE 27

Sisko jeta un coup d'œil sur la bombe, à l'écran du moniteur du dôme de confinement. « Est-elle active ? » demanda-t-il.

— Oh oui, commandant, répondit O'Brien. Le percuteur que nous avons désamorcé n'était qu'un dispositif anti-manipulation, comme les appellent les artificiers. Il aurait déclenché l'explosion de la bombe si on avait essayé de la bouger ou de la bricoler, mais le détonateur commandé à distance est toujours intact. Si les Cardass décident d'émettre le signal... dit-il et il mima une explosion.

— Mon plan, chef, est d'utiliser l'arme des Cardassiens contre eux-mêmes, déclara Sisko. Ils n'activeront pas ce signal tant qu'ils seront stationnés ici, puisqu'ils sauteraient avec DS-Neuf. C'est le temps qui nous reste. Bon, maintenant... continua-t-il en regardant O'Brien, puis Odo, l'œil brillant d'une lueur étrange. Seriez-vous capables de fixer cette bombe sur le vaisseau de Gul Marak ?

— Vous voulez dire sans nous faire repérer ? articula Odo.

Un sourire se dessina sur les lèvres de O'Brien :

— Quel genre de dommages voulez-vous leur causer, commandant ?

— Les plus importants possible. Je ne veux prendre aucun risque.

Le plus simple aurait été que Odo prenne la forme d'un Cardassien et monte à bord du *Swift Striker* parmi les membres d'équipage. Le point faible de ce plan, outre les questions de laissez-passer et de carte d'identité, apparut clairement quand le métamorphe leur présenta un échantillon de ses capacités d'imiter la physionomie d'un Cardassien. Son visage n'était qu'une masse approximative, grumeleuse, pas plus ressemblante à un vrai Cardassien que ses traits habituels ne l'étaient d'un vrai Bajoran.

— Les objets inanimés sont faciles à reproduire, la matière vivante un peu moins. Quant aux individus... s'excusa Odo.

— Eh bien, il faut penser à une autre solution, dit O'Brien.

Il existe toujours plus d'une façon d'attaquer un vaisseau stellaire. L'idée leur vint quand ils scannèrent l'image du cuirassé. « Regardez-moi tous ces débris ! »

Ceux-ci gravitaient autour de la station, véritable danger pour les opérations de navigation, éjectés des sas au mépris des règlements de la station. Les vaisseaux surchargés allégeaient leur cargaison et se délestaient des effets personnels que les réfugiés désespérés avaient clandestinement passés à bord.

— Un truc inerte de plus... avait murmuré O'Brien, subitement inspiré.

L'ingénieur se trouvait à présent suspendu dans le silence de l'espace, au-dessus de la masse de

DS-Neuf. Le colossal anneau d'amarrage, où se dressaient les arcs sveltes des pylônes, effectuait sa lente rotation. Ce spectacle lui rappela son arrivée ici, l'impression bizarre, et même sinistre, qu'avait fait naître en lui le design cardassien. Et c'était maintenant son home. Les choses avaient bien changé...

Il reporta son attention sur le *Swift Striker*, le vaisseau cardassien arrimé au pylône le plus proche — comme s'il avait toujours été là, semblait-il. Il faisait corps avec la station, bien plus que l'*Entreprise* ou n'importe quel vaisseau de Starfleet, pensa le chef.

On aurait cru qu'ils dérivaient — et c'est exactement ce qu'il fallait. O'Brien, dans sa combinaison de sortie extravéhiculaire, se cramponnait à Odo, métamorphosé en banale caisse de matériel et pareille à toutes celles qui orbitaient autour de DS-Neuf. Leur approche s'effectuait si lentement que l'ingénieur eut le temps de se demander ce que pouvaient contenir toutes ces boîtes, ces barils et ces sacs. Quelqu'un survivrait-il pour venir récupérer tous ces biens abandonnés ?

D'une brève poussée de son réacteur portatif, il corrigea leur trajectoire et altéra légèrement la rotation de Odo-la-Caisse. Le seul vœu de O'Brien était que les Cardass ne les détectent pas. Le tout était de rester discret. Le moindre scan révélerait aussitôt la vraie nature du faux contenant. Le chef ingénieur préféra ne pas penser à ce qui arriverait si...

Plutôt que de se tracasser, il se concentra sur la forme grossissante du navire cardassien. Le *Swift Striker* appartenait à la flotte de classe Galor, les cuirassés cardassiens les plus performants, équipés d'un arsenal impressionnant d'armes de destruction — mais cependant vulnérables, comme tous les vaisseaux stellaires, en partie à cause de leur propre masse et de leur faible pouvoir d'accélération. Ces navires doivent compter sur la puissance de leurs boucliers et de leurs champs d'intégrité pour se défendre et rester intacts, mais leurs systèmes ont parfois des failles. Ayant passé sa carrière à en assurer l'entretien, O'Brien en connaissait bien les faiblesses.

Il tapota l'étui de la bombe qu'il transportait. Une petite *horreur*, qui lui donna le frisson. Ce qu'il avait fallu de perversité pour songer à planter la bombe à cet endroit, à l'explosion de l'antimatière... Au-dessus de lui, le ventre du vaisseau commença à masquer l'horizon. Le *Swift Striker* comportait plusieurs nacelles de stockage d'antimatière, nécessaires au fonctionnement de la vitesse exponentielle, d'une taille largement supérieure aux enceintes qui alimentaient les réacteurs de la station.

Mais elles étaient trop difficiles d'accès. Le nœud d'alimentation des générateurs de structure du champ d'intégrité, par contre...

Un bras s'extirpa soudain de la caisse et se tendit vers la coque, une main agrippa une poignée qui y était fixée. D'une traction vigoureuse, Odo les rapprocha de l'enveloppe du vaisseau. Inutile de porter un déguisement, désormais ; les deux hommes ne pouvaient plus compter que sur la chance. À moins que les Cardass ne décident de scanner l'extérieur de leur coque, ils ne couraient pas de risque.

Se mouvant avec prudence à la surface du navire, O'Brien se rappela la réponse de Dax quand il avait évoqué cette éventualité :

— Et s'il nous repèrent en scannant la carcasse de leur rafiot ?

— Commandant, avait indiqué Dax après vérification à sa console, les Cardassiens n'effectuent pas de balayages de surveillance extérieurs de leur vaisseau.

Rétrospectivement, c'était une preuve que l'équipe de DS-Neuf aurait dû remarquer dès le début. Stationné sur une station remplie de terroristes bajorans, où des bombes explosaient tous les jours, le *Swift Striker* aurait dû être le premier, parmi tous les vaisseaux nichés ici, à se prémunir du sabotage par une inspection régulière de sa coque. Mais seuls les Cardassiens savaient que les Bajorans n'avaient rien à voir dans les attentats.

On comprend mieux avec le recul mais il est alors toujours trop tard.

O'Brien espérait que Dax ne les lâchait pas, aux commandes de sa console. Si on les découvrait, leur unique espoir était qu'elle puisse les téléporter à temps. Quant aux autres conséquences possibles, aussi bien ne pas y penser.

Il suivit Odo, un peu gauchement, tant à cause de l'embarras causé par la bombe et les outils que de sa forme moins souple que celle de son compagnon. Le constable paraissait plus à son aise dans l'espace, son élément naturel, et l'ingénieur se demanda s'il était contraignant pour le changeur de forme de maintenir perpétuellement la même.

Il fit enfin signe qu'ils avaient atteint leur destination. Il remit la bombe à Odo puis, à l'aide de ses outils, commença à retirer un panneau d'accès de la coque. O'Brien se servit des fils de connexion qui avaient relié la bombe au fuseau de réaction pour la rattacher au nœud de jonction d'alimentation principal, puis replaça le panneau. C'était presque trop simple.

Bien sûr, il restait toujours le risque d'être découvert. Le percuteur anti-manipulation de la bombe était désamorcé et les Cardassiens n'auraient aucun mal à retirer celle-ci, s'ils la trouvaient. Mais il n'existait qu'un seul moyen de la faire exploser et c'était si Gul Marak, sans se douter qu'elle avait changé de place, émettait le signal.

Le ferait-il vraiment ? Ou n'était-ce qu'un moyen de pression ? Comment croire qu'il passerait aux actes — même lui, un Cardassien ?

Odo reprit sa forme rectangulaire et ils s'éloignèrent du vaisseau, invisibles parmi la multitude de débris. Ils se remirent à dériver, mais cette fois en direction du pylône cinq, un arc désert de la station. O'Brien souhaita seulement arriver à temps, avant le départ du *Swift Striker*.

Il ne restait plus que quelques heures.

CHAPITRE 28

Kira avala un comprimé de stimulant et le fit descendre d'une lampée amère de café noir kenyan. C'est O'Brien qui lui avait fait découvrir cette boisson de son monde natal ; elle souhaitait maintenant n'avoir jamais commencé à boire ce poison. Le café lui donnait la tremblote. Ou ses mains tremblaient-elles parce qu'elle n'avait pas dormi depuis le dernier message, près de soixante-douze heures plus tôt ?

Malgré les avertissements réitérés, les occupants s'entêtaient à quitter la station. Kira craignait que l'agent cardassien n'ait déjà pris la fuite. Le personnel de Starfleet était toujours en poste, tout comme la plupart des effectifs bajorans, continuant d'assurer le fonctionnement des systèmes et de maintenir DS-Neuf en vie.

Le major s'inquiétait également du grand nombre de détenus toujours confinés en cellule, en attente d'un interrogatoire. Elle abusait de son droit en les empêchant de quitter DS-Neuf alors que la station allait être réduite en pièces d'un moment à l'autre, protestaient-ils tous avec véhémence.

Kira savait que la plupart d'entre eux, sinon tous, étaient innocents, et que les craintes qu'ils entretenaient étaient légitimes — même si elles ne s'avéraient pas fondées. Elle en avait relâchés le plus possible, sans pouvoir toutefois les rassurer sur leur sort, puisque qu'il aurait été désastreux que l'un d'eux révèle la découverte de la bombe aux Cardassiens. Mais elle était trop épuisée pour se préoccuper de leurs inquiétudes. Une seule chose importait à présent : trouver l'agent des Cardassiens, celui qui avait planté la bombe — pour s'assurer qu'il lui soit impossible d'en poser une autre.

Quel genre de Bajoran pouvait bien travailler pour les Cardassiens ? Oser mettre en péril tant de vies bajorannes ? D'où provenait un tel aveuglement ?

Kira posa son café avec un frisson de répulsion et alla rencontrer son prochain témoin, une des techniciennes affectées à la salle de contrôle du réacteur. Elle méditait, assise sur son lit, mais sursauta quand Kira claqua les mains pour attirer son attention.

— Vous vous appelez Reis Ilen ?

— Major ! Il y a erreur ! Je n'ai rien fait ! Il faut me faire sortir d'ici !

— Vous n'êtes accusée de rien. Je désire seulement vous poser quelques questions.

— Me poser des *questions* ? Quand la station est sur le point de...

— Plus vite j'aurai des réponses, plus vite nous en aurons fini.

La nervosité de la technicienne s'atténua légèrement.

— Bon. Vous êtes affectée au troisième quart de la salle de contrôle du réacteur, c'est exact ? Vous êtes-vous absentée du travail au cours des dix derniers jours ? Vous est-il arrivé d'être en retard ?

— Non. Jamais. Vous pouvez vérifier mes fiches de présence.

— C'est déjà fait. Mais avez-vous, à un moment quelconque, quitté la salle au cours de cette période, même une seule minute ? Y a-t-il un seul instant où le réacteur a pu être laissé sans surveillance ?

— Non ! Le règlement l'interdit. Au moins un moniteur doit rester ouvert en permanence. Au cas où il y aurait une saute des fluctuations ou une baisse des niveaux de puissance.

— Assurer l'accès des chambres des réacteurs aux seules personnes autorisées fait partie de vos responsabilités, n'est-ce pas ?

— Quelqu'un a trafiqué les réacteurs, c'est ça ? C'est ça qui est arrivé ? Les réacteurs vont exploser !

— Nous suivons une piste, c'est tout ce que je peux dire.

— Nous allons tous mourir...

— Reis ! Je vous en prie. Plus vite nous en aurons fini, plus vite nous serons hors de danger.

Ce petit jeu déplaisait à Kira mais, jusqu'à ce qu'on arrête l'agent cardassien, il était nécessaire.

— Bon, continuons, poursuivit-elle en secouant légèrement la tête. Y a-t-il quelqu'un, au cours de vos quarts de travail durant cette période, qui aurait pu atteindre le réacteur ? Avec ou sans autorisation ? Quelqu'un vous a-t-il rendu visite ?

— Le chef O'Brien...

— O'Brien. Quelqu'un d'autre ?

— Non, personne. Sauf le moine, évidemment.

Kira agrandit démesurément les yeux et un frisson lui parcourut l'échine. « Quel moine ? »

— Celui du temple. C'est qu'on devient nerveuse, vous savez, si près de ces réacteurs, quand on se met à penser qu'on serait les premiers à sauter si le système se détraque. Il m'a aidée à surmonter mon angoisse, à méditer...

— Un moine se trouvait avec vous dans la salle de contrôle du réacteur ? Quand ? Combien de temps est-il resté ? Qu'a-t-il fait ?

— Major, vous ne pensez tout de même pas qu'un moine...

— Mais qu'a-t-il *fait* ?

— Eh bien, je ne suis pas certaine. Il arrive qu'on perde la notion des choses extérieures, quand on médite. Vous le savez bien.

Kira frappait déjà son commbadge. « Sécurité ! Ici Kira. Rendez-vous au temple et arrêtez un moine nommé Leiris ! Dépêchez-vous ! »

— Mais, major, je ne comprends pas, continuait de protester Reis. C'est un *moine*...

Lorsqu'elle arriva au temple, un officier de sécurité l'avait déjà prévenue par communicateur : « Désolé, major. Le moine Leiris n'est plus ici. »

— A-t-il quitté le temple ou la station ?

— Je l'ignore. On m'a seulement dit qu'il était parti. Plus tôt dans la journée.

Peut-être n'était-il pas trop tard.

— Fouillez le temple, ordonna-t-elle.

— Quoi ? Major Kira ? Le *temple* ?

Kira respira profondément. Pourquoi les siens manquaient-ils de vision parfois ?

— Vous avez bien compris. Fouillez le temple. Sans outrepasser le respect des lieux, évidemment. Si vous trouvez Leiris, gardez-le sous surveillance. Et méfiez-vous, il pourrait être dangereux.

— Entendu, major, fit la voix hésitante de l'officier.

Kira restait indécise. Où pouvait-il être en ce moment ? Il essayait sûrement de quitter la station, sachant ce qui allait arriver. Mais comment ? Un moine ne possédait pas l'argent nécessaire pour soudoyer un courtier de voyage ni un capitaine de cargo.

Mais s'il était à la solde des Cardassiens...

Kira pensa à Garak. Le *Swift Striker*. Elle s'élança vers le turbolift qui desservait le pylône six. Si seulement elle pouvait arriver à temps, avant que Leiris n'ait pu embarquer !

Les corridors de cette section semblaient déserts, en comparaison de la pagaille qui régnait ailleurs sur la station, avec les occupants installés dans les couloirs, faisant la file pour un passage sur le premier vaisseau qu'ils pourraient trouver. Cette zone de la station n'avait jamais vraiment été remise en état. Malgré leur désir effréné de fuir DS-Neuf, les occupants n'étaient pas désespérés au point de demander une place sur un vaisseau cardassien. Pas les Bajorans, en tout cas. Seul Garak, bouclé au fond de sa cellule, désirait monter sur ce vaisseau. Et le couturier semblait bel et bien innocent.

L'agent n'était pas un Cardassien. C'était un traître bajoran.

Elle avait été aussi aveugle que tous les autres Bajorans, songea Kira, incapable de soupçonner Leiris parce qu'il appartenait à un ordre religieux. Elle connaissait pourtant ses idées, son association passée avec des groupes terroristes — avec le Kohn Ma même. Il était la seule, l'unique personne à pouvoir connaître les codes de reconnaissance. Malgré tout, parce qu'il était un moine, elle l'avait automatiquement écarté comme suspect.

S'il était trop tard, s'il était déjà à bord, elle ne pourrait plus rien. De frustration, elle grinça des mâchoires. Ironie des choses, elle comprit presque les sentiments de Marak : elle aussi, à cet instant, aurait désiré monter sur le *Swift Striker*, l'arme au poing, et traîner elle-même Leiris hors du vaisseau.

Elle se mit à l'abri derrière l'angle d'un couloir latéral, hors de vue des portes du lift.

— Sécurité, ici Kira. Aucun signe de Leiris ?

— Rien, major. C'est comme s'il s'était volatilisé.

Volatilisé... sur le vaisseau. Elle tapa de nouveau son badge. « Ops, ici Kira. Le navire cardassien a-t-il demandé la permission de décoller ? »

— Major Kira ? demanda bientôt la voix de Sisko.

— Oui, commandant.

— Le *Swift Striker* a demandé l'autorisation de décoller voilà vingt minutes. Un problème ?

Kira savait que Ops était remplie d'ambassadeurs étrangers venus importuner Sisko avec leurs demandes et qui entravaient la bonne marche des opérations. Pas question de risquer qu'un renseignement névralgique parvienne aux oreilles des Cardassiens.

— Je me demandais simplement si tous les passagers étaient montés à bord, répondit-elle prudemment.

— Il s'agit du passager dont vous nous parliez ?

— Exact. Hum... Le chef O'Brien a-t-il terminé les... travaux d'entretien du sas ?

— Toute la maintenance est complétée. Nous sommes prêts à donner la permission de décoller au *Swift Striker* — à moins que vous n'y voyiez un inconvénient ?

— Non, commandant. Si le passager manque son vaisseau, il n'aura qu'à s'arranger autrement.

— Compris, major. Bonne chance.

Kira fixa la porte du turbolift. De deux choses l'une : ou bien Leiris était toujours sur la station, ou bien il avait déjà gagné le vaisseau ; dans ce cas, il était trop tard. Mais si les Prophètes avaient entendu Kira, le moine se dépêchait en ce moment pour ne pas manquer le départ du navire. Elle pensa de nouveau à Garak, dans sa cellule. Il serait devenu fou, s'il avait su que le *Swift Striker* était sur le point d'appareiller.

Leiris connaissait l'emplacement exact de la bombe et savait que personne ne réchapperait de l'explosion. L'équipe du constable gardait le réacteur sous étroite surveillance, au cas où le moine déciderait de revenir la désarmer au moment ultime, pour sauver sa peau.

Était-ce bien ce qu'il allait faire ? Kira ferma les yeux. Leiris. Elle croyait l'avoir bien connu, autrefois. La dernière personne qu'elle aurait soupçonnée. *Pourquoi ?* Pour quelle raison était-il passé au service des Cardassiens ? Quel inimaginable motif l'avait poussé à trahir son propre peuple ?

Lorsqu'elle rouvrit les yeux, elle vit une silhouette qui se hâtait vers le lift. Elle portait une combinaison de couleur terne, et non une tunique, mais Kira reconnut le moine félon. Dégainant son fuseur, elle ordonna à l'ordinateur, à voix basse, d'enregistrer la suite des événements. Puis elle bondit pour lui barrer la voie.

— Crains-tu de manquer ton vaisseau, Leiris ?

Il resta cloué sur place, aussi ahuri que si l'Orbe des Prophètes s'était matérialisée devant lui à la place du major Kira Nerys. Le traître avait blêmi, mais il parvint à composer un sourire crispé :

— Eh bien, major, je vois que vous avez réussi à surmonter vos dilemmes et vos conflits intérieurs. Vous avez choisi votre côté.

Il ne quittait pas le fuseur des yeux. La main de Kira ne tremblait plus.

— Et toi, Leiris ? N'as-tu pas ressenti quelques déchirements en te mettant à la botte des Cardassiens ? Ou bien travaillais-tu pour eux dès le début ? Depuis la résistance ?

— Oh non ! dit-il avec un pitoyable éclat de rire. J'ai été aussi loyal que toi envers la cause de la liberté. Dévoué à l'indépendance de Bajor, prêt à endurer les souffrances et les privations... Comme un bon petit Bajoran.

— Mais alors... pourquoi ?

— Ceci, dit-il et il glissa une main dans le fourre-tout qu'il transportait sur l'épaule.

Kira serra le doigt sur la gâchette, mais ce fut une lourde bourse que Leiris retira du sac. Éclatant d'un rire cynique, il en lança le contenu — aux reflets dorés — dans les airs.

L'attention de Kira ne fut distraite qu'une fraction de seconde, mais Leiris eut le temps de saisir le fuseur dissimulé dans son sac. Le major se jeta au sol à l'instant même où le moine tirait et roula à l'abri, dans le couloir de traverse.

Le traître courut vers le lift. Kira fit feu à son tour — trop vite : le tir rata la cible et Leiris plongea derrière un kiosque désert avant qu'elle pût décharger de nouveau son fuseur.

L'espace d'un couloir vide les séparait, au-delà duquel le turbolift apparaissait. Kira se trouvait entre le traître et le seul espoir de fuite qui lui restait. Elle hésita. Une erreur, déjà, et il avait presque réussi à la semer ! Devait-elle appeler la sécurité en renfort ?

Leiris bondit à découvert, dans une tentative désespérée d'atteindre le lift. Le faisceau mortel du fuseur de Kira frappa le sol devant lui. Non. Leiris était *à elle*.

— Leiris ! cria-t-elle. Tu n'as tout de même pas trahi Bajor pour un sac de latinum cardassien ?

— Et pourquoi pas ? Cela te surprend ? dit-il en la fixant avec une lueur d'espoir dans les yeux. Peut-être qu'on pourrait arriver à s'entendre, toi et moi. Tu peux prendre le latinum — prends tout —, une fois que je serai parti. Laisse-moi seulement monter dans le lift. Non ? C'est bien ce que je pensais. Tu es une patriote, pas vrai, Nerys ? Tu es au-dessus des vulgaires tentations matérielles.

« J'ai une autre offre à te faire : tu me laisses partir et je te dis où est cachée la bombe, ainsi que l'heure exacte à laquelle elle doit exploser. Qu'est-ce qui est le plus important, m'arrêter ou sauver la station pour la Fédération ?

— Trop tard, Leiris, triompha Kira en éclatant de rire. Ta bombe est déjà désamorcée. Tes patrons cardassiens ne seront pas contents quand ils vont apprendre ça, qu'en penses-tu ?

— Puisque c'est comme ça, finit-il par dire d'une voix résignée, au bout d'un moment de silence.

Elle ne pouvait pas le voir, derrière le kiosque, et ne savait pas ce qu'il mijotait.

— Dis-moi, Leiris, pourquoi avoir fait ça ? Pour l'argent ? Ça ne peut pas être la seule raison.

— Non, ce n'était pas que pour l'argent. L'argent n'est rien. Quelques kilos de latinum endoré, c'est tout. Non, c'était pour ce qu'il peut me procurer. Un moyen de partir d'ici. Un avenir différent.

— Je ne comprends pas.

— Ah non ? Peut-être que tu ne le peux pas. Nerys... pour *quoi* combattais-tu, durant la résistance ? À *qui* étaient censées servir toutes ces souffrances ? À Bajor ? Laisse-moi te dire ceci : nous avons peut-être vaincu les Cardassiens, mais nous avons perdu Bajor. Notre monde ne sera plus jamais le même. Notre religion non plus. Crois-tu que tous les temples démolis seront un jour reconstruits ? Par les Prophètes, les Orbes ne sont plus que des artefacts venus d'un autre monde ! Le paradis s'appelle maintenant le quadrant Gamma. Les Bajorans n'adorent plus les dieux, ils adorent le saint Trou de ver ! Ils adorent les étrangers et leur argent, leur or et leur latinum venus d'ailleurs !

« Ceux qui, comme toi, vénèrent la Fédération, persistent à croire que nous avons remporté le combat — mais c'est faux. Nous avons perdu notre monde, nous nous sommes perdus nous-mêmes. Au moins, quand nous luttions contre les Cardassiens, nous savions qui nous étions. Veux-tu connaître l'avenir de Bajor ? Regarde autour de toi, sur cette *station.* La nouvelle Bajor ne sera pas peuplée de temples, elle sera envahie par des maisons de jeu et des holosuites érotiques, des comptoirs d'importation et des académies spatiales.

« Je n'aurai perdu qu'une fois, Nerys : quand j'ai combattu pour préserver Bajor. Pourquoi subir la défaite encore une fois ? Pourquoi souffrirais-je d'un monde déjà disparu ? Oui, j'ai accepté l'argent des Cardassiens. Et alors ? Est-ce pire que d'accepter celui de la Fédération, ou des Férengis, ou de tout autre étranger ?

— Mais voilà que tu perds une fois de plus, pas vrai, Leiris ? rétorqua Kira. Qu'as-tu retiré de ta trahison de ton peuple ? Ton latinum est répandu sur le plancher et le vaisseau cardassien va partir sans toi. Où est-il, ton avenir nouveau ?

Il n'y eut pas de réponse. « Leiris ? »

— Savoure ta victoire, major Kira, répondit une voix faible. J'avoue... que je préfère... ne pas voir ça...

— Leiris ?

Kira soupçonnait un piège. Elle hésitait encore quand son badge bipa :

— Major Kira ? Ici Sisko. Je vous informe que le *Swift Striker* vient d'appareiller.

— Merci, commandant. Notre traître est ici. Il sait qu'il n'ira plus nulle part, à présent.

— Beau travail, major ! Avez-vous besoin de renforts ?

— Non. Merci, commandant. J'ai la situation en main.

D'une tape, elle ferma son badge. « Leiris ? Le *Swift Striker* vient de quitter la station. C'est fini maintenant. »

De nouveau, le silence seul lui répondit, et Kira réalisa que tout était en effet fini pour Leiris, mais pas comme elle le croyait. Elle avança dans le couloir du turbolift et s'approcha du kiosque. En le contournant, elle vit le corps du moine étalé sur le sol, le regard vide et fixant la mort. Son fuseur était tombé près de lui.

Elle s'agenouilla pour le prendre. L'arme n'était pas réglée pour un tir létal. Le cadavre de Leiris ne laissait paraître aucune blessure mortelle. Son cœur, pourtant — elle tâta son pouls —, avait cessé de battre.

Kira savait que certains moines avaient développé leur pouvoir de méditation au point de posséder la faculté de stopper à leur gré leurs fonctions physiologiques et se demanda si c'était ainsi que Leiris avait mis fin à ses jours. Pour éviter d'affronter une nouvelle défaite.

Restée à genoux, elle lui ferma les paupières.

CHAPITRE 29

Sisko accueillit l'arrivée de Kira sur Ops avec un haussement de sourcils. De profonds cernes de fatigue ombraient les yeux du major et ses épaules semblaient affaissées sous le poids de l'épuisement.

— Vous avez besoin de repos, major. Notre suspect est-il en détention ?

— Le suspect est mort. Mais j'ai recueilli sa confession.

L'air solennel, Sisko commanda l'enregistrement à l'ordinateur et assista, sur le maître écran, aux derniers moments de Leiris. Quand ce fut fini, il regarda Kira, calée dans le fauteuil de l'officier en second. Malgré ses traits ravagés par la fatigue, elle fixait l'écran d'un air implacable. Le moine avait été son conseiller spirituel, et même un vieil ami, Sisko le savait. Sa trahison l'avait certainement troublée, même si elle n'en laissait rien paraître.

Plus tard, peut-être, il pourrait en discuter avec elle et lui apporter un certain réconfort moral. Pas maintenant. L'enregistrement n'était pas terminé que quelques ambassadeurs commençaient déjà à réagir — parfois sans modération.

Sisko avait décidé de leur permettre l'accès de Ops, un choix qu'il regrettait déjà. Cette cohorte de malheur remettait en question chacune de ses décisions, entravait le cours des opérations et se chamaillait sans répit sur d'ineptes détails de politique et de protocole.

Sur la dernière image de Leiris, le Klingon éructa un sourd grognement et porta la main à son épée cérémonielle :

— Heureusement pour ce traître qu'il est déjà mort.

— C'était donc bien un terroriste bajoran qui posait les bombes, déclara le Rigellien d'un ton vindicatif.

— À la solde des Cardassiens. Payé en or sonnant, ricana le Tellarite.

— Vous croyez à ce mensonge grossier ? demanda le Rigellien.

Sisko hésita à couper court à leur querelle. C'étaient eux les témoins qu'il devait convaincre.

Mais la Qismilienne agitait la queue, signe de danger. Son regard alla de l'écran à Kira, puis s'arrêta sur Sisko.

— Ce qu'elle dit est-il vrai, commandant ? On a trouvé la bombe ? La station n'est plus en danger ? Si c'est la vérité, commandant, *pourquoi sommes-nous forcés de rester ici* ? Pourquoi n'avons-nous pas été prévenus ?

Kira pâlit de rage et ouvrit la bouche pour parler, mais Sisko la devança :

— Nous avons effectivement localisé et désamorcé un dispositif explosif, expliqua le commandant en entrelaçant un tissu de vérités et de mensonges susceptible, espérait-il, de les convaincre. Mais il pourrait y en avoir d'autres, comme vous avez pu en faire l'expérience tragique, madame l'ambassadrice.

— Vous avez pourtant insisté pour que nous restions sur la station, rappela le Tellarite en fronçant un sourcil soupçonneux. Vous nous avez assuré en votre nom personnel que nous ne courions aucun danger.

— Si vous vous souvenez bien, rectifia Sisko en secouant la tête, je vous ai dit que je ne pouvais pas garantir votre sécurité si votre vaisseau tentait de quitter DS-Neuf.

— Les vaisseaux de guerre klingons ne prennent pas la fuite devant les terroristes, déclara leur ambassadeur d'un ton énergique et il jeta sur la salle un regard furieux mettant quiconque au défi de le contredire.

— Voulez-vous insinuer que nous sommes des lâches ? s'offusqua l'Arésien.

Kira aurait voulu fermer les yeux et s'endormir. Sa migraine la reprenait, au milieu du tapage exacerbé des disputes des délégués commerciaux. Leiris était mort, son travail était terminé, mais il aurait été inconcevable de ne pas être sur Ops quand ils confronteraient les Cardassiens.

Elle scruta la salle en tentant d'oublier la confusion ambiante et remarqua la présence du fils du commandant, discrètement posté dans un coin. Il semblait nerveux, comme s'il comprenait ce qui se passait. Mais... Kira se leva d'un bond. Qu'avait-il entre les mains ?

— Major Kira ? dit le garçon en sursautant.

— Jake ? Qu'est-ce que c'est, cet appareil ?

— Berat l'a réparé pour moi, expliqua-t-il, légèrement sur la défensive.

— Puis-je le voir ?

— Il fonctionne, dit Jake en le lui tendant. Mais je ne comprends pas la langue cardassienne...

— Moi, si.

Elle prit l'unité de communication et syntonisa diverses fréquences. Des voix cardassiennes lui parvinrent, faibles mais distinctes : des communications de routine concernant la coordination du trafic — éléments de vol, ordres transmis de la sécurité au service de maintenance, du pont à l'ingénierie...

Kira écarquilla les yeux quand elle reconnut la voix de Gul Marak.

Au même instant, le commandant Sisko poussa un cri : « Silence ! » et la passerelle de Ops devint brutalement muette.

Les ambassadeurs se retournèrent tous en même temps et criblèrent le commandant de regards assassins, prêts à tirer l'épée.

— Le premier qui troublera l'ordre sera immédiatement expulsé par la sécurité, avertit Sisko. La vie de tout le monde sur cette station peut dépendre de notre silence.

Il fit une pause pour renforcer son ordre d'un froncement de sourcil sévère.

— Le *Swift Striker* sur écran, ordonna-t-il.

L'humeur belligérante des ambassadeurs se refroidit passablement à la vue du vaisseau de guerre cardassien brandissant sa menace sur le gigantesque visualiseur au-dessus de leurs têtes. Aucun d'eux n'ignorait que les bancs d'armement du navire pouvaient sans peine réduire en miettes une station spatiale sans défense comme DS-Neuf — ce qui parut tout à coup éminemment probable, surtout si la confession de Leiris était vraie.

Le regard tourné vers l'image, Sisko sentit brusquement peser sur lui le fardeau oppressant de la responsabilité. Le commandant, c'était lui. S'il s'était trompé et qu'il échouait, ce ne serait pas seulement la fin de DS-Neuf et de toutes les existences qu'elle abritait. L'odieux du crime retomberait sur les Bajorans ; plus un seul monde de la Fédération ni aucun de ses alliés ne s'opposerait plus à la mainmise de Gul Marak sur le trou de ver du quadrant Gamma, au profit des Cardassiens.

Leur seul espoir d'éviter ce drame reposait sur un objet si petit qu'il tenait dans le creux de la main, songea Sisko avec effroi, et à présent planté quelque part sur le *Swift Striker*, si O'Brien avait bien effectué sa besogne. Et une seule personne encore en vie connaissait le code et les fréquences nécessaires pour en déclencher l'explosion.

— Commandant !

Le major Kira lui montrait un boîtier de petite taille. Sisko reconnut un communicateur cardassien. « Mais comment... »

Kira activa un bouton et la voix de Gul Marak, confirmant une trajectoire de vol à son pilote, leur parvint. Le commandant haussa les sourcils et un sourire éclaira son visage.

— Mettez-moi en liaison avec Gul Marak, ordonna-t-il en levant les yeux vers l'écran.

Ils entendirent la voix dans l'appareil cardassien : « *Sisko en liaison ? Bon dieu de merde, pourquoi maintenant ? Qu'est-ce qu'il veut ?* »

« *Oui, oui. Je vais lui parler. Ouvrez le canal.* »

Un lourd silence régnait à présent sur Ops. Tous retenaient leur souffle et tendaient l'oreille pour entendre la voix transmise par la petite unité de communication.

Le visage du commander cardassien surgit à l'écran. Manifestement, Marak ne s'attendait pas à entendre parler de Sisko, mais il ne semblait pas fâché d'avoir une nouvelle occasion de se gausser d'un commandant ennemi.

— C'est vous, Sisko. Alors, vous avez changé d'avis ? M'appelez-vous pour me demander de revenir et d'évacuer votre équipage ? Vous ne croyez pas qu'il est un peu tard ? J'hésite à risquer mon vaisseau.

— Gul Marak, nous recherchons un fugitif soupçonné d'avoir participé aux attentats, déclara Sisko d'un ton plutôt froid. Il se fait passer pour un moine bajoran et se nomme Leiris. Nous avons des raisons de croire qu'il a pu rejoindre votre vaisseau.

Kira ajusta le communicateur cardassien. « *Le traître bajoran ? Non, il n'est pas monté. Bon débarras !* » fit une voix.

Sur le maître écran, Marak éclata de rire.

— Vous avez du toupet, Sisko ! Je vous assure. Me demander de vous remettre un fugitif bajoran ! Elle est bien bonne ! Qu'offrez-vous en échange ?

Mon traître contre le vôtre ? Ou bien avez-vous déjà oublié ce détail sans importance : le meurtrier cardassien à qui vous avez accordé l'asile ? *Moi pas*, cracha Mark, soudain menaçant.

Sisko ignora la menace et souhaita seulement que le commander sentirait l'urgence de la situation au ton de sa voix. Ce jeu hypocrite lui déplaisait, mais il était nécessaire.

— Le dénommé Leiris est donc entre vos mains ? rusa-t-il.

— Hélas, non, répondit Marak. Dommage, n'est-ce pas ? Nous aurions pu faire une espèce de troc.

— Peut-être s'est-il caché quelque part sur votre vaisseau. Nos renseignements ne laissent aucun doute.

— Croyez-moi, Sisko, s'il se trouvait un *Bajoran* sur mon vaisseau, je le saurais ! s'impatienta Marak.

Sisko saisit les bras de son fauteuil et se pencha en avant. Derrière lui, les ambassadeurs attentifs retenaient leur souffle.

— Gul Marak, notre situation est désespérée. Nous croyons que cet homme a peut-être posé d'autres explosifs quelque part sur la station. Tout peut sauter d'un instant à l'autre. Plus de soixante-douze heures ont passé depuis que nous avons découvert l'avertissement. Il faut trouver cette bombe avant qu'il ne soit trop tard !

Un ricanement faible mais clair s'échappa du communicateur cardassien.

— Ça, c'est votre problème, commandant, se moqua Marak. Vous auriez dû évacuer votre personnel avant. Je vous le répète une dernière fois : cet homme n'est pas ici. Et d'ailleurs, qu'est-ce qui vous fait croire qu'un Bajoran voudrait fuir sur un vaisseau cardassien ?

— Nous en avons la preuve. Nous avons trouvé des pièces d'argent frappées au sceau de la Cardassie en sa possession. Du latinum endoré.

Marak plissa les yeux.

— Du latinum cardassien ? dit-il en s'étranglant de rire. C'est ça votre preuve ? C'est tout ?

— Nous avons vérifié nos registres. Ce moine, ou qui qu'il soit, semble avoir déjà entretenu des liens avec le Kohn Ma. Nos officiers de sécurité ont découvert le latinum en fouillant ses quartiers, mais ils n'ont pu l'appréhender, malheureusement.

« Activez la séquence de détonation. Voici le code », entendit-on par l'unité de communication.

Un sourire apparut sur les lèvres de Marak, et s'élargit lentement, évoquant pour le commandant un requin qui s'apprête à refermer les mâchoires sur sa proie.

— Je constate que l'efficacité de votre service de sécurité ne s'améliore pas, Sisko. Vous devriez en pendre un ou deux, pour donner l'exemple aux autres. Cela fait des merveilles sur le moral des troupes. Mais trêve de bavardage : ce terroriste est probablement planqué quelque part sur votre station. Ou bien il s'est enfui à bord d'un autre vaisseau. Je m'en fiche pas mal.

« Voici ce que je vous propose, Sisko, c'est ma dernière offre : Rendez-moi Deep Space Neuf. Cédez officiellement le trou de ver du quadrant Gamma au gouvernement cardassien. Nous discuterons ensuite. Sans quoi, je me réjouirai de vous voir tous périr.

— Vous paraissez très confiant, Gul.

— En effet. C'était mon dernier avertissement, Sisko. L'heure limite est passée. Cédez la station immédiatement ou commencez le compte à rebours de vos dernières secondes de vie.

— Cela ressemble à une menace, dit Sisko en appuyant sur chaque mot.

— Prenez-le comme vous voudrez. Vous n'avez pas le choix. Pour être franc, Sisko, je vous propose cette solution simplement parce que je préférerais garder les installations intactes — c'est une station cardassienne, après tout. Elle ferait une base d'opération convenable pour ceux qui contrôleront le trou de ver, vous le savez bien. Sans ça, je m'en balancerais complètement, avoua-t-il en éclatant de rire. Quoi que vous fassiez, le trou de ver est désormais cardassien — comme il aurait toujours dû le rester, n'eût été la traîtrise de quelques usurpateurs.

— Vous avez donc effectivement remis le latinum à Leiris. Et les bombes aussi. Votre agent sur DS-Neuf n'était qu'un pion dans le complot cardassien pour prendre le contrôle du trou de ver.

« Séquence de détonation parée. Fréquence huit huit quatre trois deux. »

« Huit huit quatre trois deux. Paré. »

L'ambassadeur klingon, dans les rangs arrière de la salle d'opération, porta la main à son épée, mais parvint à se maîtriser et garda le silence.

Marak ne riait plus.

— Votre histoire se tient, Sisko. Pour ma part, je préfère notre interprétation, dans laquelle des terroristes bajorans font sauter leur station, tuant aussi bien les officiers de Starfleet que leurs propres civils. Qui en doutera jamais ? Toute la Galaxie sait maintenant qui sont les Bajorans. C'est fini, Sisko, dit-il en levant la main, un doigt suspendu au-dessus d'une commande de sa console. Choisissez. Vous me donnez la station ou je la fais sauter ?

Ça y est, Gul Marak venait de passer aux aveux. Ce n'était pas trop tôt. Sisko se leva à moitié de son fauteuil :

— Marak ! Je vous préviens. Ne faites pas ça !

— *Vous* me mettez en garde, *moi* ?

— La bombe n'est plus sur mon réacteur... Elle est sur le vôtre !

— Belle tentative, Sisko, le ridiculisa Marak en se remettant à rire. Mais ça ne suffira pas !

À l'instant où son doigt pressa le bouton de contrôle, l'image du *Swift Striker* subit un brouillage complet sur le maître écran de DS-Neuf.

Un silence de plomb tomba sur le Centre des Opérations. On n'entendit que le murmure de O'Brien :

— Le salaud, il l'a fait !

L'image d'une vue extérieure du *Swift Striker*, couché sur l'arrière-fond spectral de l'espace, se reconstitua bientôt sur le vaste visualiseur. Les dommages infligés au vaisseau n'étaient pas vraiment visibles — l'explosion n'avait touché qu'une toute petite section de la coque, où béaient quelques panneaux déchirés.

Mais un flot de jurons paniqués et d'ordres lancés avec frénésie s'échappa du communicateur de Jake :

« Que se passe-t-il ? Que se passe-t-il ? »

« L'alimentation est coupée ! »

« Ingénierie ! Damnation... Rapport ! »

« C'est le nœud de jonction principal du secteur quarante ! Il a sauté ! »

« Dérivez ! »

« Le champ de structures d'intégrité va flancher ! Perte totale de puissance ! »

« Coupez les moteurs ! Stop toutes ! »

« Procédures de dérivation activées ! »

« Maudit ordinateur ! Annulez ! Annulez ! »

« Chute de pression dans le secteur quatre-vingt ! »

— Je relève une déperdition d'énergie massive, annonça Dax de sa voix posée, depuis sa console. Le champ d'intégrité structurelle est réduit... non, il est complètement désactivé à présent. Le vaisseau ralentit. Je détecte des ruptures d'intégrité de la coque à tribord.

Ils gardaient tous les yeux rivés sur l'écran. Avec ses deux ailes largement écartées à l'avant de sa proue, le cuirassé de classe Galor ressemblait étrangement à une raie des océans terrestres. À la pointe de l'aile droite, des panneaux de la coque commençaient à se soulever, rompus par le stress à découvert de l'accélération. En l'absence de champ de structures d'intégrité, le *Swift Striker* s'effondrait sous sa propre masse.

— Excellent travail, chef, le félicita Sisko avec un calme qu'il était loin de ressentir.

Il éprouvait un sentiment d'exultation tempéré par l'horreur. On ne pouvait pas rester indifférent à ce spectacle quand on avait déjà servi sur un vaisseau stellaire — même si Gul Marak était l'artisan de sa propre ruine. Un vaisseau rendait l'âme au milieu du vide sidéral, rempli d'hommes qui agonisaient.

Sisko tenait toujours l'unité de communication à la main.

« L'atmosphère s'échappe ! »

« L'aile droite s'est détachée ! »

« Abandonnez le vaisseau ! Abandonnez le vaisseau ! Tout l'équipage auxiliaire aux nacelles de sauvetage ! »

— Pouvez-vous prendre contact avec eux ? demanda Sisko.

— Ils n'ont plus de communications, commandant, répondit le technicien.

Détournant le regard du vaisseau qui se désintégrait, il regarda de nouveau le petit communicateur et alluma l'interrupteur de transmission.

— Gul Marak, ici DS-Neuf. Avez-vous besoin de secours ?

— Allez au diable, Sisko ! Les Cardassiens préféreraient mourir plutôt que d'accepter votre aide, à vous et votre vermine bajoranne !

— Un vaisseau de sauvetage décolle, annonça Dax de son poste.

Sisko l'apercevait sur le maître écran, il hocha la tête. Lorsque le *Swift Striker* se disloqua, plusieurs petits appareils semblables s'éloignèrent du vaisseau frappé à mort. Ils regagneraient le territoire cardassien par leurs propres moyens et rentreraient au foyer dans la honte et le déshonneur.

— Lieutenant Dax, ordonna finalement Sisko. Le chef O'Brien, le docteur Bashir et vous prendrez les runabouts pour aller vérifier s'il y a des survivants.

Sisko n'en dit rien, mais tout le monde savait que ce serait plutôt des non survivants qu'ils trouveraient parmi les débris du vaisseau. Les victimes de la déloyauté de leur commander cardassien.

CHAPITRE 30

— Niveaux de fluctuations : normaux.

— Amplitude du champ d'oscillation : optimal.

— Taux d'injection antimatière : normal.

— Rendement énergétique : quatre-vingt-dix-huit point huit pour cent de la capacité.

Miles O'Brien leva les yeux de la console en souriant :

— Je n'aurais jamais cru qu'un jour j'entendrais ça sur DS-Neuf.

Avec l'aide de Berat, ils avaient réinstallé le fuseau d'endiguement antimatière sur le réacteur B et l'avait rempli de magma antideutérium. Le système était maintenant totalement opérationnel.

— Je ne sais pas... commença Berat, l'air songeur.

— Quoi ?

— Si je pourrai un jour travailler de nouveau sur une de ces stations.

— Vous savez, je ne plaisantais pas quand je vous ai offert ce poste. Le commandant est d'accord. Nous avons besoin d'un type comme vous ici, qui connaît les systèmes et est habitué à les faire fonctionner. C'est le métier que vous avez toujours fait, vous êtes meilleur que moi pour ce boulot.

— Je n'aurais pas pu effectuer l'annulation de protocole de l'ordinateur.

— Je suis sûr du contraire. Il vous suffirait de cesser de les laisser croire qu'ils en savent plus que vous.

Un bref moment, un sourire flotta sur les lèvres de Berat.

— Non. Je suis cardassien.

— Est-ce si important ? Vous êtes un très bon ingénieur, Berat, c'est tout ce qui m'intéresse.

— Ici, sur cette station, ce serait toujours important.

O'Brien ne trouva rien à répondre. Ils ramassèrent leurs outils en silence et gagnèrent le turbolift.

— Comment vont vos mains ? finit par demander le chef ingénieur durant leur ascension vers l'anneau d'habitation.

— De mieux en mieux. Votre médecin dit que je peux espérer un rétablissement de quatre-vingt-dix-huit pour cent, dit-il en faisant jouer ses doigts. Vous avez de bons équipements, et un bon médecin.

— Bashir ? Vous avez sans doute raison. Quand il se rappelle qu'il est médecin et pas un présent des dieux légué à l'humanité.

Les portes s'ouvrirent sur le niveau onze.

— Vous venez prendre un verre, quelque chose ? demanda O'Brien.

— Je... commença Berat, avant d'apercevoir quelqu'un qui traversait la Promenade en se dirigeant vers eux ; il recula dans le lift. Je vous remercie. Je dois me rendre à mes quartiers pour prendre connaissance des récentes communications.

Le major Kira jeta un coup d'œil sur la porte refermée du lift lorsqu'elle rejoignit O'Brien.

— Et alors, comment va votre Cardassien ? demanda-t-elle.

— Il fait du bon boulot, dit O'Brien. Il veut rentrer chez lui.

— Rentrer chez lui ? Après ce qu'il a fait ici ? Est-ce possible ?

Une question délicate qui s'était déjà posée entre eux.

— Nous lui devons tous une fière chandelle pour ce qu'il a fait ici, fit remarquer l'ingénieur.

— Je m'en réjouis. Mais je ne peux pas m'empêcher de penser... à tous les Cardassiens qui sont morts sur le vaisseau.

O'Brien détourna la tête, conscient qu'il portait lui aussi une part de responsabilité dans cette hécatombe. Il se tourna vers Kira :

— Vous croyez que Berat est un traître parce qu'il nous a aidés ? Comme le moine ?

— Non, ce n'est pas pareil. Leiris n'a aucune excuse. Absolument aucune.

— J'ai vécu une expérience semblable, commença lentement O'Brien. Il n'y a pas si longtemps, d'ailleurs. Le capitaine Ben Maxwell a été mon premier commander, sur le *Rutledge*. J'aurais suivi cet homme jusqu'en enfer sans poser de questions. Mais, plus tard, il lui est arrivé quelque chose. Sa famille a été massacrée durant la guerre contre les Cardassiens, et cela a commencé à le dévorer de l'intérieur.

« Nous avons par la suite conclu la paix avec les Cardassiens et le capitaine Maxwell a été affecté au commandement du *Phénix*. J'étais chef de la téléportation sur l'*Entreprise* quand il s'est mis à attaquer sans raison des vaisseaux cardassiens — certains n'étaient même pas armés —, sans aucune provocation ni en avoir reçu l'ordre. Il y a eu des centaines de morts. Les Cardassiens ont accusé la Fédération de rompre la paix.

« Le capitaine Picard s'est lancé à sa poursuite pour l'arrêter. Afin de sauvegarder la paix et protéger des vies cardassiennes, il devait se tenir prêt à faire feu sur un vaisseau de la Fédération et tout son équipage.

« Alors, je vous le demande : où est la loyauté dans une situation comme celle-là ?

Kira resta silencieuse.

— Et votre capitaine ? A-t-il tiré ? finit-elle par demander.

— Quelqu'un a réussi à persuader Maxwell de se rendre, relata-t-il, l'air lointain, puis il sembla chasser sa morosité. Une synthale ou un drink, major ?

— Non. Non merci, chef.

Kira traversa la Promenade. Derrière les portes vitrées de sa boutique aux lumières éteintes, Garak l'observait, l'air vindicatif. Mais Kira était trop préoccupée pour penser au couturier.

Elle s'arrêta devant l'entrée du temple bajoran. L'édifice circulaire était comme nimbé de soleil, de vie, d'éternité. Il possédait un centre.

La psalmodie familière des moines qui lui parvint de l'intérieur la gonfla d'une colère irraisonnée, et aussi de tristesse. Comment faisaient-ils ? Comment pouvaient-ils continuer comme si rien ne s'était passé ?

Kira fut prise d'un étourdissement. Elle pouvait presque sentir sa main sur elle, le sentiment de quiétude, de paix intérieure, que son contact lui avait apporté. Tout n'avait-il été qu'un mensonge ? Une illusion ?

Des larmes de rage baignèrent ses yeux. Tu n'as pas seulement trahi Bajor, Leiris. Tu m'as trahie, moi. Tu as trahi ma foi.

— Major ? Puis-je vous aider ? demanda un moine vêtu de sa tunique safran.

— Non, je vous remercie. Je suis venue méditer.

— Bien sûr, dit le moine qui s'écarta en lui adressant un gracieux salut.

Kira prit une grande respiration et expira lentement. Elle ferma les yeux, à la recherche de son centre.

En passant par la Promenade pour se rendre sur Ops, Ben Sisko remarqua les lumières aux couleurs vives qui scintillaient dans le hall du casino de Quark. L'œil perçant du Férengi capta la présence du commandant quand il s'arrêta. Quark se rua vers la porte.

— Commandant ! Vous entrez pour une petite mise rapide ? Un drink sur le pouce ?

— Vous avez déjà rouvert votre commerce ? s'étonna Sisko.

— Je me dois de montrer l'exemple à la communauté locale, se targua Quark. Il faut que les affaires recommencent à rouler ici. Je vous rappelle, commandant, que le commerce est le sang de toutes les communautés civilisées. Lorsque la vie des occupants reprendra son cours normal, nous serons prêts à les accueillir.

— Et à leur soutirer leur argent. Une initiative fort louable, je n'en doute pas, répliqua Sisko d'un ton sec. Et si les Cardassiens avaient réussi à prendre le contrôle de la station, je présume que ce serait pour vous du pareil au même ?

Quark sourit, nullement démonté. Un profit reste un profit, et le latinum endoré ne s'embarrasse pas de savoir s'il est cardassien ou bajoran.

— Mais pourquoi pas, commandant ! Un entrepreneur expérimenté sait survivre à ces petits événements fâcheux.

— Humm, fit Sisko, dubitatif, et il laissa Quark dresser ses tables et préparer ses jeux de hasard.

C'était contrariant, mais il devait admettre que Quark avait parfaitement raison.

Tout commençait à rentrer dans l'ordre, sur DS-Neuf. La station était habituée à cette situation de crises récurrentes. Les officiers principaux, de Starfleet et de Bajor, n'avaient d'ailleurs jamais abandonné leurs postes. Sisko éprouva une grande fierté de leur commander.

Il était plongé dans son travail quand le bruit d'un remue-ménage monta de la passerelle de Ops. Il laissa échapper un juron : son chef de la sécurité sortait du turbolift avec au bout de chaque bras un criminel en état d'arrestation : son fils, Jake, et Nog , son compagnon de tous les méfaits.

— Odo, emmenez-les dans mon bureau ! ordonna-t-il en frappant son commbadge.

Jake baissait les yeux, comme chaque fois qu'il se sentait coupable, alors que Nog, renommé pour la promptitude de ses évasions, se tortillait sous la poigne de Odo, qui le maintenait fermement par la conque de son oreille.

— Que s'est-il passé cette fois ? demanda Sisko dont le visage avait pris l'aspect d'un ciel orageux.

— Je les ai pincés sur l'anneau d'amarrage, dans les hangars de stationnement des glisseurs d'entretien, indiqua Odo.

— Quoi !?

Les glisseurs étaient de petits appareils spatiaux qu'on utilisait pour l'entretien extérieur de la station. Même s'ils ne « glissaient » pas réellement à la surface de la station, la puissance de leurs minuscules propulseurs était négligeable. Ce qui n'excusait en rien que les gosses aient voulu s'en servir pour aller se balader.

Les nuages s'assombrirent davantage et se firent plus menaçants : « Jake ! »

— Je te jure que nous ne voulions rien faire de mal, papa ! se défendit piteusement le garçon.

— Rien de mal ? Entrée dans une zone interdite et utilisation des équipements sans autorisation et sans prévenir personne ? Pas même la tour de contrôle ? Tu crois que les règlements ne servent à rien, ici ? Il aurait pu arriver un million de pépins et personne n'aurait su où vous étiez !

— Je suis désolé. Je n'ai pas pensé que...

— Pas pensé ! Mais, bon dieu, pourquoi vouliez-vous prendre ces appareils ?

— Eh bien, c'est que... expliqua Jake en avalant sa salive. Il y a tous ces trucs qui flottent autour de la station. En partant, les gens se sont débarrassé des objets qu'ils ne pouvaient pas emporter en les jetant par les sas. Ils sont encore là, tu sais. Ils gravitent en orbite. Et ils gênent le trafic. Alors... Nog et moi, on s'est dit qu'on pourrait peut-être prendre les glisseurs et en ramasser quelques-uns. Ils sont bien équipés, tu sais, avec des grappins et des filets et tout. On voulait juste faire un peu de ménage, quoi ! Enlever les débris.

— Et que comptiez-vous en faire ? demanda Sisko, sans atténuer son froncement de sourcils.

— Ben...

— Récupération ! C'était une opération de récupération ! s'empressa d'expliquer Nog, alors que Jake hésitait toujours. Un des plus anciens principes des lois interplanétaires spécifie que la première personne qui trouve du matériel largué ou abandonné peut réclamer la prime de récupération.

— Merci, Nog, mais je connais fort bien les lois sur la récupération, dit Sisko en levant la main. Qu'aviez-vous l'intention de faire avec ces articles récupérés ? Vous savez, je l'espère, qu'en regard du droit commun, l'acte de récupération, contrairement à ce que beaucoup de personnes font l'erreur de croire, ne confère aucun titre sur les biens à ceux qui les ont trouvés.

— Eh bien, je...

— Leurs propriétaires ont le droit de les réclamer, moyennant le versement des frais de récupération.

L'expression déconfite de Nog s'éclaira à la mention du mot frais. En lui-même, Sisko poussa un soupir. Pas difficile de savoir qui avait conçu ce plan. Le jeune Férengi suivait la trace fidèle de son oncle Quark, perpétuellement à l'affût d'un gain matériel. Moins d'un jour après son retour sur la station, il avait déjà élaboré des projets pour tirer parti du malheur des autres. Nog représentait l'antithèse de toutes les valeurs défendues par Starfleet — et il était le compagnon de tous les instants de son fils sur DS-Neuf.

Le devoir de Sisko était de prononcer un jugement impartial pour les deux adolescents.

— D'une certaine manière, vous avez raison, tous les deux, dit-il. Il est effectivement nécessaire de débarrasser les routes du trafic spatial autour de la station de tous les rebuts qui les encombrent. Mais ces biens appartiennent à ceux qui vivent ici, sur DS-Neuf, et ils seront rendus à leurs propriétaires — sans frais.

« Quant à vous deux, je vous affecte aux postes d'assistants auprès d'un opérateur qualifié pour effectuer ce travail. Considérez cela comme une assignation jusqu'à ce que le travail soit terminé.

Les deux gamins semblaient désespérés.

— Mais... l'école ? demanda Jake d'une voix incrédule.

— Les cours ne recommenceront pas avant la reprise des opérations normales sur la station.

Nog lança un bref coup d'œil vers la porte, mais Odo en barrait le passage.

— Euh... Je crois que mon oncle a besoin de mon aide au casino, dit-il avec inquiétude.

— Je lui en toucherai un mot, le terrassa Sisko. À mon avis, il conviendra qu'il s'agit de la meilleure solution quand je lui apprendrai le montant des amendes prévues pour appropriation illégale des équipements de la station.

— Mais...

— Ce sera tout. Jake, nous en reparlerons plus tard, à mon retour à nos quartiers. Tu m'y attendras, compris ?

— À vos ordres, commandant, répondit son fils sans gaieté.

— Constable, veuillez vous assurer qu'ils se rapportent bien au chef O'Brien au début du prochain quart de travail.

— Je n'y manquerai pas, dit Odo avec une fermeté qui traduisait son approbation du châtiment.

Il escorta les deux larrons hors du bureau.

Sisko se laissa retomber dans son fauteuil et ferma les yeux. Il entendit faiblement les voix s'éloigner dans le couloir :

— C'est *ta* faute ! Si tu n'avais pas...

ÉPILOGUE

Quelques jours plus tard, il fut prévenu par un message de son communicateur : « Commandant, c'est Gul Dukat ! »

Sisko n'eut que le temps de se lever et le commander cardassien faisait son entrée dans le bureau — sans frapper, comme d'habitude.

— Gul Dukat ! Quel plaisir de vous revoir. Asseyez-vous, je vous en prie.

Dukat avait maigri, ses traits étaient plus anguleux que jamais. Il accepta l'invitation de Sisko, l'air un peu déconcerté.

— On dirait que les choses ont changé ici. Tout le monde semble presque content de me voir, sur Ops. Même le major bajoran Kira m'a adressé la parole sans montrer les crocs.

— Mmm... Il arrive que les choses changent, en effet. Au fait, je crois que vous avez été emprisonné un certain temps par le gouvernement de la Revanche.

Dukat eut un sourire farouche, qui fit fortement ressembler son visage à celui d'un prédateur. « Et ils vont le regretter ! »

Sisko n'avait pas vraiment envie d'en entendre parler, mais Dukat continua, supposant manifestement que le commandant de Starfleet partageait son enthousiasme pour la vengeance.

— On a exécuté votre ami Marak juste avant notre décollage ! C'était tout un spectacle. Vous auriez dû être présent pour récolter les honneurs qui vous reviennent. Vous êtes un ennemi rusé, Sisko. Il faudra me le rappeler, si nous devions un jour nous retrouver dans des camps opposés. Ce qui n'est pas le cas aujourd'hui.

— Votre peuple est peu porté à la clémence, n'est-ce pas ?

— Nous ne pouvons nous le permettre. Marak a perdu son vaisseau, échoué dans sa mission et terni notre réputation devant la Fédération entière. Il méritait la mort. Ce qui me rappelle : le parti de la Revanche a peut-être perdu tout crédit en même temps que le pouvoir, l'Empire cardassien n'en maintient pas moins ses revendications sur le trou de ver du quadrant Gamma. Et sur cette station, évidemment.

— Et vous comprenez, bien sûr, que je suis forcé, en tant que représentant de la Fédération, d'opposer une fin de non-recevoir à ces prétentions.

— Il va sans dire.

Ils s'étaient compris.

— Passons à autre chose, coupa brusquement Marak. Je crois que vous avez accordé l'asile à une jeune connaissance. C'est un geste... auquel je suis sensible. J'aurais tout donné pour voir la réaction de Marak quand il l'a appris.

— Les circonstances paraissaient justifier une demande d'asile, dit Sisko ; il tapa son communicateur : Faites monter Berat au bureau du commandant, s'il vous plaît. Mon chef des opérations ne tarit pas d'éloges sur ses qualités d'ingénieur, confia-t-il à Dukat. Il lui a même proposé un poste d'officier, sur DS-Neuf.

— Un officier cardassien servant sous les ordres des Bajorans ? s'étonna Dukat en arquant un sourcil sceptique.

— Oh, ce n'était qu'une idée comme ça.

Berat entra dans la pièce d'un pas hésitant, mais son visage s'illumina lorsqu'il vit Dukat. « Gul ! »

Dukat se leva et les deux Cardassiens s'étreignirent avec force les avant-bras, dans des retrouvailles émouvantes. Sisko se demanda s'ils n'étaient pas parents.

— Fiston, ta famille va être heureuse de te revoir !

— Ils sont vivants ? Qui...

— J'ai vu tes cousins Karel et Tal dans le bouge où ils vous avaient enfermés. Nous nous sommes retrouvés voilà huit jours, pour aller voir Marak pendu. Nous avons tous pensé à toi, à ton père, et à tous les autres. Mais nous n'aurions jamais cru te retrouver vivant, surtout pas ici !

Berat mit sa joie en veilleuse, un moment, et jeta un coup d'œil en direction de Sisko.

— J'ai eu de la chance, dit-il.

— J'ai une bonne couchette pour toi sur mon vaisseau, lui annonça Dukat. Tu vas pouvoir quitter cet endroit.

— Mais...

— Quoi ?

— Les accusations... Je veux dire... Sub Halek est mort.

— Te fais pas de bile avec ça. Nous avons rétroactivement rétabli ton grade. Pour ce qui concerne le service, Halek a payé de sa vie dès le moment où il a porté la main sur Glin Berat, le rassura Dukat en assénant une lourde tape sur l'épaule du jeune Cardassien. Tu as réussi à en faire mordre un à la poussière, j'en suis content.

« Nous ne vous retiendrons pas plus longtemps, dit-il en regardant Sisko et il se dirigea vers la porte.

Juste avant d'en franchir le seuil, Berat se retourna.

— Commandant ? Pourriez-vous dire au revoir au chef O'Brien de ma part ?

— Comptez sur moi, répondit Sisko, un peu surpris.

— Et... remerciez-le pour sa proposition. Mais... je retourne chez moi. J'espère le revoir un de ces jours, quand je pourrai revenir.

— Oh, fit Gul Dukat avec un sourire. Je crois que le commandant Sisko sait que nous reviendrons. Bientôt.

Que cela lui plût ou non, le commandant Sisko dut en convenir.